刘心武揭秘——红楼梦

红楼夢

刘心武◎著

東方出版社

图书在版编目（CIP）数据

刘心武揭秘《红楼梦》／刘心武 著．—北京：东方
出版社，2005.7
ISBN 7-5060-1841-1

Ⅰ.刘… Ⅱ.刘… Ⅲ.《红楼梦》研究 Ⅳ.I207.411

中国版本图书馆 CIP 数据核字（2005）第 092770 号

刘心武揭秘《红楼梦》
LIUXINWU JIEMI HONGLOUMENG

作 者：	刘心武	
责任编辑：	高 楠	
封面设计：	80 零·小贾	
插图绘制：	瑞 红 顾宝新	
排 版：	屈婷婷	
文字编辑：	耿金丽	
出版发行：	东方出版社	
社 址：	北京朝阳门内大街 166 号	
邮 编：	100706	
网 址：	http://www.peoplepress.net	
经 销：	全国各地新华书店	
印 刷：	三河市南阳印刷有限公司	
开 本：	787 毫米×1092 毫米 1/16	
字 数：	200 千字	
印 张：	17.5	
彩 插：	16	
版 次：	2005 年 8 月第 1 版 2005 年 9 月第 8 次印刷	
书 号：	ISBN 7-5060-1841-1	
定 价：	28.00 元	

目录

Contents

2

目录

应中央电视台10频道（科学·教育频道）《百家讲坛》栏目邀请，我去录制大型系列节目《刘心武揭秘〈红楼梦〉》。该系列节目从2005年4月2日开播，大体上是每周星期六中午12:45播出一集，到2005年7月2日，已经播出了十三集。

没有想到的是，这样一档远非黄金时段——有人调侃说是"铁锡时间"，甚至说是"睡眠时间"，12:45本来是许多人要开始午睡，重播的时间为0:10，就更是许多人香梦沉酣的时刻了——的讲述节目，竟然产生了极强烈的反响。追踪观看的人士很是不少，老少都有，而且其中有相当一部分是年轻人，包括在校学生。在互联网上，更是很快就有了非常热烈的回应，激赏的，欢迎的，鼓励的，提意见的，提建议的，深表质疑的，大为不满的，"迎头痛击"的，都有。而且，这些反应不同的人士之间，有的还互相争议，互相辩驳。最可喜的，是有人表示，这个系列节目引发出了自己阅读《红楼梦》的兴趣，没读过的要找来读，没通读过的打算通读，通读过的还想再读。

红学研究应该是一个公众共享的学术空间。我在讲座里引用了蔡元培先贤的八个字："多歧为贵，不取苟同。"谁也不应该声称关于《红楼梦》的阐释独他正确，更不能压制封杀不同的观点，要允许哪怕是自己觉得最刺耳的不同见解发表出来，要有平等讨论的态度、容纳分歧争议的学术襟怀；当然，面对聚讼纷纭的学术争议，又要坚持独立思考，不必苟同别人的见解，在争议中从别人的批评里汲取合理的成分，不断调整自己的思路，提升自己的学术水平。

我在讲座里还引用了袁枚的两句诗："苔花如米小，也学牡丹开。"我常用这两句诗鼓励自己。我因为种种原因，并没有能够进入名牌大学，没有能受到正规的学术训练，先天不足，弱点自知，但是我从青春挫折期就勉励自己，要自学成才，要自强不息。我为自己高兴，因为经过多年的努力，我成为了一个作家，除了能发表小说、随笔，我还能写建筑评论，能涉笔足球文化，并且，经过十多年努力，还在《红楼梦》研究中创建了秦学分支。我只是一朵苔花，但是，我也努力地像牡丹那样开放。我们的生命都是花朵，我鼓励自己，也把这样的信念告诉年轻人，特别是有这样那样明显弱点和缺点的年轻人，要清醒地知道，相对于永恒的宇宙，我们确实非常渺小，应该有谦卑之心；但是跟别的任何生命相比，我们的尊严，我们的价值，我们的可能性，是一样的；就算人家确实是牡丹玫瑰，自己只是小小的，角落里的一朵苔花，也应该灿烂地绽放，把自己涨圆，并且自豪地仰望苍天，说："我也能！"

这本书，是我的"揭秘《红楼梦》"讲座第一讲至第十八讲的演讲记录文本。节目开播以后，一直有红迷朋友希望能买到我演讲的文稿结集，现在这本书应该能满足他们的需求。当然，我也盼望没看节目的人士，或者习惯上是不看电视只读书的人士，也能翻翻这本书。

大家知道，电视节目，包括《百家讲坛》这样形式上似乎比较简单的节目，都有一个加工制作的过程。节目版块的时间是固定的，一共四十五分钟，刨去片头片尾，以及编导嵌入的必要的解说词衔接词等等，电视节目里大家听到我所讲的，也不过三十几分钟。其实每次在摄像棚里录制时，我一讲总得有六七十分钟，编导制作节目当然是尽量取其精华，但限于每集容量，也确实不得不删掉一些其实是必要的论证、事例和逻辑过渡。现在大家看到的这本书里的每一讲，跟制作成的电视节目都略有不同，主要就是把一些因节目时间限制而砍掉的内容，恢复了进去。因为看书跟看电视节目不一样，我相信，这些在书里增添的内容，可以给阅读者带来更丰富的信息，形成更有说服力的逻辑链。

在实际演讲中，我有口误，有表述不当，也有错误处，把演讲制作为节目时，编导们已经尽可能地做了修正，但是，还是留下了一些没能清除尽的疏漏疵点。电视台的节目一旦定型，再加修改就很麻烦，这不能不说是种遗憾，但是，在整理这些演讲文稿的过程里，凡是发现到的，我都一一做了修正补救。在此特别要感谢在节目播出过程里，通过电视台，通过互联网，以及设法直接给我来信的诸多人士，有的指正非常宝贵，我已经在这本书里采纳了其正确意见，有的建议非常之好，我也就相应地进行了删却增补。因此，现在大家看到的这本演讲记录，应该比已经播出的节目，比此前从网上找到的记录文本，更完善，更准确，也更丰富。我衷心希望，各方面的人士继续不吝赐教，这本书如果还有再印的机会，我会根据批评建议，以及自检和新悟，将这些文稿再加增订修正。

20世纪二三十年代，苏联有位戏剧家叫梅耶荷德，他对一位文学艺术家的成功标准是什么，提出了一个见解。他认为，你一个作品出来，如果所有人都说你好，那么你是彻底地失败了；如果所有的人都说你坏，那么你当然也是失败，不过这说明你总算还有自己的某些特点；如果反响强烈，形成的局面是一部分人喜欢得要命，而另一部分人恨不得把你撕成两半，那么，你就是获得真正的成功了！后来有人夸张地将他的这一观点称之为"梅耶荷德定律"。

忽然想起"梅耶荷德定律"，是我觉得按他那说法衡量，自己这回到CCTV-10讲《红楼梦》，算是获得成功了么？说真的，我还没自信到那个份上。但是，"另一部分人恨不得把你撕成两半"的滋味，我确实是尝到了一些，这对自己的心理承受力，应该是一种锻炼。在一个文化格局日趋多元化的社会里，如果"恨不得把你撕成两半"只不过是一种言论，并不具有法律宣判效力，也并不是形成了新的政治运动要对你实施"揪出来斗倒斗臭"，不影响领取退休金，不打进家门，那么，我觉得，就我个人而言，应该能够承受，而且必须承受。我算何方神圣，有何特权，不许人家恶攻？不许人家讨厌？不许人家出言不逊？你到中央电视台节目里高谈阔论，人家就有不喜欢，觉得恶心，给你一大哄的天赋人权！有些厌恶我的人，似乎对我的每一讲还都牺牲午觉或熬夜地盯着看，我感觉这也真好，至少对于他们来说，我具有反面的不可忽略的价值；当然，有些人士并不是厌恶我，他们对我心怀善意，只是把我当成一个辩论的对手，因此每讲必看，看过必争。没想到我花甲之后，还能被诸多人士赐以如此的关注，我整个的心情，确实必须以欣慰两个字来概括。

我的秦学研究，有的人误解了，以为我只研究《红楼梦》里的秦可卿这一个人物，或者我只把《红楼梦》当成一部清代康、雍、乾三朝政治权力的隐蔽史料来解读。不是这样的，我的研究，属于探佚学范畴，方法基本是原型研究。从对秦可卿原型的研究入手，揭示《红楼梦》文本背后的清代康、雍、乾三朝的政治权力之争，并不是我的终极目的。我是把对秦可卿的研究当作一个突破口，好比打开一扇最能看清内部景象的窗户，迈过一道最能通向深处的门槛，掌握一把最能开启巨锁的钥匙，去进入《红楼梦》这座巍峨的宫殿，去欣赏里面的壮观景象，去领悟里面的无穷奥妙。

我的讲座，第一、二讲概括地介绍红学，也是表明我的研究，是在前人奠定的基础上去进行的；第三讲至十三讲重点揭秘秦可卿，第十四至十八讲揭秘贾元春。这本书就先收录到第十八讲，因为第十九讲以后，讲妙玉的部分虽然录制了，但还没有整理出初步的文案，而之下的部分，就根本还没有录制。是否还能顺利录制，何时录制，何时能制作为节目播出，各方都还举棋未定，因此，这本书只能到此为止。如果第十九讲到拟定的第三十六讲也就是最后一讲有幸能够完成，那么，接续这本书再出一本，以为合璧，是我的愿望，相信也是支持我、鼓励我的红迷朋友们乐于见到的。

为了使关注我这一系列讲座的人士进一步知道，我确实不是只研究秦可卿，而是从她出发，去对《红楼梦》进行较全面的探索，在这里我把已经录制的四讲和初步拟定的后面的讲座题目公布一下。当然这只是一个初步的计划，真正实施时会有所调整，是否一定能完成也还要取决于主客观各方面的条件。

对于我的秦学研究，我有基本自信，因为，一、另辟蹊径；二、自成体系；三、自圆其说。但我也一直提醒自己：一、千万不能以为真理就只在自己手中了；二、千万要尊重别人的研究成果；三、广采博取，从善如流，欢迎批评，不断改进。

谢谢买这本书、读这本书的各方人士。说到头，我的秦学究竟是否能够成立，那并不是一个多么重要的问题。现在的情况是，我的这个系列讲座，引发出了人们对《红楼梦》的更浓厚的兴趣，读《红楼梦》的更多了，参与讨论它的人更多了，红学在民间的空间，因此大大拓展了，这才是最重要的。

一个民族，她那世代不灭的灵魂，以各种形式在无尽的时空里体现，其中一个极其重要的形式，就是体现在其以母语写出的经典文本中。正如莎士比亚及其戏剧之于英国人，是他们民族魂魄的构成因素一样，曹雪芹及其《红楼梦》，就是我们中华民族不朽魂魄的一部分。阅读《红楼梦》，讨论《红楼梦》，具有传承民族魂、提升民族魂的无可估量的意义，而所有民族发展的具体阶段中的具体问题，具体症结，具体的国计民生，无不与此相关联。我们如果热爱自己的民族，希望她发展得更好，那么，解决眼前切近之事，和深远的魂魄修养，应该都不要偏废，应该将二者融会贯通在一起，不能将二者割离，更不可将二者对立起来。

这段代替序言的《说在前头》，其实还是写出来的。写和说，是两种区别很大的表述方式。后面诸君所看到的，是演讲的真实记录，虽然也印成了文字，那感觉应该是另样的，我自己看的时候也觉得别是一番滋味。这些讲演记录稿虽然经过一定修饬，但仍保留着浓郁的口语风格。我为自己能出这样一本书而高兴，也希望它能给能够通过眼睛阅读激起听觉效应的诸君，起码能在艰辛的人生跋涉中，在业余时间里，多少增添一些有内涵的生活乐趣。

刘心武

2005 年 7 月 15 日

于温榆斋中

追寻『红学』谜踪 上

在晚清，有一个人叫朱昌鼎，是一个书生，他有一天在屋子里坐着看书，来了一个朋友。这朋友一看他在那儿看书呢，一副钻研学问的样子，就问他说，"老兄，你钻研什么学问呢？你是不是在钻研经学呀？"过去人们把所有的图书分成经、史、子、集几个部分，经书是最神圣的，圣贤书，孔夫子的书、孟夫子的书，四书五经都是经书，研究经学被认为是最神圣的，所以一般人看一个书生在那儿看书、钻研，就觉得一定是在研究经学。

朱昌鼎这个人挺有意思，他一听这么问，就回答说，对了，我就是在研究经学,不过我研究的这个经学跟你们研究的那个经学有点不一样,哪点不一样呢?我这个经学是去掉了一横三个折的、也就是三个弯的那个经。那个朋友一想,他研究的经学怎么这么古怪啊?大家知道,过去的繁体字的"经"字,它的左边是一个绞丝,它的右边上面就是一个横,然后三个弯或者叫三个折,底下一个"工"字,这个"经"字,繁体字的"经"字,去掉了上面的一横,三个弯,右边不就剩一个"工"字了吗?一个绞丝、一个工字,这个字是什么字呢?是"红"字。哦,这朋友说了,闹了半天,你研究的是"红学"啊?这虽然是一番笑谈,但也就说明,在那个时候,《红楼梦》就已经非常深入人心,已经有这样的文人雅士,把阅读《红楼梦》、钻研《红楼梦》当成一件正经事,而且当成一件和钻研其他的经书一样神圣的好事。这就充分说明,研究《红楼梦》,在很早的时候就形成一种特殊的学问了。

清嘉庆年间,有位叫得硕亭的,写了《草珠一串》,又名《京都竹枝词》,其中一首里面有两句:"闲谈不说《红楼梦》,读尽诗书也枉然。"可见很早的时候,谈论《红楼梦》就已是一种社会时尚了。

学秋氏,估计和得硕亭一样,是一位满族人士,学秋氏很可能是一个艺名、笔名,在学秋氏的《续都门竹枝词》里面,我们又发现了非常有趣的一个《竹枝词》,现在我把这四句都念出来,你听听,你琢磨琢磨,很有味道——它这么说的,"《红楼梦》已续完全,条幅齐纨画蔓延,试看热车窗子上,湘云犹是醉憨眠。"它传达了很多信息,"《红楼梦》已续完全",就说明在那个时候,人们已经懂得他们所看到的活字版印的《红楼梦》包括两个部分:一部分是原来一个人写的,不完全;另一部分是别的人续的,是把它续完全的,这是一个非常重要的信息。在嘉庆的时候,那些人可能还不太清楚《红楼梦》到底原作者是谁,续书者是谁。但是他们已经很清楚、很明白，一百二十回《红楼梦》不是一个人从头写到尾的，是从不完全发展到续完全的一本书，这是一个非常重要的信息。《红楼梦》流传以后，不仅以文字的形式流传，也很快转换为其他的艺术形式，比如说图画。这个《竹枝词》第二句就告诉我们，《红楼梦》已经不光是大家读文字了。"条幅齐纨画蔓延"，条幅就是家里边挂的条幅，就是一些比如四扇屏的那种画，画的都是《红楼梦》了，齐纨就是过去夏天扇的扇子，扇子有很多种了，除了折扇以外，有一种扇叫纨扇，就是用丝绸绷在框子上，上面好来画画的，一边扇的时候一边可以欣赏这个画。就在这个时候，《红楼梦》的图画已经深入到民间了，在家里面挂的条幅上可以看到，在人们扇的扇子上能看见，你想《红楼梦》的影响多大啊！更有趣的是，他说，"试看热车窗子上，湘云犹是醉憨眠。"清朝的车是什么车，大家都很清楚，一般市民坐的车都是骡车，骡车是一个骡子驾着一个辕，后面它有一个车厢，就跟轿子的那个轿厢类似，但是可能上面是拱形的，是圆形的，这个车子在冬天可以叫热车，为什么呢？因为北京的气候大家知道，冬天非常冷，车会有门帘，会有窗帘，里面就比较温暖，构成一个温暖的小空间。而且大家知道，过去一些人乘坐骡车的时候，那个时代的取暖工具可能就是一个铜炉、铜钵，里面有火炭，就是一个取暖的小炉子，《红楼梦》也描写了这个东西。在这种车子上，它的窗帘上画的是什么呢？明明是已经冬天了，需要想办法给自己取暖了，可是窗帘上画的还是春天的景象，画的是《红楼梦》里面的那段情节，就是"史湘云醉卧芍药裀"。那是《红楼梦》里面最美丽的画面之一，大家还记得吧？春天，满地的芍药花瓣，史湘云用那个纱巾把芍药花包起来当枕头，她喝醉了，在一个石凳上，她就枕着那个芍药花的枕头，就睡着了，憨态可掬。这个情景画出来，这个车在大街上一跑，史湘云就满大街跑。这就是当时《红楼梦》深入民间的情况。

当然，后来《红楼梦》又转换为了更多样的艺术形式，年画、连环画、泥塑、瓷雕、曲艺演唱、戏曲、话剧、舞剧、电影、电视连续剧……现在的中国人，即使没有读过《红楼梦》原著，总也从其他的艺术形式里，多多少少知道些《红楼梦》的人物和故事情节。

但是，《红楼梦》这部著作在流传中所出现的情况，却可以说是很坎坷、很曲折的。

现在我们看到的通行本《红楼梦》，封面上总印着曹雪芹和高鹗两个人的名字。中外古今两个人或者两个以上的人合写一本书，这个例子太多了，这个不稀奇，问题是如果两个人联合署名的话，这两个人起码第一得认识吧？互相得认识，这是第一；第二，不仅得认识，还得他们一起商量这书咱们怎么写，然后还得分工，比如说你写第一稿，我写第二稿，或者你写这一部分，我写那一部分，或者咱们说得难听点，有一个人身体不好，或者岁数比较大了，他很快就要死了，他嘱咐另一个人，说我没有弄完的，你接着弄，你应该怎么怎么弄，这样两人商量。

我的研究就从这儿开始，曹雪芹和高鹗是合作者吗？他们是联合创作了《红楼梦》吗？一查资料不对了，这俩人一点关系都没有，根本不认识，两个人的生命轨迹从来没有交叉过，一点关系没有。曹雪芹究竟生于哪一年，死于哪一年，学术界有争论，特别是他生于哪一年，有的学者认为不太容易搞清楚。死于哪一年，有争论，但是这个争论也只是一两年之间的争论，究竟是1763年还是1764年，按当时纪年的干支来算的话，究竟是壬午年还是癸未年啊，也就是这么点争论。所以说，虽然曹雪芹的生卒年有争论，但是大体上还是可以搞清楚，查资料就能搞清楚，高鹗比曹雪芹差不多要小十几二十岁，甚至要小二十多岁。小一点不要紧，老的和少的也可以一块儿合作出书，但这两人根本没来往，根本就不认识。而且高鹗是什么时候来续《红楼梦》的呢？这个资料是准确的，那已经是

1791年了，就是说离曹雪芹去世已经差不多快三十年了，在曹雪芹去世以后将近三十年，才出现了高鹗续《红楼梦》这么一回事。高鹗是和一个书商叫程伟元的，这两个人合作，最后出版了一百二十回的《红楼梦》，把大体上曹雪芹原著的八十回，加上了他们攒出来的四十回。这四十回，据很多红学专家的研究，就是高鹗来续的，或者说主要是他操刀来续的。

所以说，高鹗和曹雪芹根本不是合作者，而且他续《红楼梦》，也是在《红楼梦》八十回流传了很久以后——三十年在当时是一个很长的时间段，现在想来也不是一个很短的时间段。所以从著作权角度来说，一本书的著作权怎么能把这两个人的名字印在一起呢？《红楼梦》，曹雪芹、高鹗，好像他们两个共同合作了一本书，从第一回到一百二十回都是两人合作的，其实根本不是这么回事，所以我的研究不是没有道理。实际上红学界老早已在研究这个问题，但是不管红学界得出什么结论，令我纳闷的是，直到现在，大家经常买到的《红楼梦》还是这样的印法，我对此提出质疑。我建议出版社今后再印的时候，你还可以出一百二十回的本，但是最起码你要在封面上印是曹雪芹著、高鹗续，这样还勉强说得通。按道理的话，根本就不要合在一起出，曹雪芹的《红楼梦》，就是曹雪芹的《红楼梦》，谁愿意看续书，续书其实也不只是高鹗一种。你可以出一本高鹗续《红楼梦》四十回。这样就把著作权彻底分清了，分清这一点很重要。

俗话说得好，青菜萝卜，各有所好。现在也有人说后四十回续得非常好，还有极端的意见，说后四十回比前八十回还好；他的个人意见我很尊重，但是我很坦率地说我自己的感受，后四十回很糟，很糟。怎么个糟法？简单地说两条吧！

第一条，就是曹雪芹写的前八十回《红楼梦》已经说得很清楚，暗示得很清楚，跟读者一再地提醒，最后会是一个大悲剧的结局。

你看看第五回,第五回在太虚幻境贾宝玉翻那些十二钗的册页上面怎么写的,还有警幻仙姑让那些歌姬唱《红楼梦》十二支曲给贾宝玉听,怎么唱的?那里面说得太清楚了,贾府最后应该是"家亡人散各奔腾,忽喇喇似大厦倾,昏惨惨似灯将尽",它的结局应该是"好一似食尽鸟投林,落了片白茫茫大地真干净"!这不是说得很清楚嘛,它是这么一个结局。但你看高鹗的续四十回不对头了,甫等后头,第八十一回他一续,首先回目就非常古怪,叫做"占旺相四美钓游鱼,奉严词两番入家塾"。我们知道在七十多回的时候已经写到山雨欲来风满楼了,你想想,外头没抄进来呢,贾家就自己抄自己了,就抄检大观园了,就死人了,就开始有人命案了。晴雯,好端端的一个可爱姑娘,不就给撵出去了吗?后来不就给迫害死了吗?是不是啊?在八十回已经写到贾迎春嫁给孙绍祖,也面临着一个死亡的命运,这在前面不是早就暗示了吗?一个恶狼扑一个美女,在警幻仙姑泄露天机,让贾宝玉看的那个册页、那个画已经画出来了。八十回已经写到了,她已经嫁出去了,情势很凶险了,怎么在第八十一回的时候忽然一切又都很平静?"占旺相四美钓游鱼",优哉游哉,若无其事。而且在前八十回可以看到,曹雪芹对迷信是反对的,像马道婆魇那个凤姐、宝玉,他是深恶痛绝的,怎么会在后面写这些美人,他认为是水做的骨肉的人去钓游鱼占旺相,去占卜呢?

还有什么"中乡魁宝玉却尘缘,沐皇恩贾家延世泽",更不符合前八十回的暗示。高鹗笔下,贾府虽然也被抄了家,但最后皇帝又对他们很好,一切又都恢复了,贾宝玉就算出了家,也很古怪。这点鲁迅先生就指出来了,你已经出了家了,怎么还忽然跑到河边,去跟自己的父亲贾政道别?贾政本来是他最不喜欢的一个人,父子之间发生过激烈的冲突,大家记得吧?"不肖种种大受笞挞",谁打谁啊?往死了打,是不是啊?贾宝玉看穿了俗世的虚伪污浊,

"悬崖撒手"，与封建家长决裂，但高鹗却写他出了家还跑去给贾政倒头便拜，而且这个出家的和尚很古怪，披着一领大红猩猩毡的斗篷，大红猩猩毡的斗篷是非常华贵的，是贵族家庭的那种遗物，这就写得不对头。曹雪芹他自己在前面已经预告你，最后它会是一个彻底的悲剧，怎么会是以这样一个甚至是喜剧的情景收场呢？这不对头。

另外，写贾宝玉这个主角，越写越不对头。

贾宝玉这个角色我们在前八十回就感受到，那是一个和封建主流社会不相融的人，他骂那些去读经书、去参加科举考试的人是"国贼""禄蠹"，那些官迷，他恨死了。可是在高鹗的笔下，贾宝玉怎么会忽然一下子变成一个乖孩子，听贾政的话，两番入家塾，一心去读圣贤书了？大家还记得后四十回写到，贾宝玉有一天见巧姐，这个贾宝玉写得就太怪了，贾宝玉听说巧姐读了《女孝经》，觉得非常好，于是又跟她讲《列女传》，长篇大套讲封建道德，这是贾宝玉吗？曹雪芹在前面已经写得很清楚了，贾宝玉是"潦倒不通世务，愚顽怕读文章"，是个一听说到学堂，一听说要读书就脑门儿疼的人，一度到学堂是为了和秦钟交朋友，也不是正经读书。他根本不是那么一个人，所以高鹗把这个形象歪曲了。

当然我也承认，高鹗续的这个四十回，它对《红楼梦》整体的流传起到一定的作用，使得曹雪芹的八十回得以以一个完整的故事在世上流传，所以通行本为什么印得比较多，我也能理解。不过理解归理解，但是咱们研究《红楼梦》该发表的意见还要发表，高鹗的续书是不对的。当然，很多人说高鹗写"林黛玉焚稿断痴情"，那应该还是好的吧？那个是高鹗的四十回当中写得最好的部分。底下的话可能让你扫兴了，经过一些红学家的考证，在曹雪芹的构思里面，林黛玉也不是这样死的，这样也并不符合曹雪芹原来的构思，这个咱们在这一讲里就不细讨论了。

总之，就是说，从封皮往里看，发现的就是曹雪芹和高鹗他们不是合作者，后四十回是要不得的。也有人说，你是不是太危言耸听了，你怎么什么意见尖锐你就奔什么意见去啊？你是不是有点想哗众取宠啊？不是这样的，这是我的真切感受。而且我要告诉你，老早就有人对后四十回提出了远比我尖锐得多的意见。在清朝嘉庆年间有一个人写了一本书，这个人叫裕瑞，他是一个贵族的后裔，当然是满族人，他写的这本书叫做《枣窗闲笔》，估计他的书房窗户外面有枣树，这种书的文体类似现在的随笔，等于是一个随笔集。在《枣窗闲笔》里面有大段文字讲到了《红楼梦》，讲到他知道《红楼梦》的作者应该是曹雪芹，当然他对曹雪芹的身份、家世的介绍被后来的红学家考证出来是不准确的，但那是另外一个问题。问题是那个时候，在那么早的时候，他就对后四十回发表了非常尖锐的批评意见，可以说是批判意见。他是这么说的，他那个时候还不知道高鹗，他不知道是高鹗和程伟元他们续的后四十回，他还不知道是谁续的。但是他觉得不对头，他说，"细审后四十回，断非与前一色笔墨者，其为补著无疑。"他又说，"苟且敷衍，若草草看去，颇似一色笔墨，细考其用意不佳，多杀风景之处，故知雪芹万不出此下下也。"他认为那个文字是下下品，万万不会是曹雪芹写的。还有一句话更厉害了，他说，"诚所谓一善俱无，诸恶俱备之物。"他连刚才咱们说的那点优点都不保留，认为是"一善俱无，诸恶俱备"，深恶痛绝。所以说老早就有这个老前辈，很早很早的红学研究者，对后四十回提出了非常尖锐的批判。

　　刚才说了嘛，从封面开始研究，就发现曹雪芹和高鹗根本不是合作者，高鹗续书不符合曹雪芹原意。高鹗续书续得好不好，怎么评价，咱们可以把它撇在一边，暂且不论，咱们就研究曹雪芹的这八十回。要研究曹雪芹的八十回就要研究曹雪芹本身，这个作家他怎么回事——他是什么人？谁家的孩子啊？怎么就写出这本书啊？

前人这方面的研究成果非常之多，鲁迅先生在他的《中国小说史略》里面，他是采取当时红学研究的一个最新成果，认为曹雪芹写《红楼梦》是一种自叙性写作，《红楼梦》是一部带有自传性的作品。鲁迅先生是这么说的，"叙述皆存本真，闻见悉所亲历。"《红楼梦》的特点是八个字，"正因写实，转成新鲜。"他写实写到力透纸背的程度，本来写实好像是最不新鲜的，虚构、想像是最新鲜的，但因为他以最大力度来写实，写得非常之好，"转成新鲜"，反而赛过那些纯虚构的、纯幻想的作品。这是鲁迅先生对《红楼梦》的评价。到今天来看，我觉得我还是很佩服的，我觉得先生说得非常准确。

有人说了，你这么一来的话，是不是你就要把曹雪芹跟贾宝玉划等号了？要把《红楼梦》的贾府和曹家划等号了？您是不是说《红楼梦》就是报告文学啊？里面的每一件事、每一个场面都是百分之百的机械的生活实录？我没那么说，我不是那个意思。我的意思其实说得很明确，就是我理解的鲁迅先生的意思，就是曹雪芹写《红楼梦》，他是根据自身的生命体验，根据自己家族在清朝康熙、雍正、乾隆三个朝代里面的盛衰荣辱，惊心动魄的大变化、大跌宕来写这个作品的。所以它是带有自传性的，是自叙性的，我没说它就是自传。更不是说就通通去和生活真实划等号，说他没有艺术想像的过程，他当然是从生活的真实，升华为艺术的真实，这个是不消说的。所以要读通《红楼梦》就要了解曹雪芹的家世，最起码要查三代——知道他的祖父是谁，父亲大概是谁，他本人是一个什么样的生活经历，什么遭遇？他的家族怎么在康熙朝鼎盛一时，辉煌得不得了；在雍正朝，雍正很不喜欢，就被抄了家，治了罪；在乾隆初年怎么又被乾隆赦免，一度小康；但是在乾隆四年，一下子又怎么卷进了一个大的政治斗争；乾隆在扑灭政敌的同时，也把其他的有关的那些社会上的人予以整治，曹家被株连彻底毁灭，最后是"好一似食尽鸟投林，落了片白茫茫大地真干净"！所以你要知道曹雪芹的家世，才能够读通《红楼梦》，要读通《红楼梦》，就必须进入曹学领域。现在有很多的有关这方面的著作可以来读。我就是先进入这个领域，觉得非常有意思。

我们来谈曹雪芹的本子的话，现在一般简称古本，就是手抄本，曹雪芹他的原作基本上是以手抄形式流行的，有人说后来高鹗不是给印了吗？续了四十回，但是前八十回不是也给印了吗？但是高鹗和程伟元做了一件很不应该做的事，你续书你往下续就行了嘛，但他把前八十回进行了一番改造，改动了很多地方，有的地方改得是不伦不类，有的地方改得不通，有的时候拗着曹雪芹的意思改，所以现在的通行本不但后四十回靠不住，前八十回也靠不住。所以你要真正读《红楼梦》，你要买影印的或校订排印的古本《红楼梦》来读。

进入《红楼梦》版本这个研究的领域叫版本学，红学除了曹学以外的又一个大分支叫版本学，非常有意思。进入这个领域，就知道原来当年的《红楼梦》是手抄形式流传的，手抄大体上是八十回，但实际上严格来说可能还不足八十回，现在多数人认为最古老的本子是甲戌本，就是乾隆十九年的一个本子，甲戌本的《红楼梦》，它的书名叫做《脂砚斋重评石头记》。大家知道，《红楼梦》在流传过程中曾经有过很多个名字，在现在甲戌本的文字中，就自己总结了一下，在其他的一些本子里面也有一些记录。其实它最早就应该叫《石头记》，最早的书应该就是《石头记》。后来又被叫做各种名字，比如说《情僧录》，因为其中主人公贾宝玉一度出家，所以叫《情僧录》。后来又被叫做《红楼梦》，又被叫做《风月宝鉴》，又被叫做《金陵十二钗》，但是这个古本《红楼梦》最后它定的名字是《石头记》。所以《石头记》应该是一个最能够体现曹雪芹的原创意图的书名。只是现在咱们叫惯了《红楼梦》，这当然无妨，无非是符号的问题，但是应该知道，古本《红楼梦》应该是《石头记》。

乾隆十九年有一个甲戌本，乾隆二十四年有一个己卯本，乾隆二十五年有一个庚辰本，后来在一个蒙古王府发现了一个抄本，又在——原来是苏联——现在是俄罗斯，原来叫列宁格勒，现在那个地方叫圣彼得堡，在那个图书馆里面又发现了一个古本，是当年俄国的传教士带回俄罗斯去的一个古本。当然，后来又发现了一些晚清时候或者民国初年石印的版本，比如有个人叫戚蓼生，他写序的一个本子叫戚蓼生序本，简称叫戚序本；一个叫舒元炜的人写序言的叫舒序本；一个叫梦觉主人的人写序的叫梦觉本等等。还有一些版本，我不细说。总归就是说，一进入这个领域就觉得非常有意思，就知道一部书的流传它有它的故事，曹雪芹说"十年辛苦不寻常"，闹半天真不寻常，寻常不寻常啊？他写出来，再抄出来，再流传，困难重重。现在的这个古本《红楼梦》好多也是不完整的，最完整的或者接近完整的像庚辰本，它有两回也是后面补进去的，一个是六十四回，一个是六十七回。细心读《红楼梦》你会发现，这两回的文笔在前八十回里边跟其他回比——咱们现在讨论都不包括后四十回，跟前八十回其他回比的话——这两回不太相称，好像是另外一个人写的，所以有人认为它不是曹雪芹的手笔，或者曹雪芹有一个没有完成的稿子，别人把他描补完的。书有书的命运，人有人的命运，研究《红楼梦》的版本，我们的心得不仅在版本本身，我们可以了解中国的古典文明的发展是怎样一种艰难曲折的过程，一本书如何成为了我们那么热爱的一本著作，家喻户晓的东西。

还有一种意见认为，《红楼梦》研究重点应该放在它的思想性、艺术性的分析上，你不要老是去搞什么曹学，搞什么脂学，搞什么版本学啊，搞什么探佚学啊，现在不是有现成的《红楼梦》的通行本嘛，你分析它的思想性、艺术性，它怎么反封建，它怎么歌颂纯洁的爱情啦，这种意见也是很好的，这些也确实值得研究。但是我建议，你最好还是不要把高鹗的四十回跟曹雪芹的原作混在一起研究，你研究可以分开研究。当然这个谁能强迫谁啊，各有各的看法嘛，是不是啊？也有人认为，红学它是一个很特殊的学问，它是因为《红楼梦》特殊性而决定的，所以红学的研究应该不包括对它的思想性、艺术性的研究；因为那个是所有的书都需要那么研究的，三国、水浒、西游都值得那么研究，对不对啊，但是没听人说三学、水学或者西学；也有人写很多的论文，它也构成专门的学问，但是它没有约定俗成的、大家都接受的一个符码，像红学这么鲜明的符码它没有，这就说明《红楼梦》它有特殊性。这些不同见解我都提供给大家参考。我个人觉得红学的分支可以包括对它的思想性、艺术性的研究，而且这应该是一个很大的分支，专门研究它的认识价值和审美价值。

还有人物论。有的研究者专门就《红楼梦》里的人物做专门的研究论述，对其中一个人物，比如王熙凤，凤姐，就写出厚厚的一本专著，这也是红学的一个分支。

还有很多小分支，而且就它本身而言也不一定小，有人就一辈子专门研究《红楼梦》里面的诗词歌赋，因为《红楼梦》本身它也是一个诗词歌赋集大成的作品啊，它里面还有《芙蓉诔》，还有诔文呢，还有很古奥的古文呢，都是和他叙述语言的文本不一样的，都值得研究，研究《红楼梦》的诗词歌赋也是红学的一个分支。

还有人研究大观园，大观园既是这个作者所营造的艺术想像的空间，又是对中国园林有着集中描写的一大篇文字，是不是？所以大观园学很热了，其中包括大观园的象征意义，大观园本身有没有原型，有没有园林原型，或者是几个原型的合并，大观园里面的园林布置，中国古典建筑的审美价值怎么体现出来的，等等，大观园也构成一门学问。

红楼饮食饮馔也构成学问啊，有人说，这个学问太俗了吧？你看，这么高雅的一个学问，结果就变成一种商业行为，到街上看什么红楼菜馆啊，吃什么红楼菜系啊。但是正好那天跟我说那个话的那个人就跟我一块儿吃红楼菜，我就笑他了，我说你这种人真是，自己又吃着这菜，又说不是学问，我说你这个就属于什么呢，自以为是。我认为"世法平等"，这是贾宝玉在《红楼梦》里面说的一句话，"世法平等"就是说这世界上人人都应该是平等的，持有各种不同见解的人士，人格都平等，你可以去研究那个比如说很高深的东西、很雅的东西，也有人从俗的角度研究，他也可以研究《红楼梦》的饮馔，其实那也非常有意义，是不是啊？可以了解我们的上几辈人他们是怎么吃东西的，怎么喝东西的，贵族和平民之间有什么区别，有什么讲究，这不可轻视，不好那么讥笑人家的。

《红楼梦》里面写到人们穿的服装，比如下雪天怎么御寒，刚才我说了一个大红猩猩毡斗篷，其实那《红楼梦》里面斗篷花样多了，想想晴雯补的裘是什么裘？我这里不展开了，所以也有人专门研究红楼服饰。

《红楼梦》里面用的东西也很多啊，各种器物，我就写过文章，比如腊油冻佛手。这个腊油冻佛手是里面提到的一个古玩，有人把腊字看成了蜡字，说蜡油冻佛手这个值什么钱啊？一个用蜡油做的模型，是吧？做一个佛手的样子算什么呀？他不懂，腊油冻是一种高级石料，它的样子、质感像南方腊肉的肥肉部分一样，是一种高级玉石，不是蜡烛的蜡做的。还有书里写到明角灯，那是用羊犄角做的，那么羊犄角怎么能做成灯呢？有人写书，说是把羊犄角熬化了，再冷凝成半透明的薄片，然后镶在灯笼框上，那么制作的；可是我三十年前就在北京羊角灯胡同——这条胡同在什刹海附近，现在还存在——向老人讨教过，那条胡同原来有很多制作明角灯也就是羊角灯的作坊，有的老人还记得，制作方法是用萝卜丝跟羊犄角一起煮，羊犄角煮软后用木榾子去撑那羊犄角，木榾子越换越大，羊犄角也就被撑得越来越鼓越来越薄，最后形成灯笼。你看，这里

13

面都有学问啊，怎么不值得研究啊，是不是啊？所以还有人专门研究《红楼梦》里面的各种器物，也构成学问。

最近还看到，有人把《红楼梦》里写到的植物编成了图谱，详细加以说明，这也构成了红学的一个分支。

当然，红学界的争论很多，一百多年的红学界一直争论不休。有人觉得烦，哎呀，别提红学了，您一提红学我脑仁疼，头大，意见太多，争论太多。我觉得，咱们听一听先贤的话，蔡元培，大家知道吧，民国初年的北京大学的校长，这是一个大学问家，也是红学当中一个流派叫索隐派的代表性人物，著有《石头记索隐》。1927年有位叫寿鹏飞的写了本《红楼梦本事辨证》，请他给写序，他并不同意寿鹏飞的很多观点，但他欣然接受邀请，写了非常精彩的序，他的序里有八个字，非常好，他说什么呢？他说"多歧为贵，不取苟同"。歧是分歧的歧，多歧就是出现了很多分歧，出现了争论，出现了不同意见，出现了你觉得是逆耳的、耸人听闻的意见，或者是觉得很刺激性的意见，或者你觉得人家是外行，你觉得人家那个是不该说的话，人家发表那个意见了，在学术领域里面，在学术空间里面，出现了很多的歧异，出现了很多争论，应该怎么看待？蔡元培，蔡先贤告诉我们，"多歧为贵"。求之不得啊，非常宝贵啊，千金难求一个不同的意见啊，你看人家的学术襟怀。他后半句又说得好，多歧为贵也不能这样过分：听这个说有道理有道理，听那个说不错不错，你怎么能这样呢，他说还应该"不取苟同"。在多歧、多分歧的情况下，你应该取一个什么态度呢？不要轻易地去听取别人意见，同意别人意见。不要苟同，苟同就是勉强地去同意别人的意见，不要那样做，你要有学术骨气，要坚持自己的观点。清代袁枚有两句诗："苔花如米小，也学牡丹开。"说得多好啊，"苔花如米小"，你也可以学牡丹开啊。何况你还不是苔花，可能比牡丹低级一点，你可能是喇叭花，你也可以开放你自己，是不是？正是在我前面所描述的红学百年发展的浪潮当中，积累的成绩当中，我形成了自己的思路，我从一个觉得很卑微，不敢来谈红学的人，变成一个理直气壮进入这样一个公众共享的学术空间，来大谈红学的一个爱好者，就是因为受到了前辈的红学研究的激励，受到了像蔡先生这样的博大学术襟怀的感染，从而进入到这个领域来的。欲知后事如何，请听我下回分解。

追寻『红学』谜踪 下

我自己对《红楼梦》的兴趣，是从我的童年时代就开始了。我读《红楼梦》比较早，有的家长不让自己的孩子小时候读《红楼梦》，觉得太小读《红楼梦》可能会学坏，其实以我个人的经验来看的话不尽然。我的父母喜欢《红楼梦》，我的哥哥姐姐喜欢《红楼梦》，我是我们家最小的，我就经常听到他们讨论《红楼梦》，觉得非常有趣，虽然不懂，但朦朦胧胧地产生一些美感，耳濡目染，对我是一种熏陶。

红学除了曹学的分支，版本学的分支，还有一个很大的分支叫脂学，什么叫脂学？你发现古抄本、古本《红楼梦》，它和铅印本都不太一样，和活字版本不一样，它上面都有批语，有的批语在回前回后，有的在书眉上，有的在行间，有的在正文句子下面用小点的字写成双行……有的批语还是用红颜色写上去的，叫"硃批"。这个批书的人有时候署名，有时候不署名，大多数情况下署一个什么名字呢？署一个名字很古怪，叫脂砚斋。

我看下面有人在微笑，说哎呀，一个人看一本书，写一些评语，这有什么稀奇啊？我看书我就写评语，过去像金圣叹，这是一个大书评家，他自己不写小说，可是他评别人的小说，比如评水浒，大批评家，那不都有过嘛，有什么稀奇的呢？哎呀，你得看脂砚斋的批语本身，咱们才好讨论，脂砚斋批语可不得了，不是咱们所说的一般的批语，也不是金圣叹那种，跟作者原来没关系，现在看了这书觉得有话要说，于是来批评，脂砚斋不是那么回事。这个脂砚斋批语现在留下来非常多，各个古抄本上的批语还不尽相同，有相同，有不同的。这些批语非常有意思，在这个甲戌本的正文里面就有脂砚斋的名字出现，就是说这个人还不光一个批评家，他的名字出现在曹雪芹的正文里面，在甲戌本里面讲到《红楼梦》书名改变的过程中，最后一句是"至脂砚斋甲戌抄阅再评，仍用《石头记》"。书名演变开头是《石头记》，到后来有人说应该叫《情僧录》，又有人说叫《红楼梦》，有人说叫《风月宝鉴》，曹雪芹一度还打算把书名叫做《金陵十二钗》，最后到甲戌时候，是脂砚斋本人，他就确定这个书名还是用《石头记》；曹雪芹尊重这个决定，脂砚斋的名字就被曹雪芹郑重地写在了书的正文里面。

在古本里面还有一些诗，比如一些甲戌本有一首楔子诗，楔子就是一个书开始之前的开场白，这段文字叫楔子，这段楔子诗里面有两句，叫做"谩言红袖啼痕重，更有情痴抱恨长"。这显然就是说，批书的和写书的关系非常之密切。一个是红袖，红袖当然是符

17

码，大家过去都知道有一句话叫做"红袖添香夜读书"，一个书生有福气，旁边有一个心爱的人，心爱的人即便贫穷，但是也可以称为红袖，表示是一个女的，给他添香，让他能够继续读下去。这个"谩言红袖啼痕重"，就是有一个女士很悲痛，哭泣。"更有情痴抱恨长"，"情痴"这个词在《红楼梦》里也多次出现，情痴、情种，就是贾宝玉的代称，也是作者的自喻。这两句诗就说明红袖和情痴这两个人关系非常之密切。这首诗的最后两句是"字字看来皆是血，十年辛苦不寻常"，就是说十年里面等于他们共同来完成这个著作，字字皆是血，他们共同奋斗十年是不寻常的。光是一首倒也罢了，在另一个古本里面又发现一首，这一首里面有两句，一句叫做："茜纱公子情无限，脂砚先生恨几多！"茜纱，茜是红颜色的意思，红颜色的纱，"茜纱公子情无限"，这个茜纱在《红楼梦》里，在正文里面是有描写的，就是暗指怡红院的窗户，是不是啊？怡红院窗户糊的就是银红色的纱。有一次贾母不是告诉王熙凤她们说，你们知道这个是什么织品吗？王熙凤那么一个能干的人都不知道，说快教教我们吧。贾母就说，你哪知道啊，这叫软烟罗，其中的洋红的叫霞影纱。这个茜纱公子显然就是指书里面的主人公贾宝玉，同时也等于是，因为他只是带有自叙性、自传性，不能和曹雪芹划等号，但是在一定的情况下又可以来作为作者曹雪芹的一个代号，"茜纱公子情无限"。"脂砚先生恨几多"，脂砚斋我们已经知道了，她是一个女性，前面已经说了，"谩言红袖啼痕重"，但是在过去，女性称先生是很正常的，一个是自嘲，一个有时候是为了不暴露自己的性别，更有的时候是为了互相尊重。比如说，有一个很了不起的女作家在世的时候，我经常去拜访她，就是冰心，我称冰心就是称她冰心先生，我不称冰心女士的，这个是很自然的。对一个女士称先生，这不意味着她就是一个男性。可见这两个人关系不寻常，也就是说脂砚斋她不是一个一般的批评者，她参与这本书的创作，她跟曹雪芹的关系密切到难解难分的地步。甚至于在脂砚斋批语里面出现这样的话，说："今而后惟愿造化主再出一芹一脂，余二人亦大快遂心于九泉矣！"什么意思呢？就是这个时候，她在批这个书的时候，曹雪芹已经去世了，她很悲痛，她就希望今后造化主，造化主就是上帝，主，就是主宰我们的命运，冥冥中的一个主宰者那么一个意思，希望他今后再重造一个曹雪芹、一个脂砚斋，这样的话，最后咱们两个在地底下——九泉就是指地下，古人认为地下有九道泉，九泉那是最深处——在那儿相会就大快遂心了，就是心里就舒服，就塌实了。向造化主许愿，希望造化主表态：你们俩都去世以后，我们让你们俩再复活，重新在世界上再生活一遍；她有这样的批语，你说这两个人什么关系？谁是曹雪芹的合作者，高鹗哪够格啊？高鹗八竿子打不着啊，这个人就在他旁边啊，这个人跟他这么说话，朋友都不是，就是夫妻。有一种意见认为就是夫妻关系，我个人比较倾向于这种意见，总之两人关系再密切不过了。

而且这个脂砚斋很厉害，她的批语里都有什么内容呢？很多曹雪芹用的生活素材她知道，她门儿清——北京土话，一切都清楚，叫门儿清。

比如说她经常有这样的话，写到这儿，说："有是事，有是人。真有是事！真有是事！作者与余，实实经过！"她能做这个见证。甚至于"此语犹在耳"，这句话她当时听见过，现在还在耳边响。"实写旧日往事"，等等，她和曹雪芹共享《红楼梦》的生活积累、原始素材，她厉害得很啊。她有的时候批着批着，《红楼梦》里没写到，她想到了，她还要过来提醒曹雪芹。比如说，她有一条，就是当《红楼梦》里写到贾宝玉和秦钟很要好，带秦钟去见贾母，贾母一看秦钟出落得也不错，很喜欢，就给秦钟一个金魁星，送他一个魁星，这个时候脂砚斋就说了，"作者今尚记金魁星之事乎？抚今思昔，肠断心摧！"这哪儿是一般的批语啊？是不是？她就掌握着曹雪芹写作的生活原型、事件原型、物件原型、细节原型。还有一回是写到用合欢花酿的酒，脂砚斋就批了，"伤哉"，她就很伤感了，伤感哦，"作者犹记矮𬞟舫前以合欢花酿酒乎？屈指二十年矣！"你看她，什么人啊？曹雪芹没写这个矮𬞟舫，矮𬞟舫估计是一个园林建筑，她就知道这个生活素材来源于当年矮𬞟舫的，咱们当时用合欢花酿过酒！这件事是二十年前的事，清清楚楚，所以你看她是什么人？再回过头想想高鹗是什么人，越想脂砚斋越冤枉，《红楼梦》的封皮上写上曹雪芹、脂砚斋我觉得都合理，写上高鹗实在是太不合理了。

这个脂砚斋真是太厉害了，看有的批语就发现她不得了，她这个人，不仅知道这些原型，甚至有的地方都自己直接来写，她参与创作，她有这种话，比如说第二十二回，她有一条批语，是这么写的，"凤姐点戏，脂砚执笔事，今知者寥寥矣，不怨夫！"她埋怨连咱们都埋怨上了，咱们就都光注意高鹗了，就把脂砚斋这么一个重要的合作者给忘记了。第二十二回凤姐点戏是脂砚执笔，当然这句话有两解，红学界有两解：一种见解就是说里面写到薛宝钗过生日，大家给点戏，其中有一个角色其实就是脂砚斋本人，她就是其中一个角色，当时，她在场，她也参与了点戏，当时凤姐点了出《刘二当衣》，这是出逗趣的戏，凤姐知道贾母喜欢这类的戏，就故意点它，但凤姐文化水平低，自己写不出戏名，就说出戏名来，由脂砚斋执笔，写在戏单子上。那么书中相当于脂砚斋的女子是谁呢？有人说就是史湘云，究竟是不是，这里不讨论，总之，脂砚斋的批语就等于在说，这件事情别人都不记得了，她认为作者应该记得，她认为知道的人太少了，她感到很伤感、很悲哀，这是一种解释。另一种解释，就是其中写到凤姐点戏这个细节的时候，曹雪芹可能打磕巴了，说凤姐点个什么戏呢？脂砚说行了，您一边去，这次红袖不添香，你给我添香得了，我来写，于是脂砚斋就替曹雪芹写出了《刘二当衣》这么个戏名，"凤姐点戏，脂砚执笔"也可能是这个意思；不管是什么意思，你想想脂砚斋厉害不厉害？参与创作，联合写作，这是很厉害的。

研究脂批还有一个非常重要的意义，就是咱们都想知道，这个曹雪芹写的书，传下来就是八十回，曹雪芹是就写了八十回呢，还是写了好多回，比如八十回以后也写了，后来又丢掉了，还是怎么着？他是一回一回往下写呢，还是花插着，也就是交错着写呢？脂砚斋把这些问题都给你解决了。

比如第二十二回，脂砚斋就告诉你了，说这一回曹雪芹没有写完，"此回未成而芹逝矣，叹叹！"这是很重要的信息，我们就知道曹雪芹不是说一回一回这么完整地往下写，比如我们看第七十回、七十一回很完整啊，对不对？第二十三回就很完整，怎么会第二十二回没写完，曹雪芹就去世了呢？第二十三回又是谁写的呢？她就告诉我们，就是这一回曹雪芹基本写完以后，最后有灯谜诗，灯谜诗曹雪芹没填完，没能最后完成，就去世了，并不等于说第二十三回以后就不是他写的。同时也说明曹雪芹是兴致来了以后，先列好一个提纲，或者先列好回目，对这一回，现在灵感来了，特别来劲，我就先写这一回。那一回没完，我回过头去再把那回补完。她提供了非常重要的线索，使我们知道《红楼梦》的成书经过。

更重要的线索是，脂砚斋整理过八十回以后的书稿，她不但目击过、阅读过曹雪芹八十回以后的写作，她还整理过。但是非常奇怪的是，八十回以后曹雪芹写的稿子不知道为什么都丢失了。脂砚斋她留下很多这样的批语。比如说在《红楼梦》前面第八回有一个丫头叫茜雪，红颜色的雪，茜雪这个丫头出场后很快就消失了，就因为一杯茶的事，在下面我还会讲到，为了一杯茶就被撵出去了。我是写小说的，我懂得。我开头蠢头蠢脑，当时没读古本《红楼梦》，我说曹雪芹这么一个大作家，设置一个人物，给宝玉端一杯茶，啪，宝玉摔了茶杯，溅了她一裙子茶水，得，就撵出去了，没了。前八十回就没这个人的事了，后四十回高鹗续的，更没有这个人的事儿，我说不应该有这种失误啊，是不是？你设置一个人物好端端的有这么一段事，怎么会就没下文呢，长篇小说不应该这么写啊？错的是我，我错把高鹗的四十回当成曹雪芹的原笔了。曹雪芹是写了的，脂砚斋在第二十回就有批语，说"茜雪至狱神庙方呈正文"，脂砚斋看见过。曹雪芹大手笔，叫什么呀？叫"草蛇灰线，伏延千里"。什么意思啊？打草惊蛇这话听说过吧？一条蛇很长，在草里面游动，蛇拐来弯去地那么游走，草很高的时候，这个蛇身子会怎么样呢？一会儿现出这一段，一会儿现出那一段，似有若无，但实际上它有它的运行轨迹，这就是"草蛇"。至于"灰线"，过去没有现在这么多划线的工具，手里捏一把灰，多半是石灰，倒退着这么划一条线，现在偶尔还有一些人这么划线。它有两个特点：一个是这时候它会断断续续，因为毕竟它不是一个非常严密的工具，是吧？另外一个特点就是说它又可以画得很长，捏一把灰可以画很久，是不是？所以"草蛇灰线，伏延千里"，就是曹雪芹的大手笔。对曹雪芹写作的这个特点在脂砚斋批语里面多次出现。茜雪，你不要以为就没有了，实际上我傻帽了，蠢笨了，以为人家就没有了，告诉你，在后面，非常重要，在狱神庙这一回，有大段文字，茜雪成为那一回的主要人物要出场的。

在另一回批语中，又写道，告诉大家，茜雪的事曹雪芹已经写出来了，就是在狱神庙这一回故事，就是后来贾家彻底败落以后，贾宝玉跟凤姐都锒铛入狱了，关大牢里了。过去的监狱都有一个狱神庙，允许犯人在进监狱和出监狱的时候去拜狱神，求狱神保佑自己，起码少受点苦刑，能减轻判决，这是当时监狱里的一个风俗，设狱神庙。这时茜雪就出现了，而且小红也出现了。小红这个角色也被高鹗写丢了，小红多重要啊！《红楼梦》前面你看看小红的故

警幻仙姑

春梦随云散，
飞花逐水流。
寄言众儿女，
何必觅闲愁。

事，要真说冲破封建道德观念，大胆恋爱，那贾宝玉绝不是冠军，冠军是贾芸跟小红，贾宝玉跟林黛玉恐怕得屈居第二，甚至于得屈居第三了，那多大胆啊！小红"遗帕惹相思"，她为什么把帕子丢了啊？她比现在咱们过情人节那还巧妙，敢在大观园里面向自己所爱的男子丢下信物，这很有种。这个角色怎么写着写着没了，那怎么行呢？脂砚斋告诉你了，在狱神庙这一回里，小红也要出现，茜雪也要出现，她们去干吗？去安慰宝玉，去救出宝玉，关键时候这种人就站出来了，很重要的情节。但是非常可惜，脂砚斋又告诉我们，"余只见有一次誊清时，与狱神庙慰宝玉等五六稿"，还不是一份稿，五六稿，大概有五六回，"被借阅者迷失，叹叹！"我现在跟着她叹，多想看啊！这借阅者是什么借阅者啊？这么缺德啊！是不是啊？不但毁了当时曹雪芹的著作，也使咱们失去了这种眼福。当然也有红学家考证，这不是一般的借阅者，实际上当时曹雪芹写作可能已经被人盯上了，在清乾隆时期的文字狱是非常厉害的。前面写那些繁华生活还可以，到后面你要写这个贵族家庭的败落，这很危险。你写到狱神庙，这更危险。所以就有人以借看看这个名义，拿走了就没还，非常大的损失。所以你说《红楼梦》的研究，红学的第三个大分支——脂学多有意思啊！多值得研究啊！是不是啊？应该到里面去逛一逛。当然，脂学里也充满了争论，因为各古本脂批的数量不一样，相类的批语又往往出现差异，而且古本里后来又有不少署名畸笏叟的批语，畸笏叟是否是脂砚斋后来另取的一个更怪的名字，还是根本就是另外一个人呢？红学界聚讼纷纭，但绝大多数论家还是有基本共识的，那就是都认为脂批极有研究价值，脂学非常重要。

根据脂砚斋的透露，就证明曹雪芹八十回以后根本就写了，整本书可能就已经写完了，没彻底完成也就是当中差一些部件，比如第二十二回没完，就是灯谜没填完。像还有一回，是第七十五回，那个时候贾家已经开始衰败了，抄检大观园之后了，贾母强打精神把子孙召集在一起来赏月，这回大家都知道，里面写到了，贾政让贾宝玉做诗，后来贾环、贾兰也各做一首诗，但那个诗我们就没看到，现在你看本子上没有，脂砚斋评语说得很清楚，她有记录，"缺中秋诗，俟雪芹"，俟就是等待的意思，就是说我做编辑工作，就这地方还缺几首诗，等着曹雪芹有工夫的时候来补上，我在这儿记下来，我得提醒他，哪天你要把这个补上。而且脂砚斋透露的有的信息更惊心动魄，她说《红楼梦》最后一回有一个情榜，就是写到最后一回，就跟那个《水浒传》最后一百单八将排座次，梁山泊英雄排座次一样，有一个情榜，这个情榜怎么排呢？可以推测出来，除了贾宝玉全是女性，贾宝玉单独，贾宝玉可能叫做绛洞花王，这是在书里面正式出现过的一个词，群花的一个护花仙子，一个护花人。她就说了，她说贾宝玉后面还有考语，就是情榜对每一个人，后面都有几个字的考语，考语就是曹雪芹加的评语，用今天的话说就是一个鉴定了，但是他用非常精炼的话，贾宝玉的考语是"情不情"。她写出来了，她在前面的批语透露出来了，说最后一回，贾宝玉的考语是"情不情"，她说这里这样描写，难怪"情不情"。第一个"情"是动词，第二个"情"是名词，就是贾宝玉他能够用自己的感情去赋予那些没有感情的东西，这个人就属于人文情怀深厚到这种地步。她说黛玉的考语是"情情"，第一个字是动词，第二个字是名词，黛玉是把她的感情只献给她爱的那个人，献给她自己的感情。她爱情很专一。薛宝钗很可惜，我们没查到她的考语，没留下这样的痕迹，估计是比如说"无情"或别的什么。很显然，就是说，从第五回册页我们就知道，他是有金陵十二钗正册、副册、又副册的构想，可能到最后，他就决定像《水浒传》一样，出一个总榜，他是每十二个人一组，分九组，一百零八个女性都在榜上，他写完了的。而且脂砚斋干脆就告诉你，其中八十回后有一个回目——《红楼梦》的回目很有趣，都是八个字，不是像中国传统那个，中国人喜欢五个字、七个字，或者六个字，它是八个字——她就告诉你后面有什么回目，她说是什么呢？有一回是"薛宝钗借词含讽谏，王熙凤知命强英雄"，她把回目都告诉你了，怎么会八十回以后曹雪芹没写呢？说句老实话，本来怎么轮得到你高鹗去续后八十回的故事呢？人家都写完了的，只是书稿没有定稿，还缺一些部件而已。所以这个《红楼梦》是一部很悲惨的书，曹雪芹真是一个天才的悲剧。研究脂批，我们真的心得可以非常之多。

她透露很多东西，包括八十回以后有些文字，她也透露。比如说前面八十回里面写到贾宝玉在宁国府看戏，觉得热闹到不堪的地步，太烦了，要出去玩，最后是茗烟，他的一个小厮，这个角色的名字有时候又写成焙茗，陪他出去，到袭人家。袭人家就赶快招待他，但是你想他一个贵族公子，袭人家，也不是很穷，但是袭人觉得家里人摆上的这些东西啊，叫做"袭人见总无可吃之物"，没一样能给宝玉吃。当然最后袭人想想，到我们家一趟，你不吃也不好，最后就捡了几个松穰，吹了吹细皮，拿手帕托着给贾宝玉吃。这个时候脂砚斋就有批语，她透露后面的文字，她说，"留与下部后数十回'寒冬噎酸齑，雪夜围破毡'等处对看。"就是说，现在这么好的东西——其实袭人家当时是过元宵节，摆出的茶果都非常好，但是袭人就觉得没有能给贾宝玉吃的，你说贾宝玉在那温柔富贵乡里，过的是什么样的生活啊？后面一些描写，我们就更知道他过的什么样的锦衣玉食的生活。但是，脂砚斋跟我们透露，在八十回后面，会写到贾宝玉是一种什么处境呢？他会披一个大红猩猩的斗篷吗？大红猩猩毡斗篷？见鬼了。脂砚斋说得很清楚，后面要写他是"寒冬噎酸齑"，就是咱们过去有句话叫做"把他碾为齑粉"，齑就是碎末，酸齑就是酸菜的渣子，知道吗？寒冬就只能吃那个。用什么取暖呢？是一个大红猩猩毡的斗篷吗？叫"雪夜围破毡"，不知道在哪儿捡一个破毡子围着。所以高鹗完全违背了曹雪芹的原意，人家脂砚斋看过后面曹雪芹怎么写的，告诉你有这个句子，所以脂学也很要紧。我也是在脂学里面来回游弋，其乐无穷。

除了曹学，刚才我们讲到有版本学，有脂学，还有很重要的一门学问就是探佚学。

什么叫佚？就是丢了，散失了，就叫佚。探佚就是把丢掉了散失的东西找回来，就叫探佚。根据脂砚斋的批语，我们有很多探佚收获了，根据她的透露去了解八十回后的内容，就是探佚嘛。除了这以外，也还可以探佚，探佚有很大的一个空间，探佚的空间太大了，如果说曹学或者说版本学，或者说脂学它的资源就是那么多，空间还不是最大的话，那么探佚学的空间是非常广阔的，每一个人我们都可以来参加。我们可以根据自己对前八十回的文本的理解，根据脂砚斋批语，以及根据我们自己的善察能悟，我们自己的聪明智慧，去探索《红楼梦》或者说《石头记》在流传过程当中丢掉的是什么，我们争取把丢掉的找回来，这本身就是阅读当中的乐趣。西方后来有一种审美的观点，叫做接受美学，就是读一本书，不是说被动地去接受作者写的那些东西，而是参与作者的创作，他虽然已经写完了，我阅读当中把自己的看法，把自己的想像参加进去，最后我们共同完成这样一个精神之旅。这个观点我觉得也可以挪到我们的探佚学里面来，我们可以搞探佚。

探佚又分很多层次了，首先就是说我们现在读到的八十回基本上是曹雪芹的。八十回以后，曹雪芹打算怎么写，写过什么，可以探佚出来，是有线索的，虽然资源不是非常丰富，但是绝不是零。

另外就是前八十回要不要探佚？前八十回也可以探佚。首先不是有人就提出来嘛，第六十四、六十七回不太像曹雪芹本人写的，当然那也不会是高鹗续的，会不会是脂砚斋帮他补完的呢？或者是别的什么人帮他补的？这也可以探。为什么曹雪芹传下来的本子里面，第六十四、六十七这两回的文笔有一点奇怪？这就可以探，而且有很大的探佚空间。还有就是说，前八十回里面，有的地方他做了改动。我自己写小说，我当然是一个小说的学徒了，不好跟经典著作的大师这些作者来比，但是有两句诗说得好，就是袁枚写的《苔》里的："苔花如米小，也学牡丹开。"青苔，苔藓上的花就像米粒那么大，它也要正正经经地开，它开的时候很有尊严，它说我学牡丹，牡丹怎么开我也怎么开，我觉得我有这股气。中国人不能老是妄自菲薄，老觉得自己不行，别人也觉得你越说不行，你就越谦虚，夸你有谦虚美德，你真好，这就是把人夸死，不能这么夸人的。要怎么夸人呢？你要敢想，敢说，敢做，有大师写的经典著作，你也写一个试试。所以我虽然是苔花，咱也学牡丹开。我就体会曹雪芹的创作，我觉得我虽然是一个苔花，在有些方面和牡丹花是相通的，比如说都是植物，开花都有一个从花蕾到张开，把花朵涨圆的过程，咱们都是一样的。所以说，我就开始琢磨前八十回里面有没有可以探佚的空间了，我就发现了第十三回的问题，第十三回，就是写秦可卿之死这一回。这一回很要紧，他写了金陵十二钗第十二钗秦可卿死亡的故事，这个人物出场很晚，没到第二十回呢，刚到第十三回，连第十五回都没到呢，她就死去了。这个无所谓，一个大的著作，对人物的设置有早死的，有后死的，有老也不死的，有老不死的，都有可能。问题是，这一回有一条脂砚斋的批语，脂砚斋批语说得很清楚，她说，"秦可卿淫丧天香楼，作者用史笔也。"这句话我们以后还会分析，我这儿不展开。然后她说，"老朽"——因为这个时间，他们十年辛苦不寻常，年纪也都大了，所以那个时候脂砚斋可能和曹雪芹一起来很辛苦搞这个书，经过十年了，她就说自己"老朽"，也有幽默的意思。她说"老朽因有魂托凤姐贾家后事二件"，就是曹雪芹写到秦可卿的阴魂去向凤姐说话，她说"嫡是安富尊荣坐享人能想得到处"，意思是那很不容易的，那不是一个思想比较深刻的人，不会说出这样的话。说"其事虽未漏，其言其意，则令人悲切感服，因赦之"。"赦之"就是赦免的意思，"因命芹溪删去"，"芹溪"是曹雪芹的号，别号，就是说，闹半天，"秦可卿死封龙禁尉"这个回目是后改的，原来这一回叫"秦可卿淫丧天香楼"，而且曹雪芹写了淫丧天香楼的种种事情、种种情节。脂砚斋由于她所说的那些原因，觉得秦可卿这个生活原型、这个人她的命运还是很值得人宽恕的，就说别把这个事写出来了，把这个事隐过去算了，她就让曹雪芹把它给删了。删了多少呢？哎呀，删得太多了，也是脂砚斋自己说的，她算了一下，"此回只十叶，因删去天香楼一节，少却四五叶也。"请注意这个"叶"，研究《红楼梦》，有时候你必须得回到繁体字上来。因为过去的繁体字的"葉"，它也代表线装书的一页，线装书大家知道是一张纸窝过来，装订在一起的，它的一页相当于现在的两个页码，删去了"四五葉"，等于删去了现在的八个到十个页码，是不是啊？《红楼梦》的信息传递是非常密集的，你比如说妙玉，妙玉真正正式出场的那个戏就是品茶栊翠庵那一场戏，只用了一千多个字，不到一千五百个字，形象就完成了，性格就出来了，而且她和贾母的关系，她和宝玉的关系，她和林黛玉的关系，她和薛宝钗的关系全活跳出来了，一千多个字，厉害不厉害？那么，这一回删去了"四五葉"之多，删去得多不多？伤筋动骨啊！是不是啊？他为什么要删？我刚才说了，"苔花如米小"，我自己知道我为什么删我的那个小说，我也写小说。两个原因：一个原因是艺术性考虑，我写着写着，觉得这么写不好，不如那个写法，这个多了，我把它删了，改了。那个删了改了就不要了，要也没有意义，我觉得不好我还要它干吗；另一种，就是说我有心理障碍，有心理障碍，非艺术考虑。这不得罪人吗？这不是要惹事儿吗？我别这么写了，我改了得了，咱们忍痛删了得了，这个是非艺术考虑。显然，曹雪芹当时听脂砚斋的意见，是在当时那种严酷的人文环境下，出于非艺术的考虑，删了这一回达"四五葉"之多，那么他删去的是什么，这丢掉的是什么，我们为了研究作者的整体构思，为了研究当时作家所处的人文环境，为了更深入地、更全面地理解这本书，我们就需要探佚。我的探佚就是从这儿切进去的。

我进入这个领域以后，就在 1992 年开始发表关于秦可卿研究的文章，后来陆续形成了四本书：《秦可卿之死》《红楼三钗之谜》《画梁春尽落香尘》《红楼望月》，这四本书是不断更新内容，不断增添内容的，层层推进我自己的研究。这个时候，就跟开头我讲的一样，有一个书生，不过这个书生不叫朱昌鼎了，这个书生叫刘心武，他在那儿看书，看着《红楼梦》，在那儿研究，来了一个人，这个人叫王蒙，大家知道王蒙也是一个作家，同行，王蒙见了我就说，心武啊，你的研究我给你取个名，你那不就是研究秦学吗？他在笑谈当中为我的研究命了名，我很高兴。我相信民间的红学研究从笑谈开始，到最后一点都不可笑。只要我们有志气，苔花也可以像牡丹一样开放，而且我有我的优势，我会写小说，我把我的研究成果以探佚小说形式发表。所以我非常高兴，能够系统地来讲述我自己的红学研究心得。我的研究，最后形成独家思路的就是秦可卿研究，就是秦学研究。我的研究中所碰到的第一个课题就是秦可卿的出身是否寒微。欲知后事如何，请听我下回分解。

贾府婚配之谜

《红楼梦》被称为神秘的作品，它的神秘性，体现于书中暗示了康、雍、乾三朝的政治时局，而作者曹雪芹家族的兴衰荣辱又与其紧密相连，他把自己家族经历的事件和他脑海中的人物，一一展现在《红楼梦》里，似若有所指，而又不敢造次，《红楼梦》里主要的人物和事件，都能在康、雍、乾三朝找到影子。在这些错综复杂的人物和事件中，有一位人物是联系它们的关键，那就是贾蓉的媳妇秦可卿，这位神秘人物是破解《红楼梦》秘密的总钥匙，在她身上，隐藏着《红楼梦》的巨大秘密，我对《红楼梦》的揭秘，就从探究秦可卿这个人物开始。

关于秦可卿，我们首先要搞清楚的是：秦可卿在贾氏宗族当中处于什么位置？

在《红楼梦》里，曹雪芹描绘了一个贵为国公的大家族贾府，书中交代，他们是一母同胞的两个兄弟，都为当朝的皇帝所宠，封官加爵，地位显赫，称为国公，老大宁国公，老二荣国公。两个兄弟分别娶妻生子，延续血脉，虽然故事开始时两兄弟都已去世，但其爵位由儿孙继承，贾氏家族依然一副贵族气派。而就在这个家族显赫声名的背后，也潜伏着危机，那么这一危机究竟是什么呢？为什么要从这个危机入手来研究秦可卿呢？

我们知道贾氏宗族的长房是宁国府，次房才是荣国府。可是因为《红楼梦》主要写的是荣国府的故事，虽然也写到宁国府和其他地方，但是故事发生的主要空间是荣国府，所以我们梳理贾家的宗族情况的话，可以先来梳理荣国府。这个荣国府是怎么回事？这个荣国公他生了几个儿子，究竟生了几个，书里没有交代，但是他的长子叫做贾代善。大家知道《红楼梦》一个固有的艺术手法就是谐音，"假语村言"就是谐音，就是他把真的隐去了，用一个艺术虚构的东西来表达这个真实的存在，但是又做了很多掩饰，所以叫假语村言。那么"贾氏"就是假设有这么一个家庭，这个家庭他的荣国公这一支，荣国公死了以后，长子就叫贾代善，贾代善有两个儿子，长子叫贾赦，第二个儿子叫贾政，这两个儿子也都很争气，继续生儿子，所以荣国公这一支的血缘就往下延续了。书上写到贾赦有两个儿子，关于贾赦两个儿子，我见下面听的人有的在微笑，因为觉得有意思了，书里面说，贾赦的长子叫贾琏（lian 第三声读作脸），底下有人在笑，不是贾琏(lian 第二声读作连)吗？你把他叫做贾琏（读第二声）我也不反对，但是如果你查字典的话，你会发现，一个"玉"字边一个"连起来"的"连"，这个字只有一个读音读做琏（第三声），是古代的一种祭器，主要是在祭祀的时候装黏米和小米的。那么书里交代，贾琏是老大，是长子，可是在书里面描写的时候所有的人都叫他琏二爷，贾赦的长子怎么会叫二爷呢？这个问题放在后面我给你破解。那么还有没有儿子呢？还有一个儿子，叫贾琮。现在有人在笑，可能觉得其实琏二爷这个称谓很好解释，贾琮是他哥哥不就完了吗？可是不对，书里面贾琮是有出场的，有一次贾宝玉奉贾母之命，到贾赦和邢夫人住的宅院探视贾赦，探视完以后邢夫人就把他留下来了，然后就描写到贾琮出场了，他出场以后是怎么个情况呢？邢夫人很不喜欢他，一看到他就说，哪跑出个活猴来了，你奶妈都死绝了，把你弄得黑眉乌嘴的，说奶妈子也不好好收拾收拾你，哪像一个大家子念书的孩子。可见贾琮年龄还小，长得也不怎么样，也不爱卫生，是一个很猥琐的形象。他应该和书里面写到的贾环、贾兰年龄差不多，所以他不可能是贾琏的哥哥，他只能是贾琏的弟弟。

贾政生育能力比较强，挺争气的，为荣国公这一支往下传血脉贡献比较大。他首先生了一个大儿子叫贾珠，贾珠在《红楼梦》故事开始以后虽然已经死掉了，在《红楼梦》里看不到他的故事了，但是贾珠不是夭折，他是长大成人了，娶了媳妇了，而且给贾政生了一个孙子贾兰，然后他才死去的。当然大家印象最深刻的是贾政的另外一个儿子贾宝玉，这是我们《红楼梦》一书的大主角。贾宝玉还有一个弟弟就是贾环，是贾政的小老婆赵姨娘生的。所以你看，荣国府的男丁状况比较让人乐观。

现在我们再来说宁国府，其实应该先说宁国府，我再提醒大家，宁国府是高于荣国府的。宁国公他是哥哥，那么这一房这个宁国公死了以后就把他的爵位传给了他的儿子贾代化，宁国公这一支到了这个贾代化以下，情况就不太妙了。怎么不妙呢？贾代化倒是生了两个儿子，但是书里面写得很清楚，第一个儿子贾敷没长大成人，八九岁就死掉了，他跟贾珠的情况不一样，就是在家族血统继承上没起任何作用，所以这个人物就可以忽略不计了。实际上他只有一个儿子就是贾敬，这个贾敬又很古怪，他后来不愿意住在宁国府里面，也不愿意回原籍，他就跑到都城外面道观里面和道士胡羼，在那儿炼丹，这是贾敬。贾敬倒也还生了一个儿子就是贾珍，但是这个就很孤单了，贾珍也生了一个儿子就是贾蓉，所以在宁国府就形成了一个三世单传的局面。什么叫三世单传呢？年纪大一点的中国人都懂，这在一个宗族的血脉延续上是一个非常危险的信号。三代都只有一个男丁，这往下传就很困难，万一最后这个男丁没有生育能力或者非正常死亡，或者正常病死了，他的媳妇都没有给他生下一个孩子来，这就叫做绝户，这一支的血脉就终结了。大家知道在封建社会，不但一般的贵族家庭很重视血脉的延续，就是一般的人家，包括穷人家，也很重视自己宗族血脉的延续。那么，宁国公和荣国公他们两兄弟都要把他们的血脉延续下去，这个在封建社会是一件天大的事。宁国公、荣国公，虽然封了国公，他们也要重视他们子孙血脉的延续。他们和一般的家庭还不一样，他们是有爵位的，延续的不光是血统，还有社会地位和财富，所以血脉延续对两府来说是天大的事。因此宁国府面临一个血缘继承的危机，跟荣国府比危机感就更深重。

　　我说这个干吗呢？有人说你不是要研究秦可卿吗？我就是要说到这儿跟你一块儿讨论，在封建社会那么重视血缘继承的封建大家庭里面，宁国府已经到了三代单传的状况了，那么最后终端的男丁就是贾蓉娶媳妇，能够随随便便吗？能随便娶一个媳妇吗？下面有人在笑，说那怎么不可能呢，人家那是小说，人家曹雪芹就乐意这么写，就写这个贾氏宗族不重视娶媳妇，什么血统都不论，不但穷人的女儿可以娶，不知道父母是谁的弃婴也可以娶。但如果曹雪芹真是要这么写的话，他就不应该只体现在一个媳妇上，所以下面我们就要来看一看书里面所写到的贾氏宗族娶媳妇的情况。

在《红楼梦》里，曹雪芹虽然故意说，自己所写的不知是哪朝哪代的事，但根据他写的内容，经不少前辈红学家推断，《红楼梦》所反映的是清朝康、雍、乾三朝的故事。在清朝，皇帝对有功的大臣要颁赐爵位，分为两种情况，第一种封爵，功臣被封后，他的子孙可以世代袭爵，爵位不变；第二种封爵，他的子孙虽然也可以世代袭爵，但是其爵位却会递降。《红楼梦》里的宁荣两府都属于封爵的第二种情况，子孙的爵位递降一格，虽然如此，贾府在当时整个社会上也具有了不起的地位。这么一个开国功臣的大家族，能在娶媳妇的问题上马虎吗？他们所娶的媳妇都是什么样的身份和地位？这与秦可卿这个人物又有什么联系呢？听我细说。

宁国公和荣国公娶的什么媳妇，书里面没有交代，但是对贾代化和贾代善娶媳妇的情况有所交代。荣国府的荣国公，他死了以后就把他的贵族爵位传给了他的长子，就是贾代善，贾代善娶的是谁呢？是金陵世勋史侯家的小姐。那么在第四回我们就看到了这样的情节，就是贾雨村他后来补了官，补了一个应天府，他审案子，审人命案，审理当中旁边一个门子递眼色，他觉得很奇怪，就停止审判，把门子叫到密室里面去询问，这个门子就说，你要想把官做得牢靠的话，你得有护官符，所以贾雨村就恍然大悟。护官符怎么写的？后来书上就透露了护官符上的头四户，头四个家族，就是金陵地区的四大家族。居首位的就是贾氏，"贾不贾，白玉为堂金做马"，豪富不豪富？这样一个家族给自己的青年公子娶媳妇，毫不含糊，得找门当户对的，找的史家的小姐。史家就是四大家族的第二家族，叫"阿房宫，三百里，住不下金陵一个史"，多大的气派。贾家要娶媳妇，首先考虑的还不是一般的富贵家庭，考虑的是史家，果然贾代善就娶了史家的一位小姐，做了自己的媳妇，这就是书里面出现的贾母。她做小姐的时代，书里面没有写，故事开始的时候，她已经是一个老太太了，她的同辈人基本都死光了，在宁荣两府老辈的只剩下她一个了，因为她姓史，所以有时候书里面叫她史太君。史家的小姐嫁给贾家为妻，重不重视血统啊，非常重视。这个门子跟贾雨村讲这个事的时候跟他说了，说这四家这四大家族皆联络有亲，他们在政治上、经济上结成联盟，是一损皆损、一荣俱荣的关系，互相扶持遮饰，俱有照应。那么他们在婚配上也必然互相作为首选。

　　我这么说绝不牵强。你再看曹雪芹的描写，贾政娶的是一个什么样的媳妇呢？不讲究血统，街上找一个妇女，育婴堂去要一个？绝对不是，娶的是王夫人，王家的女儿，在四大家族里面王家非同小可，当地的顺口溜说，"东海缺少白玉床，龙王请来金陵王"，龙王爷有事都得求他们家，你说是什么样的家庭？这个王家不得了。王夫人她是王家小姐，嫁给了贾政，她的妹妹嫁给了谁呢？嫁给了薛家，薛家就是四大家族的第四家族。顺口溜怎么说的呢？"丰年好大雪，珍珠如土金如铁。"富有到没道理的地步，富有得不堪，珍珠都成了泥土了，什么样的家庭？就是王家的女儿不往别人家乱嫁的。王家还有一个成员也嫁到贾家了，就是王熙凤，她是王夫人和薛姨妈的内侄女。王熙凤父亲没有说叫什么名字，也是王家的一个成员，也是很富有的。四大家是互相婚配的，娶媳妇绝不能随便，而且首先考虑四大家族里面有没有合适的。当然也可能凑巧四大家族一时都没有合适的，因为可能年龄段上没有那么一个小姐，或者有小姐已经许给别的家了，那么就再考虑别人家，所以我们就在贾府里面发现了另外一个媳妇，她不属于四大家族，但是也非同小可，这就是贾珠的媳妇李纨。李纨什么出身呢？书里面交代非常清楚，父亲叫李守中。什么样的家庭背景呢？李守中曾经当过国子监祭酒，这也是一个不小的官，也是一个诗礼大家，李纨出自这样的家庭背景。所以你看荣国府娶的媳妇，哪一个是孬的呀，都是所谓根基家业非常经得起推敲的。

　　荣国府里惟一一个弱一点的媳妇可能是邢夫人，有的读者说邢夫人好像差一点，邢夫人是差一点。首先"邢"姓不属于四大家族，书里没有具体介绍邢夫人的家庭背景，不像介绍李纨那样介绍了一下，而且我们从书里面的描写模模糊糊感觉到，邢夫人这个人有点病态人格，这个人心眼褊狭，有毛病，特别吝啬，光知道敛财。不过总的来说，邢夫人很显然也是一个知根知底的富贵人家的女性，也不是非常差的，只是跟我们刚才说的那些媳妇比起来，根基家业稍微差一些，逊色一些，这可能跟邢夫人本身她是填房有关系。这点你注意到了吗？邢夫人不是贾赦的原配，贾琏、贾琮，包括迎春都不是她生的，书里面后来是有透露的。有一次贾母发狠心查赌，查出在大观园里聚赌的头子，有一个是迎春的奶妈。这当然令迎春很没脸面，迎春本来并不是荣国府里的，她是因为贾母喜欢女孩子，才跟惜春一样，从荣国府外面给接进来养在一起的。惜春呢，是贾珍的妹妹，来自于宁国府；迎春呢，她是贾赦的女儿，书里写得很清楚，贾赦和邢夫人住在跟荣国府隔开的那么一个黑油大门的院落里，她是从那个院落里给接到荣国府来住的，大观园盖好以后，她也住了进去。她的奶妈出事以后，邢夫人去数落她，其中有几句话，你注意到了吗？邢夫人明确地说："况且你又不是我养的。"还说："倒是我一生无儿无女的，一生干净，也不能惹人笑话议论为高。"可见她是贾赦的填房，贾府的爷们娶续弦妻子的时候，可能就比较难找到非常有权势的家庭的小姐了。所以邢夫人的家庭背景、经济状况稍微差了一点，但也不是很差。这是荣国府娶媳妇的情况。

　　那我们回过头来看看长房宁国府，宁国府宁国公娶的谁不清楚，没交代，那么贾代化娶的谁呢？模模糊糊知道，好像也是一个史家的小姐。到了贾敬就不知道娶的是谁了，贾珍我们知道，他的媳妇是尤氏。这是一个很重要的角色，在《红楼梦》里面她的戏挺多的，看得出来，她还是一个懂得大家规范的富家子女，富家的女儿。当然尤氏的家庭，娘家的家庭，从小说后面的描写看，好像不太好了，尤氏的父亲可能是死了老婆了，续弦时不知道怎么就娶了一个寡妇；寡妇带了两个女儿，在过去的社会叫拖油瓶，带来两个跟别的男人生的女孩子嫁到他们家，成为尤氏的继母。小说后面就把她叫做尤老娘，小说写到那儿的时候她的年龄已经大了，她带来的两个女儿都长大了，一个是尤二姐，一个就是尤三姐。尤二姐和尤三姐和尤氏既不同父也不同母，她们只是名分上的妹妹罢了。可见尤氏的家庭背景到后来似乎也不太好，不过这也不妨碍我们去估计，尤氏是一个很不错的家庭的一个小姐，嫁到贾家来。但是之所以她比王熙凤，比这些人家业根基差一点，也因为她是填房，她的情况跟邢夫人类似。下面有的人在摇头，说是吗？不是她有贾蓉吗，贾蓉不是她儿子吗？她是贾蓉的继母，她不是贾蓉的生母，何以见得呢？"酸凤姐大闹宁国府"这一节，不知道你读得仔细不仔细，因为贾琏偷娶了尤二姨，王熙凤就杀到宁国府，撒泼，大哭大闹，先跟尤氏闹，然后又跟贾蓉闹，骂贾蓉，她在骂贾蓉的话里面有一句，就是"你死了的娘的阴灵也饶不了你"。可见贾蓉的娘已经死掉了，是地狱里的阴灵，可见贾蓉不是尤氏生的，是贾珍的前妻生的，所以尤氏是填房。刚才说过，填房就不能要求太高，尤氏可能是很不错的家庭的小姐，但是就不是四大家族了。

那么根据整个的这些描写，我们可以形成这样一个逻辑，就是贾氏宗族在为贾蓉选择媳妇的时候能够不重视吗？即便四大家族里面找不到合适的，类似李纨这样的家庭背景的能不能找一个，如果这样也找不到的话，起码可以以贾赦的填房和他自己的继母为坐标系，找一个过得去的，血缘很清楚，家境也还过得去，身份也还可以的这样一个女子吧。但是我们却发现，最后对秦可卿出身的交代，满不是这么回事，竟把秦可卿设计成为一个从养生堂抱来的弃婴。说到这儿，马上又有红迷朋友要跟我讨论了。说哎呀，你啰啰唆唆说了这么半天干吗呀，人家是小说，是不是啊，小说可以想像，可以虚构，他就愣这么写。是不是？你干吗这么寻根究底，没完没了啊？

我自己也写小说，虽然我是一个远不能跟这些大师相比的写小说的人，但是我写小说，我也读小说。我就知道小说有不同的类别，其中有一种带有自叙性、自传性，就是小说的人物是有生活原型的；当然要虚构，当然要想像，但是都是从已经存在的活泼泼的生命基础之上去发展，去想像，去架构这个人物关系，去铺展情节。

秦可卿的寒微出身，显然与贾府这个百年大族的地位极不匹配，她成了贾府众多媳妇中的一个例外，那么曹雪芹为什么要这么写？鲁迅、胡适等前辈大师，都肯定《红楼梦》是一部带有自叙性和自传性的作品，我是信服这个判断的，我越细读，就越相信书中的主要人物都能找到生活原型，曹雪芹就是把这些原型，塑造为他小说中的人物。当然这里面加入了想像和虚构，或者人物与事件有所合并，有所拆分，有所挪移，有所变形，但总的来说，《红楼梦》里的许多人物，和曹雪芹自己家族的某些人物惊人地相似，这难道不值得我们格外注意吗？我可以拿出很多证据证明，《红楼梦》它是一个写实的作品，是带有自叙色彩的作品，是一个写人物从原型出发的作品。那么我们一步步来讨论。首先我们看曹雪芹自己怎么说的，你看第一回，我只举几个短短的句子，比如他说"忽念及当日所有之女子"，又说"一一细考较去"，他是从他生命体验当中，选取他接触过的相处过的女子来写的。又说，"我半世亲睹亲闻的这几个女子"，他自己说他是亲睹亲闻。他宣称，"至若离合悲欢，兴衰际遇，则又追踪摄迹，不敢稍加穿凿。"也许你还是要跟我讨论，作者故意要这么说，他打马虎眼，明明是完全虚构的，完全没有生活依据的，他偏要这么说，那倒也可能。那我们就再进一步讨论，他的合作者脂砚斋，为什么在批语里面一再地告诉读者，实有其人，实有其事，重要人物都有原型。简单来说贾宝玉的原型就应该是曹雪芹自己，带有自叙性，但是因为我们以后还会涉及到这个话题，还会展开来分析，现在在这儿，我就先不展开分析贾宝玉的原型，先分析贾母的原型。

贾母是有原型的，何以见得呢？大家知道，曹雪芹的祖父是曹寅，曹寅的妻子姓李是李氏，是李煦的妹妹。李煦是谁呢？曹寅当江宁织造的时候，李煦当的是苏州织造，两人是江南金陵地区的两大织造。而且康熙皇帝很宠爱他们，还经常让他们两个轮流分管当地的盐政，有时候一块儿管，有时候分开管，轮值管；并且康熙让他们两个当特务，除了他们本职工作以外，还要他们密报很多当地的情况，特别是明代的遗民有什么动向，当地的民间对朝廷有什么议论等等。他们关系很密切。曹寅的妻子李氏就是李煦的妹妹，那么在小说里面，我们就发现贾母这个角色，作者把她的真实姓氏李氏，化为姓史了，说明是经过艺术加工了。那么为什么说贾母的原型是李氏？例子很多，我不一一举，我只举几个。

大家知道，在荣国府过春节的时候，闹元宵的时候，贾母这个人是一个享乐主义者，她不但很会吃，很会穿，她也很会看戏，很会欣赏文艺。家里请了说书人来说书，她说你们都根本不行，她就破除陈腐旧套，给他们讲书应该怎么说，又给她们讲起当年她家里怎么演戏。她说当时我们家里唱戏有弹琴的场面，不来虚的。因为中国戏曲是大写意，虚拟的，弹琴比画几下，表示弹琴就行了，她说我们不是，我们家演戏是真琴上台，真的琴师上台，她就举例子，有时候凑起来演几个折子戏，都跟弹琴有关。她说了一个《西厢记》的《听琴》，这个是大家很熟悉的剧本，《西厢记》是元代王实甫的作品，在明清非常流行，不稀奇。她又说了一个《玉簪记》的《琴挑》,《琴挑》是明朝高濂的一个剧作,当时也很流行,到处演,也不稀奇。她又举一个例子,还有一个戏叫《续琵琶》,《续琵琶》是写蔡文姬的故事,里面要一面操琴,一面唱《胡笳十八拍》,她说像这些戏我们都是请会弹琴的演员在台上真的弹琴,那多好看啊。那么《续琵琶》是谁写的呢?你去查中国戏曲史料,你很难查到。这是一个很不流行的剧本,是一个几乎没有公开演出过的剧本,是一个没有继续演出到今天的剧本。这个剧本是曹寅写的,就是曹雪芹祖父曹寅写的。而且查资料可以知道,只在曹寅自己家和他的亲戚家,也就是李煦家演过这个戏。这个例子就证明,贾母的原型就是李煦的妹妹,否则曹雪芹写这一笔的时候,不可能写到这样一出很偏僻的,曹寅写的剧,而且是一出只有在曹家和李家演过的戏,这是一个例子。另外,书里面交代史湘云是贾母她娘家的人,书里面透露她有两个叔叔,都是封侯的,地位很高的,一个是保龄侯史鼐,一个是忠靖侯史鼎,而且书里面也说得很清楚,史鼐是哥哥,史鼎是弟弟。也就是说,书里面有贾母的两个侄子,书里面设定贾母姓史,所以他们也都姓史,他们一个叫史鼐,一个叫史鼎,那么你去查李煦家的家谱,你就会发现,李煦两个儿子老大就叫李鼐,老二就叫李鼎。这不可能是巧合啊,哪那么巧啊?而且虚构的话,按道理,鼎应该当哥哥,因为鼐在鼎上加了个乃字,应该是老二,可是他一丝不乱地写,可见他是有原型的,贾母的原型就是曹寅的妻子李氏。

那么贾政有没有原型呢?更有原型,说起来就更有意思。现在大家想一想,有一件事情很古怪,很多读者读《红楼梦》很粗心,不细推敲,也有人一推敲就画了很大的一个问号,就是贾赦是贾母的大儿子,而且他还袭了爵,是一等将军,根据封建社会的伦理秩序,他应该侍奉贾母,应该和贾母住在一起。荣国府这个庭院应该他来住,荣国府中轴线的建筑,那个院落庭院,就是后来林黛玉看到挂着皇帝御笔书写的匾的那个庭院，应该是贾赦来住，他是长子啊，他又封了爵位啊，怎么现在住的是贾政啊？请问怪不怪？怎么解释？你虚构，犯得上这么虚构吗？这么虚构的目的是什么呢？怎么回事呢？你怎么不推敲不琢磨呢？读《红楼梦》不能当懒人，要当一个勤快人，要勤于动脑，要善察能悟才好，才能读出味来。

　　书里写的贾政，交代得很清楚，贾政根本就没有袭爵，因为皇帝规定了，袭爵只能一家传给一个男子，传给你的长子。当然书里面也写了，贾代善死了以后，皇帝立即就让贾赦袭了爵，然后问还有没有儿子啊，说还有，皇帝很高兴。皇帝很顾念贾家在开国时的功勋，立即引见，一看贾政非常喜爱，那也不能给他封爵了啊，就赏了一个主事的头衔，让他入部习学，后来就让他当了一个官，当了一个员外郎。什么叫员外郎，不大不小，不怎么大，我曾开玩笑说这官折合到今天，撑死不过是个副部级，结果有热心的红迷朋友就给我郑重指出，工部的最高官员是尚书和侍郎，那才相当于部长副部长呢，员外郎撑死了也不过是个副厅局级罢咧。我很感谢红迷朋友的指正，其实清代的官吏怎么能拿来跟今天的公务员类比呢？这么打比方，有些不伦不类，但我们之所以这么比方，目的只不过是想跟大家说，无论如何，书里写的贾政，他的政治地位并不怎么高，应该是比贾赦要低。那么，他既非长子，又没袭爵，官儿又不大，他怎么会在荣国府里占据中轴线的正厅正房呢？就算他非要那么住，贾母明明知道自己的大儿子是一等将军，她丈夫的爵位是传给大儿子了，她却不让大儿子跟她住，就说是偏心，能离谱到如此地步吗？而且怎么贾赦对此也心平气和，看那样子，也是觉得贾政和王夫人在荣国府府邸中轴线的正房大院居住生活，是很正常的。这究竟怎么回事？根据封建礼法，你贾赦是老大，就该跟你妈一块儿住，天天伺候你妈，你跑到另一个黑油大门里去住着，算怎么一回事儿啊？

而且我们越看越怪。第七十五回写中秋，又一个中秋，当时贾家已经风雨飘摇了，贾母强打精神组织团圆宴，团圆宴你就发现座次很奇怪了，贾母的右边坐的全是跟她直系的人物，坐的谁呢？是贾政、贾宝玉、贾环、贾兰，怎么会没有贾赦呢？贾赦应该坐在她右边啊，第一个啊，他是老大啊。可是贾赦却坐在她左边，左边除了贾赦是些什么人呢？当然有贾琏，有他儿子，另外就是贾珍、贾蓉，很显然全是些个旁系的人物，是不是？这怎么回事？曹雪芹虚构，他艺术想像，他怎么想成这个样子呢？

其实，道理很简单，曹雪芹写成这个样子，就是因为他过分地忠于生活原型，他太写实了。这个谜，老早就被周汝昌先生经过严密考证，揭示出来了。这就是因为，曹寅这个历史原型，在小说里面被淡化了，就是贾代善，只剩一个虚构的名字了；曹寅生了一个儿子，是曹颙，那么康熙皇帝非常喜欢曹家，曹寅死了以后，康熙还让他的儿子接着来当江宁织造，这是一个肥缺，还让他家当。但是曹颙很不争气，他倒是很有才能，声誉也很好，但是他的健康状况不好，没有干几年就病死了。曹寅的夫人，就是书里贾母的原型，不仅成了寡妇了，而且底下也没有儿子了，再让曹寅家的人当织造的话，就找不到男丁了。但是当时康熙实在是太喜欢曹家了，也特别喜欢李煦，喜欢贾母原型李氏她娘家哥哥，所以康熙就亲自问李煦，说你看一看曹寅的侄子里面，有没有好的，选一个过继给曹寅，虽然这个人死了，但是还可以名义上过继一个儿子，好让他侍奉李氏，来接任这个江宁织造。后来李煦就很认真地帮他挑选，挑选出了曹寅的侄子曹頫，就把曹頫过继给曹寅，也就是过继给李氏，成为她的一个儿子，而且曹頫又生了一个儿子曹霑，就是曹雪芹，贾宝玉的原型——当然，曹雪芹究竟是不是曹頫生的，红学界有争议，也有人认为曹雪芹是曹颙的遗腹子，这里暂不讨论——所以曹雪芹是根据自己家族的情况，他的父亲是过继给他祖母的，这样的

一种真实状况，来写书的。弄清了这一点，你再回过头来看《红楼梦》，你就觉得它太写实了，他写贾母和贾政的关系非常淡薄，贾母喜欢她的孙子，因为根据封建社会的观念，儿子如果不是亲生的是过继的话，孙子就一定是亲生的。儿子老大了才过来，双方论骨肉情比较困难，孙子从小带大，而且从小可以瞒着他，是不是？长大你再告诉他或他自己想办法知道，是另外一回事，你就可以很亲地把他当做自己骨肉的延续。所以你看，曹雪芹为什么这么写，就是因为他有生活原型，他的父亲曹頫就是贾政的原型，原型人物，曹頫不是李氏的亲儿子，但是又过继给李氏，继承了曹家的家业，所以在小说中，贾政住在荣国府的正堂大院。实际上荣国府只有这么一个过继的儿子，为什么他要写贾赦呢？这点就是他发挥他的艺术想像力，以及他的艺术虚构了，如果太忠实于生活的真实写起来就很麻烦，所以他就归并同类项，因为贾赦确实在小说里面是贾政的哥哥，在生活原型当中也确实是曹頫的哥哥，他和贾政之间他们是亲兄弟，但是他没有过继给贾母，明白吗？他没过继给贾母，他怎么能住在荣国府的院子里呢？他当然是在另外一个院落居住，明白这个逻辑了吧。曹雪芹因为太忠于生活原型了，所以写来写去写成这个样子。

曹雪芹之所以要写贾赦这一支，主要的动机，我觉得是他想大写王熙凤，生活真实中的那个原型人物，令他刻骨铭心，难以忘怀，他要给这位脂粉英雄画影立传。生活真实中的这位堂嫂，本是他父亲那位并没有一起过继到他祖母这边来的，他伯伯家的一个媳妇，他在小说里设定那位伯伯跟他父亲一样，都成了小说里贾母的亲儿子，这样写起来比较方便，也可以生发出更多的故事，比如鸳鸯抗婚等等。曹雪芹一方面使用小说的虚构技巧，一方面又非常忠实地记录了生活原生态里的许多情况，比如他写有一天平儿劝凤姐别那么为荣国府的事情操心，说出了这样的话："依我说，总是在这里操一百分心，终究咱们是那边屋里去的。"提到府里公子小姐的婚事，需要如何筹划，说"二姑娘是大老爷那边的，也不算"。根据他对小说里人物的设计，王熙凤是贾母长房长孙的媳妇，怎么会"终究"还是要回"那边"？迎春是贾母长房的长孙女，她出嫁的事怎么会与贾母乃至整个荣国府无关？怎么能说是"那边的"竟可以"不算"？现在我们知道他写小说都是有原型的，弄清楚贾赦的原型是曹頫的一位并没有跟他一起过继给李氏的哥哥，那么小说里平儿跟王熙凤的对话，就都不难懂了，其实真实生活里人们就是那么谈论那类事情的。

　　所以我就跟你讲，《红楼梦》的人物都是有原型的。说了半天，我想说什么呢？就是说贾蓉也有原型，贾蓉的妻子秦可卿也应该有原型。我把这个逻辑梳理一遍，你现在听懂了吧，我觉得我这个逻辑起码还是自成方圆的。秦可卿这个人物，她应该也有一个原型。因此，问题就逼到这儿来了，这么样一个写书的人，写贾蓉的媳妇秦可卿，这个角色既然也有原型，那么，秦可卿的原型究竟是谁呢？我下一讲接着讲。

第四讲

秦可卿抱养之谜

上一讲我们得出两个结论，第一个结论就是贾氏宗族在娶媳妇上是不含糊的，第二个结论就是《红楼梦》是一个自叙性的小说，它的人物都是有生活原型的，底下我们就来讨论秦可卿，看她有没有原型。

红迷朋友都很清楚，关于秦可卿的出身，《红楼梦》里面是有明确交代的，就在第八回的末尾，这个交代非常古怪，和曹雪芹写别的人的家业、根基很不一样，每一句都古怪，现在我们就一句一句来分析一下。

在第八回的末尾，宝玉和秦钟要到家塾去读书，于是以这个为由头，顺便就提到了秦钟和他姐姐秦可卿的出身。说是秦业系现任工部营缮司，营缮司是一个很小的官，可能是管工程建设的。秦业这是曹雪芹所设定的秦可卿养父的名字。有一点特别值得注意，就是后来高鹗和程伟元续《红楼梦》的时候，他们不但在八十回以后续了四十回，前面他们也有所改动。例如在这一回秦业这两个字上他们就改动了，很奇怪，这个有什么值得改的呢？高鹗他们就把秦业的名字改成了秦邦业，可见高鹗和程伟元对这个名字是敏感的，为什么？因为在古本《红楼梦》上，脂砚斋在批语里面对"秦业"这个名字是有非常明确的评论的。脂砚斋怎么评论的呢？她说"妙名，业者孽也"。大家知道在中国繁体汉字里面，比如"造业"和"造孽"，这个"业""孽"是相通的，说"业障"和"孽障"是一个意思。秦业，"秦"是谐音"情"，因为曹雪芹是从江南移居北京的，所以《红楼梦》里边有很多南方口音，南方人 zh、ch、sh 和 z、c、s，l 和 n，in 和 ing 往往不分，所以他认为"情"和"秦"是相通的，是谐音的。秦就是谐音"感情"的这个"情"，业就是谐音"孽"，合起来的意思就是因为有感情而造成罪恶。他这个名字命名是有含义的，在以后我会进一步加以揭示。高鹗、程伟元他们也可能看出这个含义了，他们不想因为这个书稿惹事，甚至还有更坏的想法，所以就把它改了。所以你看曹雪芹的书，命运很坎坷，很曲折的。

根据曹雪芹的话，秦业是一个小官，"年近七十，夫人早亡"。书里面秦可卿出场的时候，大约应该是二十岁的样子，那么就说明秦业是在五十岁左右，得到了她，因为当年无儿无女，便向养生堂抱了一个儿子，并一个女儿，这就是秦可卿的来历，这是很古怪的。

上一讲我们已经提到了，封建社会是非常重视血脉相传的，就是今天的社会，很多人也还是很重视这个的，不但重视别人的血缘，更重视自己的血缘，我是不是自己父母亲生的儿子？现在有一种新的科学技术叫DNA检测，可以去检测的。现代人在血缘上尚且有这样的困惑，何况曹雪芹所表现的那样一个时代，这个血缘是一个非常重要的问题。

秦业因为夫人早亡，无儿无女，就决定到养生堂去抱孩子，虽然他是一个小官，宦囊羞涩，但是他怎么这么来延续自己的子嗣呢？还是很古怪。首先我们要搞清楚什么叫养生堂？我个人对"养生堂"这三个字是非常敏感的，为什么？我出生在1942年，出生地是四川成都育婴堂街，当时我家住的那条街上就有一个育婴堂，育婴堂就是养生堂，这两个名字是相通的。成都话说起这几个字，发音是"哟音堂该"，我就出生在叫做育婴堂街的那么一个地方，所以我父母告诉我以后，我再读《红楼梦》对此就很敏感。20年前我还曾经跑到那条街，去找那条街上的育婴堂的痕迹，但社会发展很快，已经无痕迹可寻了。

什么叫做育婴堂或者养生堂，我们可以看一幅上个世纪著名作家漫画家丰子恺的漫画，他有一幅漫画，题目叫《最后的吻》，画面上是一个贫穷的妇人，抱着一个孩子，她养不了这个孩子了，她决定把他送给养生堂。在送走之前，她给他最后一吻，画面的一角还有一只狗，那只狗却不抛弃自己的孩子，还让自己的孩子在自己的怀抱里面得到温暖。这是画世相的一幅漫画，整个情调很凄楚。养生堂接受弃婴的游戏规则是很古怪的，今天我们看来的话，会觉得有点匪夷所思：养生堂的人是不见孩子的父母的，养生堂建筑的墙上会有一个大抽屉，这个抽屉可以两面拉开，明白这个意思吧，墙壁外面可以把抽屉拉开，墙里头也可以把这个抽屉拉开。丰子恺这个漫画，画的就是一个妇女抱着一个孩子，她养不下去了，就把婴孩送到养生堂，把那个抽屉拉开——画面上已经把抽屉拉开了——告别的吻之后，就要把婴孩放到抽屉里面了，放进去后就可以

47

把抽屉推上，她就可以转身走掉了。养生堂的人，会随时检查这个抽屉，把这个抽屉打开，空的就说明这个时段，没有人来抛弃孩子，若打开一看有孩子，就把这个孩子抱出来养大。实际上养生堂的条件很糟糕，往往也养不大就死掉了，勉强养大的，也多半营养不良，或者形成残疾。养生堂的孩子可以由社会上的人抱养，小时候没人抱走，大了以后就往往会被人领去当苦力，男的充当苦力，女的可能更惨，不少被妓院领走，沦为娼妓。因此，只有最没有办法的人才会把自己的孩子拉开抽屉送给养生堂，或者是实在穷得没有办法，或者是罪家的子女，或者是因为父亲或者母亲血缘有问题，或者有别的什么问题，不想要了，或者是残疾婴儿，才会送给养生堂。

　　曹雪芹的文字，是很古怪的，他说秦业因为无儿无女就到养生堂去抱养孩子。那我们推敲一下，在秦业所生活的那个社会，按一般家族血缘延续的游戏规则，如果他是一个五十岁上下的男子，没有儿女的话，他要解决子嗣的问题，第一招就是续弦，你夫人死了就再娶一个嘛，娶的夫人还不生育的话，那你就纳妾嘛，当时实行一夫多妻嘛，娶小老婆是社会允许的，是不是？你这样繁衍你的后代不就完了吗？也可能有读者要跟我讨论了，说人家秦业可能没有生育能力了，但根据《红楼梦》后面的文字描写，这个秦业他有生育能力，后来他生了秦钟嘛，所以秦业是有生育能力的，他要延续子嗣的话，没有必要到养生堂去抱养孩子。而且很古怪，一般到养生堂去抱孩子，如果为了延续子嗣的话应该抱男孩，而这个秦业一抱呢，就抱了一对，一男一女。按说你要有能力养两个，抱两个男孩双保险，你不就更可以延续你的秦姓吗？他却又抱了一个女儿，看来这个女儿是非抱不可的，谁让他抱的？恐怕未必是他愿意抱的，但是不管怎么样，他抱了一儿一女。而且更古怪的是，最后儿子又死了，死的还不是女儿，是儿子，只剩一个女儿。只剩一个女儿，要延续子嗣的话，再去抱一个儿子不就完了，养生堂的男孩很好抱啊，随便你选啊，你也不是最穷的啊，你是一个营缮郎，是一个小官，跟贾府没法比，但跟社会上一般人比的话，你还是不错啊，很奇怪，他就只养这个女儿，不再抱儿子了。

另外，在当时那个社会，如果自己实在生不出儿子，还可以从兄弟或堂兄弟那里过继来一个儿子。上一讲我就讲到，曹寅死了，没多久他亲儿子曹颙又死了，他夫人李氏还在，可是就再没有别的儿子了，于是康熙皇帝亲自过问这件事，让曹寅的一个侄子曹頫过继给了曹寅，继续当江宁织造，来侍奉曹寅的未亡人李氏。这种延续家族血脉的方式在那个时代，从上到下都很流行，实行起来非常方便，除非你亲兄弟堂兄弟全没有，但是在小说里，曹雪芹分明写到，秦钟死后，贾宝玉闻讯去奔丧，"来至秦钟门首，悄无一人，遂蜂拥至内室，唬的秦钟的两个远房婶母并几个兄弟都藏之不迭"，可见秦业若是要从秦氏宗族里过继来一个儿子，是很现成的事。可是这个秦业却既不纳妾也不过继，偏要到养生堂里抱孩子，抱来一儿一女以后，却又不认真养那个儿子，倒是把心思全用在了养那个女儿上头。这真是奇事一桩。

从养生堂抱来的这个女儿，秦业很喜欢，小名儿唤可儿；可儿在过去的语言里面，就表示可爱的意思。在曹雪芹写到这句话的时候，下面就有脂砚斋的批语，就是"出名"，意思是秦氏开始出现名字了，可儿便是秦可卿了。"秦氏究竟不知系出何氏，所谓寓褒贬别善恶是也"，这话倒也无所谓；下面又说，是"秉刀斧之笔，具菩萨之心，亦甚难矣"，就好像有什么隐情。如果他跟我们有的读者想法一样，虚构嘛，我就写是养生堂抱的，怎么着啊？那也就不必大惊小怪，但是脂砚斋她说，这么写是"秉刀斧之笔"，怎么会是"秉刀斧之笔"呢？刀斧是用来砍削东西的，这就是说，她指出，作者写这个人物，是用大刀大斧砍去很多真相，是不是啊？刀斧砍的是什么啊？又说"具菩萨之心"，"菩萨之心"就是不忍之心，慈悲之心，那么，显然是不忍心写出真相来，那这又是怎么回事啊？谜团重重。

脂砚斋又说，"如此写来，可见来历亦甚苦矣，又知作者是欲天下人共来哭此情字"，就是他给这家人取姓，姓秦，是有用意的，是谐音为情。这个秦可卿来历甚苦，长大以后呢，生得形容袅娜，性格风流。这个倒不用讨论，因为就是一个养生堂的姑娘，养大后，也可能是这样的，奇怪的是营缮郎秦业因素与贾家有些瓜葛，故结了亲，将秦可卿许与贾蓉为妻。上一讲咱们费了老大力气，得出一个结论，就是贾蓉的妻子千万不能乱娶，宁国府的血脉已经到了三世单传的危机时刻了，娶媳妇一定要娶一个门当户对的，门不当户不对的话也得比贾府的门和户还要高，而且要保证能给贾蓉生儿子，也就是给宁国公这一支传续后代。可是仅仅因为营缮郎跟贾家有点瓜葛，就去把他抱养的养生堂的女儿，许给了贾蓉，还不是小老婆，而是娶为了正室。旧社会一夫多妻，可以先娶小老婆，后娶正妻，那也是可以的，但宁国府不是这样，是正正经经地将秦可卿娶为了贾蓉的妻子。所以这一段话实在是每一句都古怪。

也可能有朋友又要跟我讨论了。我在这儿讲，我老觉得有人和我讨论，实际上也是这样，讨论才能生出乐趣来，所以我们就讨论，说也可能啊，曹雪芹在这儿他想有一个超越，他就想写贾家有一种跟其他贵族家庭不一样的思想感情，就不嫌人家贫穷，虽然是富贵家庭，但是没有富贵眼光。但这个曹雪芹真是行文太奇怪了，他好像深怕咱们误会，好像就防着咱们这个思路了，他立刻在底下说，"贾府上上下下都是一双富贵眼睛"，生怕你忘了这一点。哪里能说他想表现贾府是没有富贵眼光的呢？他提醒你，上上下下都是富贵眼光，所以秦业要送自己的儿子秦钟上贾氏的私塾，等于是附读，因为他并不是贾氏的后代，他只是一个亲戚，经人家允许，到那儿去读书；到那儿读书就得交学费，明着不叫学费，叫做贽见礼，按当时的规矩起码得二十四两银子，二十四两银子对于贾氏家族来说，简直就不是钱，但是对秦业来说，就觉得很吃力，他宦囊羞涩，他很穷，贾家上上下下都看不起穷人的，他会很受歧视。

也可能有人要跟我讨论，说你这个抠得太细，掰开了揉碎了你干吗呢？就不许人家曹雪芹偶然写上这么一句吗？不偶然，贾家是一双富贵眼睛，在第七十一回里面又写到了，那次是贾母的八旬之庆，你还记得吗？很多亲友都来捧场，都来给她祝寿，当时远亲也来了，一个是贾瑞，他的母亲就带了女儿喜鸾，来给贾母祝寿；还有一位是贾琼，这个贾琼的母亲，也带了一个女儿叫四姐的，到贾府来给贾母祝寿。贾母这个人有一个特点，她喜欢女孩子，你看她自己住在荣国府里，但她把宁国府里的惜春，贾赦的女儿，按说应该和贾赦邢夫人同住在黑油门大宅院的人，迎春，都收到自己身边一块儿养起来。她喜欢女孩子，特别她觉得喜鸾和四姐长得模样又标致，又会说话，她很喜欢，于是贾母就把两对母女留下来了，说吃完寿筵别走，玩几天。然后曹雪芹就特别写到贾母嘱咐所有的仆人，包括管家，她说到园子里各处女人跟前嘱咐嘱咐，说留下的喜鸾四姐虽然穷，也要和家里的姑娘们是一样，大家照看精心些。她说，我知道咱们家里男男女女都是一个富贵心，两只体面眼，未必把她们放在眼里，有人小看了她们，我听了可不依。如果说在第八回末尾，说贾府的人都是一双富贵眼睛的话，还只是通过曹雪芹的叙述语言来说，那么到了第七十一回，就通过其中一个重要人物贾母，通过荣国府加上宁国府贾氏宗族辈分最高的人物，让她自己来说，说我们家的情况我了解，是一个富贵心两只体面眼，连家里这些仆人都是这个样子，那么贾家的那些主子们能例外吗？贾母看来有点例外，但是她也不过是把她们留下来，玩儿几天罢了，而且毕竟从血缘上说又全是亲戚。

有红迷朋友注意到，书中第二十九回，贾母率全府女眷，包括几乎所有的大丫头和众多仆人，到清虚观去打醮祈福。清虚观的张道士，跟贾母很熟，忽然给宝玉提亲，贾母没接他的茬儿，推说宝玉年纪还小，命里不该早娶，而且还说如果要娶的话，"不管他根基富贵"，只要模样配得上，性格儿好就行。这是否意味着，贾母为儿孙娶媳妇，真的不讲究根基富贵呢？我们先退一万步，假定贾母确实不讲究那媳妇家的社会地位经济状况，但贾母也并没有表示，她对那媳妇可以容忍到连血缘也弄不清的地步，就连长大后的养生堂弃婴，也很乐于接受，贾母绝对不是那样的意思。实际上贾母对宝玉的婚事，一直悬挂在心，第五十回她因为觉得薛宝琴实在太可爱了，比画上的美人还要出色，就动了念，她就跟薛姨妈细问薛宝琴"年庚八字并家内景况"。宝琴是金陵四大家族的成员，血统不消说与宝玉是般配的，贾母真动了念，尚且还要细问宝琴"家内景况"，当然首先是经济状况，哪里会真的让宝玉娶个破落家庭的女子呢？薛姨妈告诉贾母，宝琴已经许配给梅翰林家的儿子了，只是因为梅家有些特殊情况，因此一时还没有完婚，贾母听后，只好作罢。我将在以后的讲座里，告诉大家我的分析，就是贾母为什么用那样的话拒绝张道士的提亲，那并不是贾母的真心话，那是一些托词。贾母虽然常常说点批评别人有富贵心体面眼的话，其实在本质上，她的心是最具富贵气，眼是最讲体面的，第五十七回她对那个给宝玉看病的王太医怎么说话的？"既如此，请到外面坐，开药方，若吃好了，我另外预备好谢礼……若耽误了，打发人去拆了太医院大堂！"这才是贾母最真实的思想感情。

好了，现在我们来说贾宝玉。贾宝玉在曹雪芹笔下是一个很有超越性的形象，他在那个社会里面，和主流是不相融的。那么我现在要讲他什么呢？就是说贾宝玉也有比较恶劣的一面。他虽然对周围的人很平等，特别是对丫头们，他喜欢丫头们，不光是平等对待，他把她们当做花朵一样对待。他是一个绛洞花王，是一个红颜色的洞窟里面护花的王子，他爱花，爱青春花朵，爱姑娘，不但爱主子姑娘，仆人、丫头……凡年轻的女性他都喜欢。但是他毕竟是一个贵族公子，他有时候也使性子，有一次下雨淋点雨，回去敲打怡红院的门，开门晚了一点，他一脚踹过去，没想到踹的是袭人，那晚上袭人就吐血了，这个情节大家还记得吧。他使性子，他毕竟是主子，是贵族公子，有时难免也要显露出纨袴子弟的任性。其实呢，在《红楼梦》一开始的时候，就写了他使性子，而且构成很大的事件，比踢得人吐血的后果更严重，这个是我今天特别要跟大家讲的，这事件无妨就叫做枫露茶事件。

这个情节就在第八回。第八回太好看了，在梨香院，贾宝玉和薛宝钗互看对方的佩戴物，林黛玉来了，书中第一次展开三角关系，生动地刻画出他们的不同性格，真是花团锦簇、玲珑剔透的文字。因为这些主要的情节太精彩了，以至于有的人对第八回刚才我说的那段文字，关于秦可卿出身的交代，都忽视了，枫露茶的事情，就更是那么一带而过地翻过去了。

曹雪芹写贾宝玉在薛姨妈那儿喝酒喝醉了，期间还穿插着他的奶妈李嬷嬷拦他喝酒，他不乐意，他讨厌他的奶妈，两个人发生冲突。但是李嬷嬷，也就是嘴头管一管，自己后来得便歇着去了，贾宝玉醉醺醺回到绛云轩——那时候还没有大观园，没有怡红院，他回到的地方应该是跟贾母住的房间连在一起的，那个他住的房间，这个时候就出现一个事情，就是枫露茶事件。

本来我读《红楼梦》的时候，读到这，我很轻视，我觉得这有什么啊，这写什么呢？就写贾宝玉回去了以后他要喝茶，有一个丫头叫茜雪，就端了一杯茶给他，他一喝不对头，说怎么给我这个茶，早上我不是沏了一杯枫露茶吗？这个枫露茶是很怪的一种茶，在有关的茶经上可以查到它的资料。大体而言是用枫叶的嫩芽制作的一种茶，这种茶沏一道的时候它不出色儿，而应该沏了一道把水滗了，再沏一道再滗了，三四道出色儿，那时候喝最好。所以贾宝玉认为他走的时候沏的，回来以后应该正好是三道，喝着最好的时候，你应该把这样的茶端给我。这个时候茜雪跟他说，这个茶是给你留着的，但是李奶奶来了，就是他的奶妈，李嬷嬷来了，让她给喝了。李嬷嬷到贾宝玉住的地方专门是喝东西吃东西，这个枫露茶，她说留着给宝玉干什么，我喝了吧，她就把它给喝了。贾宝玉听了就大怒。这时候曹雪芹就写了贵族公子可以随意发怒的特权，宝玉跳起来，大怒。他就把那个茶杯哐啷就扔出去了，茶杯就碎了，溅了茜雪一裙子的茶水，他跳着脚地骂，说，谁是奶奶，不过就是奶过我，我喝过她几口奶吗？有什么了不起，撵出去撵出去——他要撵这个李奶奶。当时因为不是住在怡红院，是跟贾母住在一起，你想一个茶杯哐啷打碎了，而且地面肯定是很高级的，当时可能是水磨砖甚至是另外当时有的高级材料的地面，茶杯碎的声音是很大的，贾母就问什么声音？袭人还代为掩饰。这时候写袭人的性格，她在一般情况下总是息事宁人，袭人就跟那边说下雪了，我摔了一跤，把一个茶杯打碎了，没什么事，把这个事掩盖过去了。贾宝玉开始不过微醺，酒劲上来以后就大醉，大醉以后就大怒，枫露茶的谐音可能是逢怒茶。就是正好逢到我们绛洞花王大发雷霆，居然不爱花了，摧花到这个地步，对着茜雪大叫大嚷。当时李嬷嬷已经回家了，根本不在场。这是第八回里的事儿。

在这儿我就有一个疑问了，本来我读不懂，我觉得第八回写这个干吗呢？后来我读了古本《红楼梦》，我就发现，脂砚斋有评语，说茜雪这个人物很重要。原来我以为茜雪就是给了一杯茶，触了一个霉头，然后就消失了，根据后来的交代是被撵走了，然后你读到八十回末尾，这个人再也没有了。高鹗续后四十回，更没有茜雪的踪影。所以我曾经怀疑过，曹雪芹写书怎么能这么写，写小说，特别是长篇小说，应该是设置一个人物，就应该有他的作用，对不

秦可卿

情天情海幻情身，
情既相逢必主淫。
漫言不肖皆荣出，
造衅开端实在宁。

对？一些重要人物，应该是有贯穿性的，这甚至是中外古今长篇小说的一个常规。怎么写茜雪写到这儿，后面就没有了呢？而且更古怪的是，宝玉虽然发怒，他口口声声要撵的是李奶奶，即李嬷嬷，往后看，怎么会被撵的是茜雪呢？在第十九回，这个讨厌的李嬷嬷又出现了，若无其事，还对宝玉房里的丫头们说，"打量上次为茶撵茜雪的事我不知道呢"；到第二十回，又提到"当日吃茶茜雪出去"；甚至到了第四十六回，写鸳鸯抗婚，她跟平儿、袭人说知心话，话里提到"死了的可人和金钏，去了的茜雪"，这都分明传达出同一个不会有误的信息，那就是因为枫露茶的事情，宝玉酒后大怒，竟导致了茜雪被撵。我们读过《红楼梦》全书就都懂得，府里的丫头，尤其是大丫头，被撵出去就意味着颜面扫地，甚至就断绝了生路。例如金钏被撵后羞愧难当，投井身亡；晴雯被撵后，仿佛一盆才抽出嫩箭的兰花被搬到猪圈里一般，很快就被摧残死了。因此，茜雪的被撵，是一桩大事，而且她几乎可以说是书中头一个遭撵的丫头，撵她的起因还并不是王夫人认为她是狐媚子，她其实一点过错也没有，她是完完全全地被冤枉，但是，贾宝玉酒后大怒撵茶，她就是被撵了！

贾宝玉酒后高喊撵出去撵出去，他要撵的是李嬷嬷，但这位李嬷嬷始终存在，贾府盖好大观园以后，她还到大观园里去活动。大家记得后来写的"蜂腰桥设言传心事"，那已经是第二十六回，讲的是小红跟贾芸谈恋爱的故事。小红在大观园里面碰见谁了？碰见李嬷嬷了，说明她没出事，没被撵，而且贾宝玉还让她给贾芸传话去。这个李嬷嬷是那回枫露茶事件的罪魁祸首，但她事后毫发无损，可是茜雪呢，还没等荣国府里建成大观园，就被撵出去，消失了。

我读第八回，开头读得不细，我以为撵出去的是李嬷嬷。这老太婆着实招人厌烦，在喝枫露茶之前，她已经把宝玉特意留给晴雯

55

的一碟豆腐皮包子，私自端回她家去给她孙子吃了；后来又写到她把宝玉留给袭人的酥酪，一边唠叨着一边吃尽了。她倚老卖老，没有给宝玉和宝玉身边的人带来半点快乐，只是不断地在那里扫人兴致，所以囫囵吞枣地读《红楼梦》，往往就会觉得，是李嬷嬷被撵出去了。但一细读，就发现，呀，因为一杯枫露茶，被撵出去的竟是茜雪，这个后面多次点出来了嘛。

那么，问题就来了，茜雪被撵，她是怎么被撵的？为什么她本无辜，却被撵了出去，而枫露茶事件的责任者李嬷嬷，反倒被轻轻放过？这么一推敲，就觉得第八回好像缺一段文字，缺一段交代茜雪是怎么被撵出去的文字，现在各个古本的文字，在这个地方都接不上。你想想，写到这儿以后，忽然就不说了，就写宝玉醒了酒，第二天秦钟来了，他们就约了一起去家塾上学了。然后就交代秦钟家里怎么回事，附带就把他姐姐的出身交代了一下。这样的文本面貌很奇怪。所以第八回是一个很值得推敲，很怪的一回文字。

那么，你也许会这么想，曹雪芹写枫露茶事件，他就是那么随便地写一笔，茜雪这个角色，就仿佛一次性手套，用完就扔一边了。如果真是这样，倒也罢了，但是我后来看了古本《红楼梦》之后，就知道茜雪不简单。脂砚斋说曹雪芹写作《红楼梦》，有一个基本的写作技巧，叫什么呢？叫一树千枝，一源万派，无意随手，伏脉千里。就是你别看他写一件事，他这个事件是有放射性作用的，一树千枝，不是单写一个树干，他写很茂密的一棵大树；一源万派，虽然发源是一个小的源泉，但是最后流成了许多许多河流，一派就是一条支流，一源万派；而且有时候你觉得他好像是无心，无意随手，实际上他是伏脉千里。曹雪芹是很有苦心的，他写茜雪，是打着埋伏呢，别看第八回以后突然就不见了。后来在第二十回的时候，当里面人物提到茜雪的时候，脂砚斋在她的批语里面就有这样的说法，说"茜雪狱神庙方成正文"，意思是说，前面这点茜雪是捎带脚写到，正经给茜雪立传，是在八十回以后的狱神庙那一回。《红楼梦》是一个群像小说，你可以说贾宝玉、林黛玉是主角，但绝不是只写他们的故事，它里面有许许多多的角色，这些角色在有的回里面，可能是一个很次要的人物，但到了另外一回，可能一下子上升为那一回的主角。比如说迎春，"懦小姐不问累金凤"，那一回就是迎春正传，就是迎春的正文，作者把那部分文字整个儿献给迎春，塑造她的形象，表现她的懦弱，烂好人，好心眼到了不堪的地步，是任人欺负的那么一个人；"矢孤介杜绝宁国府"则是惜春的正文。那么茜雪的正文在哪一回呢？脂砚斋就告诉我们，在狱神庙那一回，起码有至少半回文字是专门要来写茜雪的。脂砚斋告诉我们，"余只见有一次誊清时，与狱神庙慰宝玉等五六稿，被借阅者迷失，叹叹。"她明明看见了，有一次誊清时她看见了"狱神庙慰宝玉"这样的文字，当然是写茜雪到狱神庙安慰宝玉去了。宝玉为了一杯茶，大发雷霆，造成她被撵出去的后果，但是她不念旧恶，也就是说她能全面看人，她觉得那是贾宝玉缺点的一次暴露，而贾宝玉还有很多优点，贾宝玉落难以后值得去帮助。这个还不是一次粗略的构思，曹雪芹他在八十回后某一回已经写出来了，稿子都有了，誊清了好几次，可惜丢失了。由此可见，第八回写枫露茶事件绝非偶然。

　　我讲秦可卿又讲到枫露茶事件，是为什么呢？我是怎么一个思路呢？就是说我觉得关于秦可卿来历的这段文字，有后补的迹象，就是说第八回不完整，他去掉了一段文字，他去掉的应该是写茜雪被撵出去的一段文字，这没有什么不可写的，对不对？怎么因为撵了一杯枫露茶，贾宝玉口口声声要撵李嬷嬷，最后撵的不是李嬷嬷，而是茜雪呢？这一回本来应该对此有所交代的，应该有这样的文字，从文气上看应该有的，但是现在我们看，各种古本一直到通行本都没有这段文字了。此外《红楼梦》每一回的字数大体上是均衡的，他有一个基本的控制，可能有点出入，但是出入不是很大。第八回传下来的文字，它的规模跟其他回差不多，虽然少了一段茜雪被撵出去的文字。因此现在所看到的有关秦可卿出身的这段文字，我就猜测他是后补进去的。因为他要保持每一回的均匀程度，又由于我们现在无法探知的原因，他去掉了那一段，补上了这一段。为什么那一段文字很古怪？跟它是后补上的有关系，而且曹雪芹好像深怕咱们看不懂这段文字的古怪，深怕咱们不能理解他的苦心，不明白他是不得已补这一段的，所以他每一句话都是更向荒唐演大荒，每一句话都古怪到底。

刚才我已经捋了一遍，是不是每句话，我们都会有疑问？他在写其他人的时候，不会引起我们这么多的疑问，再联系到第十三回秦可卿之死那一回——原来回目叫做"秦可卿淫丧天香楼"，据说有人看到的一种古本里面，"丧"还写成了"上下"的"上"——在第十三回的脂砚斋批语里面说得更清楚，是她劝曹雪芹删去了关于秦可卿之死的大段文字。实际上，这也就是掩饰了、隐去了秦可卿真实的出身和真实的死因，这又是一种非艺术性的考虑，而不是艺术性的考虑，因为删去了第十三回关于秦可卿的真实身份和真实死因，就必须找一个地方打一个补丁，有一个交代。所以曹雪芹就很痛苦地找到了第八回末尾，在枫露茶事件之后，他就可能是删去了关于枫露茶事件当中，茜雪被撵的一些具体的文字，而接上这个补丁，来一段有关秦可卿秦钟出身的文字。我这个猜测也可能还缺乏很坚实的论证的逻辑，但是我提供出来供大家参考，希望红迷朋友们跟我一起探讨。

反正我有两个前提，我觉得你应该基本能够接受：一个前提就是说秦可卿的出身根据《红楼梦》整体对贾府的描写，不可能寒微到那种地步，是一个养生堂抱来的弃婴，是被一个宦囊羞涩的小官吏抱养大的；第二，就是曹雪芹在处理秦可卿的形象上，他很痛苦，非常痛苦，他除了艺术性的考虑以外，还有很多非艺术性的考虑，所以他在文字上删删加加，补补贴贴，因此也就形成了我们现在可以从秦可卿入手，去解读《红楼梦》的一个契机。那么我们还要继续往下讨论，继续讨论什么呢？就是我们换一个思路换一个角度看，如果秦可卿真像曹雪芹交代的，是养生堂抱来的一个弃婴，是被一个宦囊羞涩的小官吏养大的，仅仅因为和贾家有一点瓜葛，就嫁到贾家来，而且是嫁给了三世单传的贾蓉为妻，还是正妻，那么根据艺术创作的基本规律，他描写的这个人物在各个方面，应该与他设置的出身是相匹配的，相协调的。换句话说，我们下一讲所要探讨的问题就是，如果秦可卿真的是这样很寒微的出身，她在书中应该是有怎样的表现呢？我们下一讲再来一起讨论。

秦可卿生存之谜

在上一讲结尾之前我做出了一个判断，然后我又提出一个问题。我的判断是什么呢？我指出，《红楼梦》第八回末尾关于秦可卿身世的那段交代，那段古怪的文字，本来是没有的，是出于非艺术性的考虑，曹雪芹最后才贴上去的一个补丁。我提出的问题是什么呢？就是秦可卿究竟在贾府，是怎么样一个生存状态呢？这一讲我就从这儿开始，继续来探索秦可卿这个人物的生活原型。

我们知道，《红楼梦》的作者曹雪芹，他写人物很厉害，他不但通过这个人物本身的行为、语言、情感、心理来塑造人物，他往往还通过别人看他，通过别人的眼光，别人对他的评价、想法来塑造这个人物，这种例子比比皆是。写秦可卿他也不例外。所以我们首先来看一看，贾府里面这些人怎么看待秦可卿。

我们首先选出贾母，贾母是怎么看待秦可卿的？通过贾母给她定位，可以知道秦可卿在贾府当中的实际生存状态。贾母是个什么人呢？过去有一种贴标签的、简单化的分析办法，说，既然贾家是一个贵族家庭，是一个腐朽、没落的剥削阶级的家庭，贾母又是这个家庭宝塔尖上的一个人物，所以不用动脑筋了，这就是一个最糟糕的人，是封建统治阶级当中的一个腐朽、没落的人物，一个老顽固、老封建。这种简单化的分析不适合于《红楼梦》。曹雪芹他写人物是从生活原型出发，他写出了活生生的生命，他使你相信，这种生命在历史的某一个时空里面实际存在过，他写出了人的复杂性。贾母当然是一个封建贵族家庭的宝塔尖上的人物，这个家庭的一些罪恶、阴暗面，她身上也有，她本人也要对这个家族的这些方面负责任。但是这只是她的一个方面而已，贾母实际上是一个很复杂的人物。

贾母有很慈爱的一面，她对家境贫寒的人、地位低下的人，有时候能够表达出一种真诚的关怀，一种怜恤，而且这不是装出来的。你比如说，《红楼梦》里写了这样一个场面，大家一定记得，就是贾母带着荣国府的女眷到清虚观去打醮。打醮是一种宗教仪式，目的是祈求幸福。贾母当然是一个很享福的人了，所以这一回的回目就叫做"享福人福深还祷福"，她觉得幸福还不够，她还要去祈祷神、佛，给她更多的幸福。那天她兴致很高，她说天气很好，在打醮活动结束以后，还可以在那里让戏班子演戏，大家看戏。她说，咱们所有的太太、小姐们全去。贾母兴致一高，底下人当然就呼应，所以荣国府的女眷几乎是倾巢而出，王夫人去了，王熙凤去了，小姐们也都去了，小姐们身边的大丫头也去了，一些管事的妇人也去

61

了，一些嬷嬷、老婆子，服侍她们的，也去了。所以书里面描写的那个场面，是书中的几次大场面之一。贾府的车轿人马前头都快接近清虚观了，后头在荣国府门口还没动窝呢。你想，是多浩荡的一个队伍啊！

因为是一大群女眷去打醮，所以清虚观的道士们就需要先行回避。别的道士都很聪明，一听说贾府女眷快到了，一个个赶快都回避了。有一个小道士，动作比较迟慢，他回避晚了，人家贾府的女眷都进门了，他才往外跑，就一头撞在王熙凤的怀里。王熙凤受一个大刺激，很生气，伸手就给他一耳刮子，把这个小道士打得翻滚在地，而且王熙凤脱口而出就骂了一句极难听的粗话——实在太难听，都不便在这里引出，你如果忘了，可以翻到那段情节，自己去看。这个小道士本是负责剪蜡烛花的，那时候照明多半用蜡烛，蜡烛燃烧久了，蜡心会积存燃过的焦头，需要用一种剪子修剪，把剪下的焦头收集到剪筒里去，剪过的蜡烛火苗就恢复旺盛了。那小道士慌忙躲避的时候，手里还拿着剪筒。他躲晚了，一看全是妇女，不知道往哪儿逃，慌得不得了。所有那些贾府管事的，那些仆人，都要表示维护主人的尊严，一迭声地叫："拿，拿，拿！打，打，打！"这个小道士被吓得魂不守舍，哆哆唆唆往外逃。这阵混乱，惊动了贾母，她听见了，底下就有一段描写，贾母就问，怎么回事啊？贾珍就赶忙过去处理这个突发事件。

贾珍为什么要出现呢？贾珍是贾氏宗族的族长，当宗族的老祖宗打醮的时候，他要组织子侄们到那儿做后勤保障工作，他是这次打醮活动的总指挥。书里还描写到，作为族长，贾珍是很有威严的，贾蓉怕热躲到阴凉里偷懒，被他狠狠教训了一顿，其他子侄一个个也就服服帖帖，不敢怠慢。这样的场合，贾珍当然在场，他赶紧到贾母跟前，贾母就说，快把那个小道士给带过来，贾珍就把小道士带过去。小道士浑身乱颤，站都站不住了，贾母就慈爱地问他，多大了？几岁了？你叫什么呀？小道士哪回答得出来啊？贾母就嘱咐贾珍了：珍哥儿，你好好对待他，你把他带出去，哄着他，给他一些钱买果子吃，别叫人难为了他。贾母连说，可怜见的，小家小户的孩子哪见过咱们这种阵仗啊！你把他吓坏了，他老子娘该多心疼呀！贾母这样说这样做绝非虚伪，是很真诚的，她确实有怜贫惜老的一面。书里写贾母的这种表现不止这一次，我就不多举例了。

为什么要把贾母对待小道士的事情说得这么细啊，是为了顺这么一个逻辑往下去推演：如果说秦可卿是养生堂抱来的弃婴，她的养父是一个宦囊羞涩的小官吏，她居然只因为她的养父跟贾家有一点瓜葛，就嫁到了贾家，嫁到了宁国府，而且嫁到了三世单传的宁国府的贾蓉的身边，成为了从贾母往下算，第一个重孙媳妇。如果真是这么回事，我们可以推测，贾母第一，很可能反对这门亲事，说，怎么可以这么娶媳妇呢？你宁国府本身跟荣国府还不一样，我们前几讲已经点明了，你都三世单传了，你贾蓉娶媳妇非常要紧，不仅是贾蓉个人的事，是宁国府的事，也是宁、荣两府共同的事，怎么能这么娶媳妇呢？当然也可能，由于贾母一想，毕竟宁国府跟荣国府还是有点区别，宁国府人家偏要娶这么个媳妇，我也不好深管，我就忍了吧。如果说贾母她持这样一个态度，对秦可卿，她应该怎么想呢？她可能就会像对待后来见到的那个小道士一样，可怜见的，你看，父母是谁她都不知道，娘家又那么样地贫寒，嫁过来了以后，一看表现也还不错，于是她就可能嘱咐上下人等，说你们要好好对待她，别委屈了她，类似于对待小道士那种态度，应该会出现在我们眼前。可是我们一看《红楼梦》的描写呢，不对了，不是这么写的。

秦可卿是第五回正式出场的，她一出场就气象万千。第五回写一个什么故事呢？宁国府梅花盛开，所以尤氏兴致就很高，觉得是一个向亲戚，特别是向老祖宗献媚取宠的好机会，就邀请贾母，邀请王夫人、王熙凤她们到宁国府来赏梅花，于是她们就都来了。贾宝玉照例要凑热闹，也跟着来了。贾宝玉虽然一方面确实是反对仕途经济，具有某种叛逆性，比如他说，那些个读书、参加科举、谋求官职的人是国贼禄蠹，但是另一方面，他又是一个地地道道的贵族公子。他很慵懒，赏完梅花，吃完午饭，他要睡午觉，而且不是一般地瞎凑合睡，他要好好地睡一觉。这个时候，书里就有一个很惊人的描写，就是秦可卿去安排他的午睡。

大家静下心来想一想，在那样一个封建社会里面，一个封建大家庭里面，贾宝玉这样一个身份的人要午睡，应该谁来安排呢？最妥当应该是贾珍来安排，他堂兄来安排，他们同辈，又都是男性。那么贾珍不在，谁出面安排？应该嫂子来安排，尤氏来安排，对不对？尤氏也没来安排。谁来安排呢？秦可卿来安排！你搞清辈分没有啊？贾宝玉辈分比秦可卿高，他是秦可卿的叔叔，秦可卿是贾宝玉的侄儿媳妇，她辈分低。但是根据书里描写，秦可卿年龄已经很大了，估计有二十岁上下，比宝玉大很多。那么一个年龄很大的侄儿媳妇去安排一个年龄小的叔叔午睡，你动点脑筋就觉得不合理，不妥当，这样的话别人眼里会怎么看她呢？别人怎么看，咱们不管，咱们先看看书里怎么写贾母的眼光。书里怎么写的呢？我们把书先拿手摁上。我们设想一下，我读过好几遍《红楼梦》了，现在从头来重新读第五回，贾母大概会想，可怜见的，家里没人，难为她了……不是的！——"贾母素知秦氏是个极妥当的人"，她不是一次妥当，两次妥当，素来就妥当！她忽然走出来带宝玉去午睡，极妥当。这是贾母的眼光。贾母她认为，秦可卿"生得袅娜纤巧，行事又温柔和平"——一个是形容她的相貌、身段，一个是形容性格、气质都很不错。这倒也罢了。然后曹雪芹通过叙述性语言，就替贾母做出了一个不可争议的判断。这个判断是这样的，说秦可卿"乃重孙媳中第一个得意之人"！第二都不是，并列都没有，稳占第一份。你不觉得奇怪吗？如果第八回那段文字不是我说的打的补丁，而真是那么回事的话，她怎么会是得意的一个对象呢？让老祖宗觉得很得意，而且"第一得意"。

我看到有听众在下面微笑，说，哎呀，《红楼梦》古本很多，文字有区别，有的这么写，有的那么写，是不是你选择的这一本这一句写错了呀？怪了！现在我们所能看到的《红楼梦》的古本有很多种，这些古本当中的很多文句都不一样，但是偏偏这一句，全都一样！可见是曹雪芹的原笔原意。贾母就是认为秦可卿"乃重孙媳中第一个得意之人"。在一个封建大家庭，以贾母这样的身份，来对她的儿媳妇、孙媳妇、重孙媳妇做出判断，她认为妥当，她认为得意的第一要素应该是什么，就是血统，就是门当户对，就是家庭背景好。你看，这不是和第八回末尾打的那个补丁，满拧了吗？而且再仔细推敲，这话就太怪了，在故事开始到这个阶段的时候，整个宁、荣两府只有一个重孙娶了媳妇，就是贾蓉娶了个秦可卿，本来是没有可对比的，是不是？可是贾母就等于有一个预言，就是以后贾琏你也生了一个儿子，也娶了一个媳妇，我现在都不用动脑筋，肯定比不了秦可卿；或者你贾宝玉今后也有一个儿子，也娶媳妇，或者贾环也有儿子，也娶媳妇，但都比不了秦可卿。当然，这些人都还没有生儿子。但是，贾母眼前她也有了一个重孙子就是贾兰，"草"字头，跟贾蓉是一辈的嘛。贾兰当时比较小，但也不是很小，贾母只要身体健康，她老去祈福，她有福气长寿的话，她是能眼看着贾兰娶媳妇的，那么，怎么能够事先就断定，贾兰不管娶什么媳妇，秦可卿都永远是第一得意之人呢？怎么秦可卿就那么不可超越呢？这值不值得我们思索呢？我觉得，很值得我们思索。

下面我们再分析一下，秦可卿的公婆怎么看待秦可卿。下面马上有人嘴角在弯，我就知道你是在嘲笑我，我知道你心里想什么，你说，哎呀，别提她的公公了，是不是？她公公对她好，还用您说

65

吗？是不是？她公公对她好，还非得她出身背景好吗？人家那是另外一回事！你说得也很对，贾珍和秦可卿的暧昧关系，不是什么极端的家族隐秘，在第七回的末尾，我们就可以看到。当时是王熙凤和贾宝玉到宁国府去玩儿，而且在那一次就见到了秦钟，最后秦钟要回家。秦钟跟秦可卿什么关系呢？名分上的姐弟，既不同父，也不同母，面子上的事，所以并不让他留宿在宁国府，晚上就要送回去。管家派的谁送秦钟呢？一个老仆人叫焦大。焦大喝醉了酒，一听说派这个活，火冒三丈，而且仗着他原来在上几辈主子面前有脸面，破口大骂。骂的话很多，我现在就只拎出一句，他有一句话，惊心动魄，叫做"爬灰的爬灰"！

"爬灰的爬灰"，这是什么意思呢？是指公公与儿媳妇私通。据说过去庙里的香炉里，总有人烧锡纸叠的银锭，也许是表示向神佛献礼，也许是为亲人的亡灵提供在阴间使用的银子。有时候，因为香炉里塞进去的锡纸叠的银锭太多了，外面一层烧成灰了，里面却还剩下许多锡纸并没有烧透，甚至还颇完好。于是，就有人去扒灰，把灰烬扒开，去偷那里头的锡纸，偷出来可以再利用，再变成大小不一的银锭，卖给人拿去烧。所以，"扒灰"就是"偷锡"，转化为谐音，就是"爬灰"，就意味着"偷媳"，也就是公公偷媳妇，跟媳妇乱来，发生不正当关系。

那么焦大骂的什么意思，就很清楚了，他这个矛头直指贾珍，他这个骂的矛头还不是直接指向秦可卿，他的矛头是直指贾珍。他骂的声音很高，不但已经坐上车的凤姐和贾宝玉听得清清楚楚，贾蓉也听见了，尤氏当然听见了，周围的仆妇们也都听见了。

所以贾珍的这个问题，在宁国府不是什么秘密，就算尤氏是一个，比如说，性格比较懦弱的人，或者是这个人没有什么决断，她不能够最后断定，她的儿媳是不是和她的丈夫有通奸的关系，那么至少她应该不愉快，至少她应该觉得很恶心，很堵心。所以到第十回，写到秦可卿生病的时候，尤氏对秦可卿的反应，按我们这样的思维逻辑，应该是这样一种反应：你本来就不知道你的父母是谁，是一个野种，你又是从一个小官僚家里面，勉勉强强嫁到我们家来的，你居然跟你公公不干不净的，你得病了，得病活该，你死了才好呢！而且秦可卿的病，大家知道，书里面隐隐约约也写到，她是月经不调，几个月没有经期，或者经期特别长。这很可能是怀孕了，邢夫人就以为她是怀了孕。如果怀孕的话，尤氏转怒为喜，还是有可能的，因为毕竟娶这个媳妇，目的就是要让贾蓉把宁国府的三世单传传到第四世。但是大夫说得很肯定，不是喜，尤氏好像也认可大夫的判断，不是怀孕，就是病了。那么，《红楼梦》就有大段文字写尤氏对待秦可卿生病的态度和反应，应该细读。

针对秦可卿的病，尤氏说了些什么话呢？她嘱咐秦可卿："你且不必拘礼，你早晚不必照例上来。"什么叫"早晚照例上来"？懂不懂啊？《红楼梦》来来回回写，贾宝玉、林黛玉他们早晨要到长辈面前去晨省，晚上要去晚省，就是晚辈每天一早一晚都要去给长辈请安的，每天要坚持的，除非你病了以后长辈原谅你，允许你不去，否则都得去，例行功课，不得有误。但是尤氏对秦可卿如此宽容，她说，你病了，你就早晚不必照例上来了，你就好生养养吧，就是亲戚一家子来，有我呢；就有长辈们怪你，等我替你告诉。而且尤氏还有的话更古怪，她对她的儿子贾蓉说："你不许累掯她。"累掯又是一句北方的语言，这句话就是说，不许你难为她，"不许招她生气"。底下的话越说越奇怪，说："倘若她有个好歹，你再要娶这么一个媳妇，这么个模样，这么个性情的人，打着灯笼也没地方找去。"这事太奇怪了！她听见焦大骂"爬灰的爬灰"，在说这些话之前，她应该对她儿媳妇非常地反感，她犯不上这么看重她，又不是怀孕，得了这种怪病，居然就关怀备至到如此程度。而且，怎么就会打着灯笼，也找不到比养生堂抱来的野种还好的女子呢？这不成逻辑啊，在当今社会这也不成逻辑啊，不用打灯笼，打火把，摸黑摸了一个女子，可能就是能查清父母的。是不是？而尤氏竟然这么说话！

你说，秦可卿在贾府里面是一个什么样的生存状态呢？透过别人的眼光就能看得很清楚了，在那儿从贾母开始，上上下下都尊重她，喜欢她，她没有任何不适应的地方，她好比鱼游春水，非常自如，她是这么一种生存状态。尤氏跟人还说了这样的话，说，哪个亲戚，哪家的长辈不喜欢她呀！这就奇怪了，就算你宁国府容了她，贾母容了她，三亲四戚的不许人说闲话呀，你们家娶媳妇就娶一个养生堂抱来的野种？她娘家就是一个宦囊羞涩的小官僚，不许有人不喜欢她呀？哎呀，怪了！没有一家长辈不喜欢她，所以尤氏就说了啊，这两日好不烦心，焦得我了不得，我想到她这病上，我心里倒像针扎似的。这么一个媳妇得点病，她心就像针扎似的！你说说，这多心疼啊！

我们再看看，贾府里面一个非常重要的、拿事的人物，王熙凤，她怎么对待秦可卿。王熙凤，说老实话，就像贾母点出来的："一个富贵心，两只体面眼。"那可是好厉害的一个人！你看，远房的亲戚贾芸到她那儿求个事，她都不拿正眼瞅贾芸，直到贾芸给她行贿，送给她一些冰片、麝香，那是很值钱的东西，她才收了。因为宗族的子弟一旦被派了个事以后，就可以到总账房去关银子，关了银子以后，一部分办事，一部分，说老实话，就归自个儿了，所以贾氏的旁支，远亲的这些子侄们，都愿意到贾府里面揽一个事。在贾芸之前，贾芹就揽了个管家庙的肥差，好不神气！贾芸看着眼馋，当然也就更努力地去谋求。贾芸他费了老大劲，其间还遭到亲舅舅的白眼，偶然遇上了醉金刚倪二，才得到资助，弄了些冰片、麝香来向王熙凤行贿。可是王熙凤呢，东西是收了，却脚步都不停，连正眼都不看他，并不马上派他的活儿，到后来才假惺惺地说，你怎么不早说啊？最后才派他一个在大观园里面，补种树木花草的这么一个活儿。这就是王熙凤！她对自己知根知底的亲友尚且如此，因为贾芸虽然家境贫寒，但他是贾氏宗族的正式成员，父母是谁，再往上是谁，查家谱清清楚楚，她对他尚且如此，那么对秦可卿，按道理她应该是一万个看不上，是不是？你们宁国府瞎了眼了，娶媳妇娶来一个养生堂里抱来的弃婴，什么家庭背景啊？秦业，小官僚，好寒酸！按说，她对秦可卿最好的态度也不过是敷衍，可是，不是！她跟秦可卿形成一种密友关系，虽然她辈分高，她是婶子，秦可卿是侄媳妇，两个人却好得不得了，书里面是明明确确地这么写。像第十一回写到，王熙凤到了宁国府去看望生病的秦可卿，说了那么多的贴心话。举一例，王熙凤说了："你公公婆婆听见治得你好，别说一日二钱人参，就是二斤也能够吃得起。"她安慰秦可卿，说整个贾府会竭尽全力来保住秦可卿的性命，一天吃二斤人参都吃得起的，如果宁国府没有了，荣国府要去。她去看望秦可卿的时候，贾宝玉他老跟着，"跟屁虫"，王熙凤嫌他有点多余，就把贾宝玉给支走了。支走了以后有很重要的一笔，就是写王熙凤又和秦氏两个人压低声音，说了许多的衷肠话，你看，她们两个人感情多好？这是对一个从养生堂抱来的弃婴的态度吗？绝对不是。

秦可卿死了以后，书里写道，"彼时合家皆知，无不纳罕，都有些疑心"，有的古本"无不纳罕"又写成"无不赞叹"，怎么她死了会让人"纳罕"，或者引出"赞叹"？"都有些疑心"，疑心什么？这些以后我会再加分析。接着这两句话写的是什么呢？说是，那长一辈的想她素日的孝顺，平一辈的想她平日和睦亲密，下一辈的想她素日慈爱，以及家中仆从老小想她素日怜贫惜贱、慈老爱幼之恩，无不悲号痛哭。就算她人缘好，她毕竟是养生堂里来的，血缘不清，抱养她的秦业又只是个穷窘的小官，按说，无论是府里老的小的，主子奴才，总会有人这么样想啊：她虽然死了，运气还是很

69

不错啊，那么个出身，享了一阵大福，也够本啦……但曹雪芹用客观叙述的语气来写，竟没有举出这种反应来，竟都一致地只是感念她的好处。最奇怪的是还特别说她素日怜贫惜贱，其实就出身而言，她自己才是既贫又贱，她是需要人家来怜惜她的呀，但是，书里的种种描写，只让我们感觉到她非常高贵，上上下下的人们，对她似乎始终都是在仰视，她死了，竟然是无不悲号痛哭。这样的总括性描写，似乎是在进一步地透露，这个人的真实出身，绝非寒微。

除了从他人怎么看待秦可卿的角度，来分析秦可卿在贾府的生存状态，还可以从她本人的心态，来做进一步的考察。

那么我们现在看一看，秦可卿自己是怎么想的。写一个人物，一个是写外面的人，周围的人怎么看待她，一个是写她自己，往她内心写，她自己怎么想。秦可卿如果真是养生堂抱来的弃婴，如果她的养父真的是一个宦囊羞涩的小官僚，她就必然会有自卑心理，她会觉得很难为情。她表面上可以强撑着，但是一到夜深人静，清夜扪心，她就会感到她处在一种凶险的环境当中，人家这么富贵，自己的背景如此不堪，她会自卑的，会痛苦。可是，书里面一笔这样的描写也没有，从她第五回出场到第十三回死去，完全没有这样的内容。就是凤姐去探望她的病情，她跟凤姐说的一番话里面，有愧疚，但也不是自卑感，不是因为自己的血统和家庭的原因而产生出来的自卑感。她是这么跟凤姐说的，她说："这都是我没福，这样人家，公公婆婆当自己的女孩似的待。婶娘的侄儿虽说年轻，却也是他敬我，我敬他，从来没有红过脸儿。就是一家子的长辈、同辈之中，除了婶子倒不用说了，别人也无不疼我的，也无不和我好的。"她之所以觉得有些愧疚，不是因为她觉得自己的出身寒微、自卑，而是觉得别人对她这么好，可是她却不争气，病得就要死了。而且她还说了一句惊心动魄的话，叫做"任凭神仙也罢，治得病治不得命"。她这是什么话呀？什么意思啊？所以秦可卿在心理上她有一个阴影，这阴影是一种死亡的阴影，而不是因为出身、血统和家庭财富不够而产生的一种痛苦，一种阴影。

下面又有听众在微笑，因为你又要跟我讨论了，我知道你想要跟我讨论什么，你会说，哎呀，就不许人家曹雪芹偏这么写吗？人家是小说，说他就要这么写，这个人物她的家庭背景比较差，她就不自卑。那么，是不是他每个人物都这么写的呢？我们可以考察一下《红楼梦》的文本，曹雪芹这个书他写作遵守一个原则，就是他写一个人的气质、身份，以及他内心的情感、心理活动，都是紧扣着这个人的血统，这个人的政治、经济地位来写的，毫不例外的。

你比如说，最简单的例子，就是探春和贾环。探春，她是贾政的女儿，她父亲的血统不要讨论了，非常尊贵，她仅仅是因为母亲的血统比较卑微，你看她的存在状态里面就有多么浓重的阴影啊！书里面有很大篇幅来写她内心的痛苦，仅仅是因为她母亲本来是贾府里面的一个奴才，不知道怎么有一天被贾政睡过了，生出了她，又生出了一个弟弟，所以，贾政就把这个人纳为了小老婆，就是赵姨娘。就是因为这么一个原因，她就痛苦得不得了。而且她和她的生母发生了剧烈冲突，她不承认赵姨娘是她的母亲。她说，我只认老爷、太太，谁是我父亲啊？贾政。谁是我妈呀？王夫人。你是什么啊？你是奴才。当赵姨娘的兄弟赵国基死了以后，在赏赐多少两银子给死人家里的这个问题上，她和她的生母就发生了剧烈冲突，她只给了二十两。因为根据贾府的老规矩，家生家养的奴才死了，抚恤金就是二十两。如果是外面进来的奴才死了，可能抚恤金要高一些，她严格地遵照当时的游戏规则来做这件事。赵姨娘就不干了，她哭哭啼啼就跑去了。当时是王熙凤病了，探春、李纨和薛宝钗代理王熙凤来理家，来管事。赵姨娘就说，你是我肠子里爬出来的，别人不拉扯我便罢了，你怎么不拉扯我啊？探春气得不得了，说，一个人要是正常的话，需要人拉扯吗？她虽然去和赵姨娘抗争，但是内心非常痛苦，就因为她血脉里流的血一半是贾政的，另一半居然是赵姨娘的。她其实比那个养生堂抱来的弃婴强多了，但她仍然很痛苦，非常痛苦。

贾环也是一样，贾环跑到薛宝钗那儿去做游戏，和莺儿、香菱她们赶围棋、掷骰子，他要赖，莺儿就说了他几句，说，你个爷们，你就好像臭讹，贪我们点小钱财，他顿时就哭了。他哭的原因，就是他内心有一个阴影，有一个血统阴影。他说，你们都知道，我不是太太养的，你们就一味地欺负我。贾环的这种因庶出而自卑自贱的例子，书里还有许多。所以你看曹雪芹他笔下写人，是要从这个人物的血统上来写人物内心的呀，是不是？不可能他写探春写贾环，遵照这样一个写人物的原则，写秦可卿，他又是另外一个原则，不可能是这样的。

也有朋友要跟我讨论了，说，这只是一个血统问题，那么《红楼梦》有没有写某个人，因为她自己家境比较贫寒，而内心很痛苦的？有没有这种例子呢？有的。比如说邢岫烟，她是邢夫人兄弟的女儿，当时邢家家境已经走下坡路了，她的父母就带着她投奔了邢夫人，邢夫人就把她安排在大观园迎春的那个住处住下了。书里面写到，虽然她和薛宝琴，还有李纨寡婶带来的两个女儿李纹、李绮，住进贾府以后，王熙凤都按贾府里小姐们的标准，一个月给她们发放二两银子使用，但是邢夫人很克啬，她让邢岫烟只留一两银子，那一两银子让邢岫烟交给她的父母。这样邢岫烟借住在迎春那里，脂粉钱都不够，内心很痛苦，但为了笼络住迎春的那些丫头，有时候还得从本已不多的钱里，再额外拿出些来请那些丫头吃点心，她活得真够尴尬的。书里还有一段，雪后大观园的女儿们，加上贾宝玉聚会的情景，写得如诗如画。我们都应该记得，在这段描写里面，每一位小姐都穿着非常华贵的防雪的斗篷、大衣。贾宝玉不消说了，贾母给了他一袭雀金裘，用金线跟孔雀毛拈成线，用这种线织

成的一个大的披风，华贵不华贵啊？贾母很喜欢薛宝琴，给薛宝琴
一件披风更不得了，叫做凫靥裘，是用野鸭子头上那点毛，攒起来
织就的这样一个斗篷，这得多少野鸭子的头啊！其他人穿的，或者
是茄色哆罗呢对襟大长褂子，或者是所谓鹤氅，头上或者是昭君
套，或者是观音兜，争奇斗胜，就是大红猩猩毡的斗篷，都不稀奇
了。这时他就写到，邢岫烟她因为家境贫寒，她没有大斗篷，没有
大衣服，她的形象在其他的美女面前，就成了拱肩缩背，好不可怜
见的。她后来甚至还不得不偷偷把绵衣拿到当铺去换一点钱，而她
自己内心也很痛苦。所以你看，曹雪芹笔下，因为家境贫寒而痛苦
的例子是有的。可是他写到秦可卿，秦可卿的血统远比探春、贾环
糟糕，秦可卿的家庭背景远比邢岫烟糟糕，对不对？但是在关于秦
可卿的描写里面，何尝有一丝一毫的自卑心理呢？何尝有一丝一毫
因为自己的血统，因为自己的家庭背景，而形成的自卑与痛苦呢？
是没有的。这就是曹雪芹他给我们所描绘的，秦可卿在贾府的实际
生存状态。

所以，听了我以上的讲述以后，我们就应该提出一个更新的问
题，就是如果要是《红楼梦》第八回末尾，关于秦可卿的那个交代
是后来他为了掩饰什么，遮盖什么，不得已打的一个补丁的话，那
么秦可卿的真实出身究竟是什么呢？这个人物的原型是谁？曹雪芹
根据这个原型所描写的秦可卿，在他原来的构思和原来他所形成的
文本里面，是一个什么样的人呢？我们的问题就逼到了这一步。这
就是我们下一讲所要揭开的秘密，就是说，秦可卿的出身不但并不
寒微，而且还高于贾府。为什么？听我下一回讲。

秦可卿出身之谜

在上一讲最后，我已经跟大家宣布，秦可卿这个原型，她真实的出身不仅不寒微，而且还高于贾府。

我为什么这么说呢？我不是去胡乱地猜测，而是根据书里面的描写所下的结论。我们要看《红楼梦》的文本，第五回，秦可卿正式出场，带贾宝玉去午睡。她先带他到贾珍和尤氏的那个正房，这是正确的，因为贾宝玉是和贾珍、尤氏一辈的，所以要先到一个正房去。结果这个正房挂了一幅《燃藜图》，《燃藜图》是一幅劝人好好读书做学问的图画。贾宝玉一看就不喜欢，说不能在这儿，于是秦可卿就把贾宝玉带到她自己的卧室。这当然相当出格了，因为贾宝玉是她的叔叔，侄儿媳妇把叔叔带到自己的卧室去午睡，这实在是有点有悖封建礼教的规定。所以书里面写了，有一个嬷嬷说了，说怎么去这样安排啊？但是秦可卿气派很大，满不在乎，说，他能多大，就讲究这个了？就硬把贾宝玉带到她的卧室。

于是，在《红楼梦》文本里面就出现了一段非常奇特的文字，就是对秦可卿卧室的描写。这段文字大家还记得吗？说，秦可卿的卧室，首先它是挂有唐伯虎的《海棠春睡图》，《海棠春睡图》画的是杨贵妃喝醉酒以后，像海棠花一样美丽的情景，贾宝玉喜欢。唐伯虎是明代的著名画家，这段描写说明秦可卿她藏有唐伯虎的一幅大画，这倒也还算不了什么。然后在秦可卿的卧室里面，还有一副秦太虚的对联。秦太虚是宋朝人，对联很符合贾宝玉的审美趣味，写的是："嫩寒锁梦因春冷，芳气袭人是酒香。"贾宝玉说这里好，我就在这儿午睡。然后他环顾这个卧室，不得了！哪里是仅仅有唐伯虎的画和秦太虚的对联呢？是什么样的陈设呢？是这样的陈设："案上设着武则天当日镜室中设的宝镜"，好夸张啊！是不是？"一边还摆着飞燕立着舞过的金盘，盘内还盛着安禄山掷过伤了太真乳的木瓜。"这里说的木瓜应该不是真正植物的木瓜，而是一个用玉石仿制的木瓜，是很贵重的东西。"上面设着寿昌公主于含章殿下卧的榻，悬的是同昌公主制的联珠帐。"你想，这些是什么东西啊？以前的红学界对这一段描写的解释，基本都定这么一个调子，说，这是夸张的描写，这样描写主要是为了表现秦可卿的生活很奢靡，而且她本人很淫荡。这个解释也不能说完全没有道理，但是它不能够让我这样一个《红楼梦》爱好者完全信服。

你说，这些描写表现她生活奢靡，这当然说得通，但说它完全是为了暗示秦可卿生活很淫荡，不太说得通。武则天，或者是赵飞燕，或者是安禄山，或者是杨太真，你说，他们都带有某种淫荡性，

75

作为淫荡的符码出现，这个我认同，但是寿昌公主和同昌公主的故事里面没有什么淫荡的内容。这个寿昌公主应该是寿阳公主，历史上这个人，我不细说。其实关于她的故事很简单，就是一件事，有一天她在含章殿下的卧榻上休息，风吹落了一朵梅花，掉在她两眉之间稍上一点的额头这个地方，这个梅花就拂之不去，在她额头上定格了。她开头很烦恼，但别人一看以后，都赞叹道，怎么那么漂亮啊！于是宫里面就竞相模仿，纷纷用化妆品来画梅花，在当时就形成一种著名的梅花妆。这个故事一点不淫荡，是不是？还有同昌公主的故事也不复杂，其中最重要的一点就是她自己亲手用珍珠串了一个帐幔，就是一个联珠帐，当然很华贵，但是谈不到淫荡。而且请大家特别注意，武则天当过女皇帝，飞燕是一个爱妃，杨太真也是一个爱妃，安禄山是后来篡权，一度当过皇帝的人。但是作者他不仅写到了皇帝那样的人物，他也写到两个公主，那么这些夸张的暗示性的符码究竟在隐喻什么？我想，它绝不仅仅是隐喻秦可卿生活很奢靡，或者是说秦可卿很淫荡。它实际上应该是在影射，秦可卿的血统就高贵到是帝王家的公主的地步。你看，这些全是帝王家的符码，而且还两次出现了公主的符码，对不对？它用这样的手法暗示秦可卿真实的血统。

也可能有人又要跟我讨论了，说人家是小说，是艺术创作，使用一种夸张的方式，你有什么大惊小怪的呢？但是我们读《红楼梦》要通盘考虑，曹雪芹多次写到贾府里面的室内装饰，他都是非常写实的，虽稍有夸张，但是严格写实。比如，他写荣国府的正房，写到了皇帝赐的金匾，还写到了一副银子做的对联，很写实。他没有说把前代帝王的东西搬到那儿去摆着，他说是有大紫檀雕螭案上设着三尺来高青绿古铜鼎，悬着待漏随朝墨龙大画，一边摆的是金蜼彝，是一种很贵重的东西，应该是青铜制品；另一边是玻璃盒，在那个时代玻璃盒也是一种很贵重的东西，一个很大的玻璃缸；地

下是一溜十六张楠木椅。他写荣国府的正房，非常写实，他的确有一些夸张，但是适度。而且，请注意，他写林黛玉进了荣国府东廊三间小正房里，那是贾政和王夫人日常活动的空间，他就特别地写到，靠东壁设着半旧的青缎靠背引枕，西边呢，也是半旧的青缎靠背坐褥，挨炕呢，是一溜三张椅子，上头搭着半旧的弹墨椅袱。他不厌其烦地连用了三次"半旧"这个形容词，不但不去夸张，而且写实写到如此"忠诚老实"的地步。可见，写实是他对场景描绘的一个基本原则。

通读八十回，除了第五回那样写秦可卿卧室，他写其他室内场景，都是近乎白描的写实手法。比如，他写潇湘馆，贾母带着刘姥姥逛大观园，两宴大观园，到了潇湘馆，就看到潇湘馆林黛玉这个屋子，窗下案上设着笔砚，书架上放了满满的书，很写实。他不使用什么极度夸张的手法。又比如说到了探春住的秋爽斋——探春是小说里面一个才女，非常有才能。有的读者粗心，他就觉得探春写诗写不过林黛玉，写不过薛宝钗，写不过史湘云，就觉得她好像比较平庸。一般读者记得惜春会画画，现在你应该懂得，探春是一个书法家，她有特殊才能，她书法好。秋爽斋里面什么摆设呢？当地放着一张花梨大理石大案，这就是用来挥洒书法的；案上磊放着各种名人法帖，她揣摩各种前代名人的书法作品；而且桌上有数十方宝砚，而不是一两块砚台，这说明：一个是她收集砚台，一个是她书法的创作量非常之大；各色笔筒，笔海内插的笔如树林一般。这也使用了夸张的手法，但是绝不是极度夸张，是基本上都可以复原的一种景象。她真是一个书法家。如果你细心，你还会注意到，元春省亲之后，因为姊妹们根据她的命令都有所题咏，最后她觉得，为一时盛事，需要做一个总的记录，她便指定探春来誊抄这些诗歌。她为什么指定她？就是因为探春本身是个书法家。

我说这些，什么意思呢？就是说，《红楼梦》的整体风格从头

77

到尾，以写室内的陈设而言，一律采取写实的办法，几乎没有例外——惟——处例外，就是写秦可卿的卧室陈设，极度夸张，无法复原。怎么复原呢？哪儿找这些东西去啊？这就说明他有他的苦心，他写别的那些陈设也许无非是烘托气氛，展示一下人物的性格而已；他写秦可卿的卧房陈设，耸人听闻，就是故意要让读者大吃一惊。他的目的，就是暗示我们，秦可卿的血统实际上高于贾府，乃帝王家的血肉——是公主级的人物！

当然，曹雪芹的这番苦心，也不是一下子就能让人领悟出来的，脂砚斋早期批语说，这是"设譬调侃耳"，又说"一路设譬之文，迥非石头记大笔所屑，别有他属，余所不知"。脂砚斋刚开始有可能还不清楚曹雪芹的深意，早期她是边读边批，批前头的时候，还没看到后头，就凭直觉发议论，比如她曾认为小红是"奸邪婢"，读到后面的文字，才恍然大悟，知道自己错了，才明白原来曹雪芹是要写一个复杂的角色。小红前面的一些作为，似乎"奸邪"，但其实在曹雪芹总体构思里，她最后会与贾芸一起，冒险去救助落难的贾宝玉，是一个有见识，有胆略，敢作敢为的青年女性。脂砚斋弄明白后就对自己前面的批评做了纠正，那么对秦可卿也是一样，开头她可能确实不明白曹雪芹为什么那样描写她的卧室，后来，读到第十三回，她就不仅弄明白了，而且，出于对人物原型的同情宽赦，更为了避免掉进文字狱中，还建议曹雪芹删去了好几"叶"文字。

说到这儿，可能有人不服气，说你光是举卧室描写这一个证据，不足以说明秦可卿的真实出身高于贾府。好，那么我们就接着再往下看。第五回，贾宝玉在秦可卿卧室就入睡了，入睡以后就做梦了，梦中觉得秦可卿在前面，好像导游一样，领他去了一个地方。这个地方是什么地方呢？是"太虚幻境"，是一个仙境。不是别人，而是秦可卿把他引入仙境，这当然也还无所谓，因为是秦可卿安排他入睡的。然后在仙境里面，他认识了一个仙姑，就是警幻仙姑。

有关警幻仙姑的文字我在这儿不细重复，你自己可以回去翻来看，这不但是一个仙界的人物，而且警幻仙姑和宁国府、荣国府还有很深的关系，不是和现在活着的这些人有关系，人家是和两府的老祖宗有关系。警幻仙姑后来就说了一段话，说"今日原欲往荣府去接绛珠"——"绛珠"就是绛珠仙子，就是林黛玉——曹雪芹写这个书，一方面他写实，一方面他确实又非常地艺术，他有一个艺术想像。关于这一点在这儿不细展开，他大意是说，林黛玉是天界的一株仙草，是"绛珠仙子"，警幻本来是要去荣国府接"绛珠仙子"，"适从宁府所过，偶遇宁荣二公之灵"，宁国公、荣国公就遇见她了，当然是阴灵。两人就跟她说："吾家自国朝定鼎以来，功名奕世，富贵传流，虽历百年，奈运终数散，不可挽回者。故遗之子孙虽多，竟无可以继业。其中惟嫡孙宝玉一人，禀性乖张，生情怪谲，虽聪明灵慧，略可望成，无奈吾家运数合终，恐无人规引入正。"因此就苦苦哀求警幻仙子，求她起到一个引领贾宝玉走上正途的作用，希望警幻仙姑能够帮他们做这件事。

所以你看，这个警幻仙姑身份很高，她高于宁、荣二公，宁、荣二公见了她，是要苦苦地请求她做好事的。这本来倒也无所谓，但是这个梦境写来写去写到最后，我们就发现，闹半天，秦可卿是警幻仙姑的妹妹。警幻仙姑她怎么引领贾宝玉走正路呢？她就是说，我先把声色之娱让你享受够了，让你懂得这些也无非如此而已，希望你享受够了以后就能够幡然悔悟，觉得我还是去谋取仕途经济罢了，企图让贾宝玉形成这么一个思维逻辑。在这个过程当中，为了让贾宝玉享受性爱，就把自己的妹妹可卿介绍给贾宝玉。所以秦可卿既是警幻仙姑的妹妹，又是贾宝玉的性启蒙者。你说，秦可卿她的这种身份，难道不是高于贾府吗？对不对？如果是一个养生堂抱来的弃婴，是一个宦囊羞涩的小官僚养大的女子，她怎么

79

能够出任这种角色呢？不可能的。但是《红楼梦》文本就是这么来写的。这又是一个证据，证明秦可卿身份非同小可。

现在要探讨的是，她的出身是不是高于贾府？那么来看一看有关她的判词，以及唱到她的曲子是怎么样来写的。大家可以回忆一下，在贾宝玉他翻看册页的时候，他就看到，在金陵十二钗正册的最后一页上，画着高楼大厦，大厦里面有一个美人悬梁自尽，然后就有四句判词，这么说的："情天情海幻情身，情既相逢必主淫。漫言不肖皆荣出，造衅开端实在宁。"这四句在今后我的讲座中会多次谈到。现在我们只说第一句，就是"情天情海幻情身"。秦可卿的背景是天和海，曹雪芹在为交代她的出身打补丁的时候，为她的养父取了一个名字，叫秦业，那么她是情天、情海幻化出来的一个身子，她的来历非同小可。画一个美人悬梁自尽，是在一个高楼上。这个楼叫什么名字啊？记不记得啊？秦可卿死了以后，贾珍给她大办丧事，除了在府里大厅上安排一百单八个和尚给她念经，还另设一坛于天香楼上，让九十九个道士给她打醮。这个醮的名字是什么呢？是"解冤洗业醮"，要连续搞七七四十九天。这都不能说是暗示了，这是明点。秦可卿上吊的那座高楼，就是天香楼。古本《红楼梦》第十三回的回目原本就叫"秦可卿淫丧天香楼"，现在我们看到的却是"秦可卿死封龙禁尉"，这根本不通嘛。龙禁尉是皇帝的卫兵，女的根本不能有那么个封号，何况书里写得很清楚，是贾蓉花钱买了个龙禁尉的封号，怎么能说"秦可卿死封龙禁尉"呢？

那么，天香楼这个楼名，有怎样的含义？有两句诗："桂子月中落，天香云外飘。"这是唐朝诗人宋之问的句子。你想想，那是非常尊贵的，如果说太阳可以比喻为皇帝的话，月亮就可以比喻为东宫，比喻为太子。月亮里面，中国人的想像，认为有嫦娥，有一棵桂花树，有吴刚，还有一只兔子在那儿捣灵药。总而言之，月亮里面是有桂花树的，"桂子月中落，天香云外飘"。桂子，就是桂花

结成了米粒状的东西，"桂子月中落"，这个东西非同寻常，属于国色天香，它带来一种芬芳的气息。"桂子月中落，天香云外飘"，你想想，"情天情海幻情深"，这是一种什么出身？天香楼是一个什么象征？就是来自月亮里面，芬芳从云层飘向人间，可见秦可卿出身非同小可，是高于贾府的。

这些证据如果还不足以说服你的话，那我们就一起再来重新读第七回，第七回常被很多读者所忽略。这一回前面写的是送宫花。怎么回事呢？就是薛姨妈和王夫人在一起聊天，周瑞家的去了。周瑞家的是王夫人的一个陪房。陪房，就是随女主人出嫁，作为一种活的嫁妆，跟随女主人来到婚后的府第里的仆人。这仆人已经是一家子人了，男仆如果叫周瑞，他媳妇就叫周瑞家的。《红楼梦》里有不少这样的角色，如林之孝家的，王善保家的，等等。这个周瑞家的，是王夫人很得用的一个管事的女仆。周瑞家的到了薛姨妈面前，薛姨妈就忽然想起一个事。薛姨妈她们家是干吗的呢？是给宫廷当采买的，当采办的。所以宫里面用什么东西，会先过他们家的手，皇帝或者那些妃嫔用的东西，第一道，可能就是先从她们家过；她在往宫里送的同时，会自己留下一部分，自己享用或者转赠他人。薛姨妈就让丫头香菱取出了一匣子十二支宫制的纱堆的插花。然后薛姨妈就交代了，说这十二支花，周姐姐你给我送一下。她说，这十二支宫花你给每位小姐两支，给林黛玉两支，这就八支了，剩下四支，你就给凤丫头吧。

在送宫花这一回，有一种古本里面有回前诗，这回前诗一共四句，非常有意思，是这么说的，"十二花容色最新，不知谁是惜花人？相逢若问名何氏，家住江南姓本秦！"你琢磨琢磨，这不是脂砚斋批语，这是回前诗，是正文的一部分。由于《红楼梦》是一部没有能够最后定稿的小说，所以它的回前诗是不完全的，有的回已经写好了，有的回还缺。但是这一回有这个回前诗，它的大意是说，这十二支宫花是宫里面的最新式样,不知道谁是真正爱惜这个宫花的人。最后会有一个人和这宫花形成一种相逢的关系,邂逅的关系,这个人姓氏名谁呢?这个人是家住江南本姓秦。说得非常清楚。关于"家住江南",以后有机会我们再讨论,下面我们重点分析一下,姓秦的如何跟宫花喜相逢。

那我们就还来看第七回的有关描写:送宫花。当时还没有大观园,贾母把姑娘们,包括李纨都集中在她大院子后头的房子里面住;周瑞家的就拿着宫花去了,先见到了迎春和探春,姐俩儿正在下棋,见到宫花以后很客气,接收了,道谢,道完谢以后就继续下棋。你说,她们算是惜花人吗?也有的读者在底下跟我争论过,她们也算惜花人,她们没拒绝接受这个花啊,她们怎么不惜花啊?那么好,就算她们也是惜花人,那她们和这个宫花是相逢的关系吗?不是相逢的关系,这是很明显的。

然后周瑞家的拿着剩下的花,又见到了惜春。惜春在干什么呢?惜春正和到府里面来的尼姑智能在那儿玩儿呢。智能的师傅其实是为了到贾府来支领月银,贾府按月给她们尼姑庵月例银子。师傅去办事,她没事,她跟惜春特别合得来,两人一块儿玩儿。惜春见了这花儿,惜春是个什么态度呢?应该说是一个很不严肃的态度。这是你长辈送给你的花,而且这本来是往宫里面送的花,来送给你了,是不是?但是惜春很不严肃。惜春说,哎呀,我将来要跟智能一样,也剃了头当尼姑,我还怎么戴这个花啊?她是这么一个表现。所以惜春,应该说她是不爱惜这个花,她比迎春和探春表现得,应该说要恶劣一点,她很不严肃。

然后周瑞家的就去找林黛玉,要送花给林黛玉。但是在这之前,她先去了王熙凤那儿,是不是啊?这一回的回目,我记得叫做"送宫花贾琏戏熙凤"。贾琏跟王熙凤的夫妻生活写得很有趣,当然它写得很含蓄,脂砚斋说那写法是"柳藏鹦鹉语知",他们白昼宣淫，大白天地行房事。所以周瑞家的去了以后，发现院子里鸦雀无声，她蹑手蹑脚走到旁边房子里，看见大姐儿在睡午觉，周瑞家的就说先等一等，接着她听见了贾琏的笑声，然后就看到平儿出来，让丰儿舀大盆的水进去，这是为行房事服务的一些项目。那么就在这个情况下，她趁便就把宫花送给了王熙凤。王熙凤对宫花，你要说完全不爱惜，好像也确实过分，但是她也不是非常稀罕。本来薛姨妈是让她留下四支，她只留下两支，她让平儿对周瑞家的说，把这两支给东府的蓉大奶奶送去。她是这样一个态度。后来周瑞家的就拿着剩下的两支花去了林黛玉那儿。林黛玉小性子，就问，这个花是单给我的，还是别人也有啊？周瑞家的说，都有。林黛玉一看就剩两支了，说："敢情别人不挑剩下，也不给我啊！"周瑞家的一听就不敢做声了，因为林黛玉身份不得了，她是贾母最钟爱的外孙女儿，贾母把她留在身边居住；她跟那几个小姐不住在一块儿，她和贾宝玉跟贾母共同住在贾母院落里一个大的空间里面。这样算来算去的话，这个宫花谁是惜花人？显然前面讲到的这些女性即使勉强算惜花的话，也都不是非常爱惜，而且特别是"相逢若问名何氏"，这有姓林的，有姓贾的，有姓王的，但作者在回前诗里面交代得很明白，惜花的人不是别的姓，是姓秦的。姓秦的是谁？这两支宫花最后是送到了秦可卿手里，就是秦可卿。她和宫花是一种什么关系呢？是一种相逢的关系，说明这个人原来她的家族经常使用这种东西，现在她和宫中的这宫花喜相逢了，是这么一种关系。所以这样的情节也是在暗示，秦可卿她的真实出身高于贾府，她的血缘是来自宫中，她和宫花形成了一种相逢的关系。我想，回前诗的最后一句，应该是我们没有办法去做别的解释的。

但是秦可卿她自己忽然得了病，而且她自己说了，"任凭神仙也罢，治得病治不得命"，到了第十三回，她就一命呜呼了，就死掉了。那么在临死以前，秦可卿有一个大的行为，就是她死前去给王熙凤托梦，这是小说里面一个极重要的情节，也是引起脂砚斋高度重视，导致脂砚斋建议曹雪芹删去已经写好的第十三回当中的"四、五叶"文字的关键。

而且我认为，这也是导致曹雪芹在删去了第十三回的"四、五叶"文字以后，又到第八回末尾打了一个补丁的起因。那么秦可卿向王熙凤托梦这段情节，值得我们仔细研究。她这个托梦也是非同小可，托梦的内容很丰富。首先是理论指导，完全是居高临下，她哪里是什么养生堂抱来的弃婴？哪是宦囊羞涩，没见过大世面的小官吏家里养大的一个女儿啊？她说了："常言：'月满则亏，水满则溢'；有道是'登高必跌重'。如今我们家赫赫扬扬，已将百载，一日倘或乐极悲生，若应了那句'树倒猢狲散'的俗语，岂不虚称了一世的诗书旧族！"她就这样进行理论指导，她告诉王熙凤，我死了以后，你们贾府应该怎么办。你说，她多厉害！

然后她就提供具体的实践方案。她都给你想好了，她托付给王熙凤，她辈分比王熙凤低，但是口气极大。她提供的方案的大意就是说，你们现在还没有垮掉，赶紧在祖坟旁边多置一些地亩，族中人轮流来管理地租。地租用来干吗呢？一是把宗族的祠堂设在那儿，这样就可以世代香火不绝。另外，可以把家塾设在那儿，这样以后不管怎么样，家里的这些子弟还可以通过读书、科举去谋求一个发展。她提出了这样一个具体的实践方案。这如果不是一个有着丰富的政治经验，出身于一个非常高贵的家族的女性，她是不可能想到这些的。她如果是一个养生堂抱来的弃婴，她如果只是从小在秦业家里面长大，她哪儿来的社会政治经验？她不可能有。这就说明秦可卿她的出身是高于贾府的。

她不但提供理论，提供实践方案，而且，她还能够预言祸福哩！你说，她厉害不厉害？这真是很符合警幻仙姑的妹妹这个身份。她知道贾家在她死以后，会发生什么样的事情。首先她预言一件好事，她说："眼见不日又有一件非常喜事，真是烈火烹油，鲜花着锦之盛。"指的是什么呀？在第十六回，我们就知道了，就是贾元春晋封为皇妃。后来就有了"皇妃省亲"的故事。她预言，贾元春的地位会有所提升。

但是她也很坦率地向王熙凤预言了贾家的祸。她最后念了两句话，她说，你要记清楚。这两句话惊心动魄！哪两句话呢？叫做"三春去后诸芳尽，各自须寻各自门"。它大意就是说，在三个春天过去之后，所有的府里面的这些美好的事物，特别是这些女性就都会悲惨地陨落，贾府的人们就会"家亡人散各奔腾"，各人自己找出路去。这是一个惊心动魄的预言。如果秦可卿的出身非常地寒微，她不可能说出这些话来，所以只能解释为，她是一个出身高于贾府的人，只能做这样的解释。

在秦可卿死后的丧事里面，有一些细节更能够印证我这样的一个判断。比如说，她所用的棺木，用的什么棺木呢？用的是薛蟠家里面存下来的木料，这个木料当时还没有做成棺木，乃是潢海铁网山上出产的一种樯木。这个木料原来是谁订的货呀？是义忠亲王老千岁订的货。义忠亲王这个符码倒还罢了，当然级别很高。但是他又是老千岁，什么叫做千岁？我认为，千岁在这里就是指太子，就是指在皇帝薨逝以后，登基当新皇帝的那个人。

有人跟我争论，说千岁是一个很宽泛的称谓，在戏曲舞台上，比如梅兰芳演的《贵妃醉酒》，戏里面的高力士、裴力士就称杨贵妃千岁；在明朝，皇帝把每一个儿子都封为王，让他们到各自属地上去享福，他们都可以被称为千岁；后来擅权的大太监魏忠贤，更让人称他为九千岁，因此，千岁并不一定意味着是当今皇帝没了以后，那个继承他皇位的人。但是我们现在讨论的是《红楼梦》，我的立论前提是，《红楼梦》实际上写的是清代康、雍、乾三朝背景下发生的事情。清朝跟明朝很不一样，清朝皇帝对其儿子的分封，从来都不是均等的。比如康熙分封诸皇子,那时候叫他们阿哥,他就不是一律都封王,就是有的只封为贝子,有的只封为贝勒,有的,像十三阿哥胤祥,都成年了,比他岁数小的十四阿哥都封爵位了,他还没被册封,他是直到康熙死了雍正当了皇帝,才被封为亲王的。明朝皇帝的儿子受封后,去封地居住为王,清朝皇子分封后,都留在京城里,极个别的让其住在城外,但也不是封到外省为王。在清朝的政治生活里,本来并没有千岁这样一种称呼;但是清朝在康熙那一朝,康熙曾经册立过太子,而且明确地告示天下,在他众多的儿子里,太子就是惟一被指定的皇位继承人,因此,曹雪芹笔下的"义忠亲王老千岁",就是暗喻康熙立的太子胤礽。这个太子很不幸的是,被两立两废,也就是最终坏了事,没能当成皇帝。康熙死了以后,继承他皇位的是他的第四个儿子,就是雍正皇帝。正是在这样的历史背景下,在这样的语境里,我认为,《红楼梦》第十三回提到的这个"义忠亲王老千岁",就是指在万岁没有了以后,将升格为万岁的那个人。

对这个人物,曹雪芹使用的语言非常地精到,他叫做"坏了事"。为什么这个人后来没把这个棺木拿去做棺材呢?这个人后来"坏了事"。"坏了事"这个含义既含混又清晰。含混在哪里呢?就是如果你不懂清朝政治的话,你就会觉得糊里糊涂,是不是死掉了呀?不是。为什么说它很准确呢?如果他死了,就说他死了,不就结了吗?但是它又很准确地传递出一个信息,他没说这个人死。这个人跟棺木的关系,并不是他死了没有用,按说他死了,不更该用吗?是不是?那个时代,人还在,也是可以先拿木材制成棺材,存放着备用的,但这位义忠亲王死活都不能拿它制作棺材了,为什么呀?因为他"坏了事",因此他就没有用。他没用,别的人也都不大敢轻易地取用。总而言之,这个樯木是这样的人物才能使用的,所以当时薛蟠一说,家里还存有这样一个东西,贾珍立刻就要用。

史湘云

富贵又何为？

襁褓之间父母违。

展眼吊斜晖，

湘江水逝楚云飞。

贾政还劝了一句，贾政他在政治上比较清醒，觉得这不好乱用，说恐非常人可享。但是贾珍一意孤行，很快就把樯木拿来了，就开始把它锯开了，涂漆，就做棺材了。这样秦可卿死了以后，就理直气壮地，甚至可以说是名正言顺地睡进了本来是给义忠亲王老千岁所留的珍贵木料——樯木制成的棺材里面。你说，秦可卿她应该是什么样的出身？

到这儿我已举了那么多的例子，如果还是不能说服你的话，那我觉得我也不灰心，我们还可以往下讨论，咱们再讨论。比如说，她的丧事当中还有一些细节。她是宁国府的一个重孙媳妇，贾蓉连爵位都没有，只是一个黉门生，临时捐了一个头衔，这个头衔也很低，叫"龙禁尉"，就是皇宫里面的卫兵——当然这对平民来说，也是一个很不错的头衔了。但是它和真正的贵族府第里面的那些头衔相比的话，微不足道。这么一个人死了，何至于惊动皇帝，惊动皇宫呢？书里面写得很怪，忽然就有大明宫掌宫内相戴权亲来上祭——大家知道，曹雪芹给一个人物取名字，往往都是随手谐音，有所寓意。很多红学家指出，"戴权"，它的谐音就是大权，就是宫里面太监的总管，大太监，权力最大的一个太监。大明宫的掌权的太监，他原来就已经履行过对秦可卿死去的礼仪了。但这一天，他还要乘了大轿，打伞鸣锣，亲来上祭，他都不派小太监来。如果没有皇帝的批准，他能来吗？就算是说大太监他胆大妄为，皇帝不批准，他也来，但他也不能够乘了大轿打伞鸣锣呀？打伞倒也罢了，你可能比较娇气，遮太阳；你鸣锣干什么呀？不是生怕人不知道吗？一路鸣锣而来，什么气派啊？如果要是贾敬死了他来，好像还不太稀奇；贾珍死了，他来也不算太稀奇，贾珍他毕竟有爵位，他是三品威烈将军，是不是啊？可是不是贾珍死了，甚至也不是贾蓉死了，是贾蓉的媳妇死了。在贾府而言，不过是一个重孙媳妇。可是大明宫的掌宫的大太监戴权要亲来上祭，这怎么回事？这如果不是因为秦可卿的出身特别高贵，是不可能出现这种怪现象的。

　　说到这儿，秦可卿的真实出身，也就是说，这个人物的生活原型已经呼之欲出了，是不是啊？眼看就要水落石出了，但是请你保留一点耐心，事情也不是那么简单，我将在下一讲里面，进一步地去探究，秦可卿的真实出身是什么，她的生活原型究竟是谁。这一讲就到这里，我们下一讲再见。

帐殿夜警之谜

在上一讲的末尾，我得出这样一个结论，就是秦可卿的出身不但未必寒微，甚至还高于贾府。高于贾府，你想一想，贾府已经是国公级的贵族了，高于贾府，也就意味着她可能是皇族的成员，因此我们就应该到康熙、雍正、乾隆三朝的皇族里面去寻觅一下她的踪影，看有没有秦可卿这个角色的生活原型。

这三朝经历的时间很久，皇族的成员也很多，特别是康熙一朝。康熙生殖力特别强，他一生生了三十五个皇子、二十个公主，光是他的子女就这么多；雍正的生殖能力也比较强；乾隆只比康熙生的子女稍微少一点而已，也挺多。所以我们要寻觅的话，说老实话，如果一个一个来说，那就太费时间，而且办法也很笨，那我们怎么办呢？这时我忽然想到，我们也许可以从康熙四十七年的一个著名的历史事件，从那儿说起，顺着那个往下摸一摸，看能不能有什么线索。

清朝，他们是马上得天下，就是八旗兵他们骑着马，拿着兵器，这样打进山海关，入主中原，统一中国的。所以说，清朝的头几个皇帝都特别重视保持这样一个传统，既然马上得了天下，那就应该马上治天下。当然，统一中国以后，基本平定以后，要重点地实行文治，但是武治、武备也不能松懈。尤其是在康熙朝，康熙皇帝非常重视保持满洲八旗的军事实力，他觉得满族的骑射传统不能丢，他亲自带头，每年都要率领王子、王公大臣以及浩荡的队伍去打猎，通过打猎来进行军事训练。因为一场围猎也等于是一次军事行动，在这个过程当中，是特别能够锻炼每个人的骑射能力的。

那个时候，每年打猎的重点季节是秋天，所以有一个说法叫做"木兰秋狝"。木兰是一个地名，是一个围场，叫木兰围场，那个地方人们让它的植被自然生长，里面有很多的野兽自由活动。每年秋天的时候，皇帝就会率领浩荡的队伍到那儿围猎。我们都很熟悉的承德避暑山庄，既是当年皇帝度夏避暑的地方，也是秋狝前后作为进退驻跸的一个场所。现在河北省北部还有个县就叫围场县，这个名称就是历史留下的痕迹。当然那时的行政区划跟现在不同，如果按现在的行政区划来说，那么当年康熙秋狝所到的地方，不仅包括现在河北承德以北的围场县一带，还会更远一些，到达现在内蒙古一带，也会到达现在属于辽宁的地域。据有的研究者考证，《红楼梦》书里面提到的潢海铁网山，潢海其实就是辽海，位于今天辽宁铁岭地区，铁网山就是由铁岭演化出的一个符码。总之，康熙非常重视围猎活动，年年秋天要到那一带地方去打猎。后来，由于愈加

重视打猎，康熙就提出来一年还要两次去围猎，有时候春天也去。远处一时去不了，就在京城附近打猎，比如在南海子，就是南苑的一些有水洼的湿地那里，甚至有时候就在紫禁城背后的景山里面进行一些小型的打猎活动。康熙晚年，六十六岁的时候，他自己统计了一下，说用鸟枪弓矢，获虎一百三十五只，熊三十五只，豹二十五只，猞猁狲十只，麋鹿十四只，狼九十六只，野猪一百三十二只，一般鹿上百只，野兔之类那就不计其数了，可见他的武功非同小可。他也希望自己的皇子皇孙能继承这个本事，他带他们去围猎，就是有意对他们进行这方面的培养。

在木兰秋狝的过程当中，由于有时候会跑到比较远的地方，在过去那个时代，不可能一天到达，当然途中就要不断地宿营。宿营就要住帐篷，到了木兰围场更要住帐篷，皇上住的帐篷呢，就叫做帐殿，那是很尊贵的。据史料记载，当时去打猎的时候，最多达到一万五六千人，非常浩荡的队伍。驻扎的时候也是很大的一个营盘，当中皇帝以及他最亲近的随从所住的营区就叫做皇城，皇帝住的那个帐篷在最当中，应该是黄颜色的，用皇帝特许的一种颜色制作的布匹做的一个大帐篷，在最当中；外面就是保卫他的一些帐篷，从四面八方包围他，包围他的目的不是去对他不利，而是为了保卫他，从形式上来说是形成一个圆圈，这个叫网城，它们构成一个内营盘，叫内城；内营盘之外还有外城，外城营帐就更多了，整个营盘是内圆外方的形制，非常壮观。一路上，他们可能会宿营几次，到达以后就进一步安营扎寨，那个营盘一定就更加地宏伟，设施也更加周备。

在这种情况下，康熙不断去打猎。到了康熙四十七年，你想，康熙四十七年意味着康熙登基已经四十七年了，康熙是一个七八岁登基的少年天子，康熙四十七年的时候他已经五十多岁了。但是，康熙这个人身体很好，上面说了，他打猎的能力也特别强，他的武

91

功非常好。那一年，他又带着太子、皇子，以及其他随行人员去进行木兰秋狝。到达后，他当然住在最当中的帐篷里面，就是帐殿，但是没想到，接着就发生了夜警事件。夜就是夜晚、午夜、深夜，警就是一种危机的情况，一种险情就出现了。怎么回事呢？就是康熙他发现晚上的时候，有人在帐篷外面偷偷地窥视他的行动。你想这还得了？是不是啊？

发生在康熙四十七年的帐殿夜警事件，令康熙大为恼火，也直接引发了康熙朝的时局动荡。那么，究竟是谁，竟然如此大胆，去偷窥康熙皇帝的行动？他究竟是出于什么目的，胆敢这么去做？

要把这件事弄清楚，就还要再折回来，从头说起。

康熙登基的时候，只是一个少年天子，他当时主要靠他的祖母孝庄太皇太后进行政治方面的指导，指点他怎么来执政。在这个过程当中，在康熙十四年的时候——那个时候他已经早就完成了大婚，生了孩子，而且也取得了一定的做统治者、做皇帝的经验——他就在孝庄太皇太后的指导下，做出了一个非常重大的决策，就是要从儿子当中选一个来立为太子，公开向朝野宣布，清朝的皇位有了正式的接班人，这个接班人就是太子。

清朝在康熙以前的几个皇帝的情况是这样的：努尔哈赤和皇太极虽然已经称帝了，但是他们当时还没有完全打进关内，还没有成为一个统一的中国的皇帝；真正成为统一的中国的皇帝的是打进关内的那个皇帝，就是大家很熟悉的顺治皇帝。在当时的情况下，孝庄太皇太后她有一个考虑，这是一个很睿智的妇女，是一个大政治家，她考虑到从清朝皇帝的前几代情况来看，皇太极他的皇后没有生下一个儿子，就是说没有嫡子；到了顺治这一朝，皇后也没有生儿子，康熙本身也不是皇后生的，他也是庶出的，不是嫡出的。当时满族入关以后，已更深地接受了汉族宗法思想的影响，就是认为嫡出和庶出区别是很大的，这个在《红楼梦》里面是有反映的。大家记得吧？像探春和贾环就因为不是王夫人生的，不是嫡出而是庶出，就有无数的烦恼。特别是探春，那么一个"才自精明志自高"的女性，那么美丽的一个女性，那么有能力的一个女性，但是她就为自己不是嫡出的而深感痛苦。

在康熙朝的时候，就出现了一个情况，就是康熙的皇后开始生儿子了，康熙的正宫皇后赫舍里氏，她第一胎生了一个男孩，虽然出生不久就夭折了，但是她又怀了第二胎，第二胎又是男孩，而且就生下来了，生下来以后还养大了，这就成为清朝统治阶层的一件大事。因为刚才我已经给你捋了一遍，皇太极，他的皇后没有生儿子，没有嫡出的儿子；顺治，他的皇后也没有生儿子，康熙也不是皇后生的，康熙也是庶出的，当然后来康熙和他的嫡母，和这个皇后的关系非常好，那是另外一回事；到了康熙朝，清朝就终于有了自己皇帝的嫡子了。满族入主中原，要征服所有的中国人，中国人里面汉族占绝大部分，汉族的文化传统是最重视分清嫡庶的，所以，为了笼络、震慑全部的中国人，特别是整个汉族，这个时候来宣布，我们满族也很尊重分清嫡庶的排序，现在我们的皇帝有了嫡子，我们就要把他宣布为太子，这样就使清朝皇权的合法性，在人们的心灵深处进一步得到巩固。它有这个意义，所以不是简单地立一个太子，它有非常重大的政治意义在里面。

在孝庄太皇太后的指导下，康熙就决定立他的皇后生的孩子为太子。这个太子虽然是老二，但是因为老大夭折了，也等于是老大，他给他取名就叫做胤礽。皇太子立为太子的时候才多大年纪呢？还不到两岁，一岁半。但是当时康熙皇帝告示天下，举行了隆重的仪式来宣布这件事情。在这个仪式上，一个一岁多、不到两岁的孩子，他根本就没有办法完成各种仪式当中的项目，于是就由他的奶母抱着，来完成各个大礼当中的环节。这是清朝的一件大事。

这个太子立了以后，康熙就对他重视得不得了。康熙这个人爱孩子，是一个慈爱的父亲，简单来说，他的所有的皇子，他全爱；所有的女儿，他也全爱，是这么一个父爱无边的人，而且有许多例子可以证明这一点。对太子他当然就更爱了，爱到什么地步呢？爱到太子的待遇不但跟他一样，比如说皇帝应该用黄颜色，用一种特殊的黄颜色，他就让太子穿的服装、用的轿子这些东西，都是跟他用完全一样的颜色；后来他还给太子盖了一个很漂亮的宫殿，就是毓庆宫。据清朝史料记载，太子的毓庆宫里面所摆设的一些古玩，那些豪华的东西，甚至超过了康熙本人所拥有的。后来有一件事情，很滑稽，也令康熙很后悔。他觉得那个太子是他看着长大，那么可爱，又是今后他的王位继承人，他的接班人，所以觉得太子要用什么东西，应该问内务府要——内务府就是供应皇家各种用品的那么一个机构。他说那就干脆让太子的奶妈的丈夫，让他奶父当内务府总管得了，为什么呢？因为太子要东西方便。一撒娇，跟他奶妈一说，一会儿这个东西就来了，省得一层层禀报去。康熙后来对此当然很后悔，但是他一开始就是这么做的。在生活上对胤礽他是无微不至地宠爱，从其他方面来说，就是培养他：一个是从文的方面培养，首先让他要研习满文、蒙文和汉文。太子也很争气，最后满文、蒙文、汉文都特别好。因为对他来说最困难的是汉文，对不对啊？康熙的时候，宫廷里面互相说话是说满文的，所以满语首先这个语言就不用教，满文又是拼音文字，懂了满语以后，你学满文也就比较容易。满文是借鉴蒙文创制的，满文学好了蒙文自然也就很容易掌握。但是汉文就需要从头学起，汉文不是他们的母语，难度很大。康熙就找来当时中国汉族里的饱学之士、大儒、名师，天天来服侍太子，来精心地教授他。胤礽很努力，也学得非常好，后面我还要举例子，成绩确实非常出色。

我一开头就说到了，康熙特别重视保持满族的骑射传统，在对胤礽的培养上也不例外，从小就让他学打猎。我现在举的这些例子，都不是野史上面的，都是正史上面的记载。当然这些正史记载有时候你也不能完全信，因为历史是由胜利者书写的，档案也是由胜利者掌握的，这些人可能在书写历史和整理档案时会有一些主观的东西加进去，但是它基本上还是可信的，因为它基本上要根据事实来陈述。据记载，康熙带着胤礽打猎，那时候胤礽才五岁，五岁去木兰围场，那太远了可能去不了，那么在哪儿打呢？去南苑那个海子也觉得比较远，于是就在景山，紫禁城后面的景山。原来景山里头不像现在这样，它里面原来就是荒的地方比较多，所以也有一些放养的野生动物。据史书记载，太子跟他的皇父打猎，五岁，连发五箭，就射中了五个野兽，一个鹿、四个兔。下面有人在笑，说这可能吗？是不是打猎的时候底下有人把动物牵在他眼前，让他射。说老实话，一个五岁的孩子，你就是把动物牵到他眼前让他射，有的也未必能箭箭射中。但太子他就是五箭都没有虚发，就射中了一只鹿，四个兔。太子就这样在皇父的精心培养下，茁壮地成长。

太子胤礽在父皇康熙的精心培养下，长大成人，一个父慈子孝、乐享天伦的故事在红墙黄瓦的皇宫里演绎着，而太子最终继承父业、登基大宝，似乎也是指日可待的事。康熙曾在亲自率军出征平叛的情况下，让太子在紫禁城代理政务，他曾这样夸赞太子，说太子"办理政务，如泰山之固"。然而，事情却远没有我们想像得那样简单。随着时间的推移，康熙父子开始出现了裂痕。那么，一个是慈爱无边、英武一世的父皇，一个是意气风发、文武全才的太子，两个人为什么会出现矛盾呢？太子胤礽还能如愿以偿地继承皇位吗？这就是下面我要讲的。

开头谁也没有想到，康熙和太子之间，逐渐出现了皇权和皇储之间的矛盾。这个矛盾其实很好解释，从人性角度就能解释。你想想，一个太子十二岁的时候，他觉得我今后当皇帝，他很高兴；二十二岁，他觉得我已经可以当皇帝了，但是我父亲还很健康，我得好好伺候，我等吧；我三十二岁了，我的父亲还很健康，我哪天当皇帝啊？是不是啊？从人性的角度来说，皇储就开始产生这种心理，于是就接连发生了很多事情。

一开头这种事情跟康熙本人无关，比如说皇太子的脾气变得非常暴躁。他的老师都是一些大儒，都是一些饱学之士，年纪当然也很大——教他的时候，就已经是四五十岁了；他长大了，他们都七八十了，很高的年事——他经常辱骂他们，一生气，他就不管他们是多大岁数，不管那些人是多高的学问，就辱骂老师。当然不管怎么样，也有人汇报到康熙那儿去，康熙就觉得我这儿子怎么回事？辱骂老师，不应该啊。然后皇太子做下更过分的事，就是鞭笞权臣，地位很高的大臣，在朝廷里面都掌握很大的权柄，康熙都善待他们；康熙有时候发发火，批评一下，也很少说让人把他们的裤子脱了打屁股，当众羞辱或者是鞭笞这些大臣。康熙没做过的事，太子却做了，他一发落那些大臣，他就这么来，底下人当然是你怎么指挥怎么来，因为你就是今后的皇帝啊！还有什么好说的，对不对？你的命令就得听。康熙就开始不愉快，就觉得胤礽怎么可以这样做呢？但是康熙还是隐忍了，因为这是他自己的儿子，是他立为太子的嫡子，而且太子今后确实也要当皇帝，当皇帝有点威风也可以理解。可是后来，逐渐地，他对太子的不满就不是出现在这些事情上面了。

有一次，康熙出征的时候不舒服了，身体有病了，当然不但是太子，其他的皇子——那时康熙的儿子已越来越多了，都要去问候。结果他就发现太子对他生病，不但没有一点很忧戚、很伤心、很着急的样子，反而面有高兴之色。从人性的角度你能明白吗？有人在点头，是不是？当然这个事情比较复杂，你要认真地来读清史会发现，这种记载有不真实的一面。因为大家知道，康熙后来的政权没有交给胤礽，这是很清楚的，后来的皇帝是雍正，是胤礽的一个弟弟，是四阿哥。四阿哥当权以后就会整理、修改各种档案。现在如果我们仔细来做历史研究，就会发现在朝鲜也有史官，也有历史记录，例如《李朝实录》。朝鲜很长时间都是李氏王朝，在《李朝实录》里面的记载不是这样的，但是也很可怕。《李朝实录》说那次太子去了，太子对康熙没有什么特别不好的表现，而是跟随太子的那些人，按捺不住内心的高兴。他们心想，你看，老爷子快完了吧，咱们跟着的这个主儿马上就要升为万岁了呀，都额手相庆，是这些人，闹得很不堪，被汇报给康熙了。但是不管怎么样，康熙就开始警觉了。哦，闹半天，我培养了半天，最后成了我的一个威胁了，是不是？想抢班夺权哇？康熙就开始警惕，但是也忍下去了。因为培养这么多年了，三十多年的培养，不能付诸东流啊！而且确实太子的优点也是有的啊！所以康熙就还是采取了隐忍的态度。可是到了康熙四十七年，就是我现在要讲的帐殿夜警事件的时候，康熙就忍无可忍了。

这事有好几个导火线，第一个导火线：当时康熙带着浩荡的队伍去木兰秋狝，途中就扎下营盘了；他带了很多皇子去，当时第十八个皇子——当时他的儿子已经很多了——十八阿哥已经七八岁了，他特别喜欢——康熙每个儿子都喜欢——这十八阿哥路上就得了腮腺炎。

这里我插一句，我在讲述里，有时把康熙的儿子说成王子，有的听众跟我提出来，皇帝的儿子是不是该说成皇子啊？这个意见很好，说成皇子更精确些。但有的人以为说王子，那就是王爷的儿子了，这是不对的。在清朝，王爷的儿子官方的称呼是世子，不是王子，王子这个词儿，是跟国王配套的。20世纪初以来，我们翻译外国文学作品，往往把相当于皇帝的人称为国王，把国王的儿子，称作王子，比如莎士比亚的《哈姆雷特》，为了通俗些，就又译成《王子复仇记》。王子就是指国王的儿子，也就是皇帝的儿子，就是本来可以继承帝位的人。其实在清朝，康熙自己也好，朝野上下，一般情况下，都把康熙的儿子叫成阿哥，太子是二阿哥，后来接替康熙当了皇帝的雍正是四阿哥。那么，现在我们讲到了十八阿哥，在康熙四十七年，木兰秋狝的半路上，十八阿哥得病了。

十八阿哥发高烧，得的应该是腮腺炎，根据清朝史书上的记载，我们今天可以做出这个判断。当然当时没有腮腺炎这个词，但是咱们可以根据他的症状，从现在的临床医学做出判断，无非就是腮腺炎，并不是个了不得的病。但是在清朝，治这个病就没有什么好办法。这个十八阿哥高烧不退，康熙就很着急，康熙疼爱他，恨不得二十四小时把他搂在怀里头，太医看病的时候都是搂在怀里头这么看的。他特别爱十八阿哥，他让太子随后从北京城赶到营盘这个地方，这个时候据史书记载，确实是太子对十八阿哥，自己亲弟弟的病情，十分地冷淡，这个在《李朝实录》里面没有相反的记载，可能就是事实。说老实话，作为太子，他觉得每一个兄弟都是潜在的威胁，是不是啊？每一个兄弟都可能来夺我这个太子的位子，都想最后来继承皇权。一看父亲这么喜欢十八阿哥，他心里当然不高兴，你什么意思，对不对？你把我搂着还差不多，你搂着十八阿哥，这算怎么回事，你让他自己躺床上歇着不就得了吗？所以他看见就心里不舒服，表现在外面就是很冷淡。康熙看到他这样，痛心疾首，他当时没说什么，但是后来康熙就说了，说他对他的亲弟弟一点感情都没有。封建社会是最重所谓"孝悌"的，"孝"是指对待父母，"悌"就是指对待兄弟，当时的人认为这两个态度是做人的最根本的立足点，那么你毫无孝悌之心，你这样的人怎么能够继承皇业呢？但是康熙当时也忍了，不过那个时候他已经是随时会一触即发了，结果，紧跟着就发生了康熙万万不能再加容忍的事情，就是帐殿夜警。

可能是康熙自己先有一些感觉，觉得晚上有点不对头，然后康熙得到密报，说父王您知道晚上有这么个情况吗？有人从您的帐殿外面偷偷往里面偷看。这个偷看您的人，不是别人，就是太子啊！这个时候，康熙就一下子，猛地感觉到他和太子之间的矛盾，已经发展到了顶点，这还得了？还用细琢磨吗？那不很简单吗？就是看我怎么样，身体怎么样，嫌我活得太久了，看我什么时候死啊！于是大怒。这就是帐殿夜警事件。

然后，康熙就在有一天当众大怒，通知所有的人，集合在一起，首先就把太子捆起来，不是用绳子，用铁链，然后他一赌气，又把其他那些太子的兄弟，那些阿哥们全捆起来，当着朝臣——当时有一个情况，他自己事先没有考虑周到，现场还有传教士，他也没来得及让外国传教士回避，所以这个当时的场景即便清朝自己的史料记载不完整的话，还有几位传教士后来写回忆录给写上了——他当时大怒，当着朝臣，他就痛数太子的罪恶，说你太不像话了。他就很痛心，痛心到什么地步呢？"仆地"。已经五十多岁了，那时候五十多岁是一个年龄很大的人了，他痛苦地扑倒地上，场面很不堪。一个英武一世的帝王，平时是非常威严的一个人，突然失态。在他痛斥太子的话语里面就有这样一段话，这段话特别重要，他说，"更有异者，伊每夜逼近布城裂缝向内窥视……令朕未卜今日被鸩，明日遇害，昼夜戒慎不宁，似此之人，岂可付以祖宗弘业！"其中最关键的一句是什么呢？就是"逼近布城裂缝向内窥视"。"伊"就是这个他，就是说的胤礽，皇太子。说有更奇怪的事情就是，他每天晚上"逼近布城裂缝向内窥视"。

大家知道过去中国的文字是没有标点符号的，要把一篇文章读通需要做什么事情呢？需要断句。您会断句吗？断句是个学问啊，您像这一句，"每夜逼近布城裂缝向内窥视"，就有两种断句的方法：一种就是"逼近布城，裂缝向内窥视"，就是太子走到康熙住的帐篷的外面，"裂缝向内窥视"。裂缝这个"裂"是动词，那就一定要拿出匕首，对不对啊？要不你怎么划一个缝啊？这很恐怖，他把这个帐篷划开，然后把它扒开往里面看，可能还一边想，老不死的，还不死，这多恐怖啊！这是一种断句方式。还有另外一种断句方式，就是"逼近布城裂缝，向内窥视"，这就柔和得多了。大家知道皇帝住的帐篷也是布做的，而且如果圆形的帐篷的话，是很多的布幅叠合在一起构成的，明白这意思吧？咱们拉窗帘，这两片窗帘之间最后它是互相被遮盖住的，对不对？那么这个另外一种断句叫"逼近布城裂缝"，这个布城本身就有裂缝，他就可以两个手把它扒开，这个"裂缝"是名词，明白了吧？他把这个扒开往里面看，心想，哦，还在那儿活动呢，我什么时候当皇帝啊？这就柔和一点，稍微柔和一点。现在就不知道康熙当时气成那个样子，他是怎么来断这个句的？估计是刚才我说的第一种。你想那还得了，是不是啊？所以他说他很担心，他说"令朕未卜今日被鸩，明日遇害"，"朕"就是皇帝的自称，"被鸩"就是"饮鸩止渴"的那个"鸩"，明白吗？就是说既然可以拿一个匕首把帐篷划开看我，那么也可能某一天给我敬一杯酒，给我冲一杯茶，让我喝，就可能里面下了毒药啊，对不对？这我还能睡塌实吗？不但我睡不能塌实了，我吃喝都不能塌实了，对不对啊？所以康熙气得要死，他就说，根本就不行，这样的人不能够把祖宗的家业传给他，于是就宣布把胤礽给废掉了。这就是有名的康熙四十七年的帐殿夜警事件，太子就被废掉了。

太子被废掉了以后，又出现很多故事。我看下面有人在皱眉头，可能听还愿意听，可是为什么皱眉头？可能是说，哎，你不是在讲秦可卿吗？是不是啊？您这不是离题十万八千里了吗？你别着急，要把秦可卿的真实的生活原型搞清楚，您还就得听我一段一段往下说，就得有"几度柳暗"，"几度花明"，最后才能到达"又一村"，就是我所说的秦可卿原型的那个所在地，你别着急。而且我觉得你这么听听也应该挺高兴的，因为不光是要来探索秦可卿的原型，我们的目的还有就是要了解曹雪芹写这部书的整个背景，他家族的背景，他家族的荣辱兴衰，和康熙、雍正、乾隆三朝的政治风波有什么关系，这是咱们需要了解的。另外，我们也需要了解曹雪芹他写作《红楼梦》的时候是一个什么样的人文环境，一个什么样的时代背景。所以我觉得，虽然我们现在的探究活动可能你觉得离开我们要达到的那个点比较远，可是我恳求你跟着我一路探究下去，我保证你听着还是很有意思。

刚才说到太子被废了，被废了不就完了，故事应该就结束了。没有结束。甭等更久，第二天，康熙就开始后悔。因为太子被废的时候，你想想太子已经多大岁数了，太子那时候已经三十四五岁了。他从一岁半培养他，你想想这容易吗？是不是？他就开始心神不宁，就宣布不到猎场去了，就回城，回到紫禁城来。回来路上他觉得有怪风在他的轿子面前，他轿子里面有椅子，他坐着那就是御座，他觉得有怪风在御座前盘旋。他觉得这是“天象示警”，就是老天爷在警告我，不可以这样做，他心里就不塌实。回到紫禁城以后，他晚上就做梦，梦见谁了呢？梦见两个女人，都是在他一生当中起过非常重要作用的女人，两个他永远不能忘怀的女人，都是谁呢？一个是孝庄太皇太后，他的祖母，安排太子作为储君，是他的祖母给他决的策，他就梦见了他的祖母。他发现祖母离他远远地坐着，面露不悦之色，不高兴。祖母一向对他非常慈爱，一向是笑脸相迎，突然在梦里面不高兴。然后就梦见了他的皇后。康熙跟他的皇后赫舍里氏，就是胤礽的母亲，感情非常深厚，那绝不是假的，有很多的记载，我这儿就不列举了。而且皇后是生下胤礽以后，自己就死掉了。因为她第一个儿子生出来以后，养了没多大就夭折了，所以怀第二个的时候就很紧张。再加上那个时候清朝面临着三藩叛乱，就是清朝进关的时候有三个汉族的将领表示投降清朝、帮助清朝来占领没有占领的土地，最后都封了藩王，这三个藩王都不老实，后来就都开始叛乱。具体地说，在康熙十二年，即1673年，降清后被封为藩王的吴三桂、尚之信、耿精忠等人，因为不满康熙皇帝的撤藩决策，发动了联合叛乱，史称"三藩叛乱"。康熙采取巩固后方、政治分化等措施，历经八年时间，才最终平息了叛乱，维护了清王朝的统治。皇后赫舍里氏生胤礽，恰在这个关键时期，她在临产的时候，就觉得自己的任务非常重大。如果她生下的是一个儿子，而这个儿子可以养大，就意味着清朝的政权可以更有力量地往下延续，因此她非常紧张。非常悲惨的是，她生了胤礽以后，孩子活了，她却死掉了，所以康熙悲痛得不得了，时常怀念她。结果没想到，这天晚上做梦，她出现了，出现了是什么表现呢？很不高兴，她当然更应该不高兴了，因为胤礽是她以全部生命为代价生下的一个儿子，是不是？所以康熙就觉得，这件事，我是不是一气之下，做得太鲁莽了呢？

正在这个时候，又出现了一个新的情况，非常地富有戏剧性。就是又有阿哥来跟他说，说您知道为什么二阿哥好像疯了一样，辱骂老师，鞭挞大臣，而且经常疯疯癫癫的？他是被人魇了。魇了，都懂吧？记得《红楼梦》第二十五回吧，"魇魔法姊弟逢五鬼"，王熙凤和贾宝玉被谁魇了？被赵姨娘魇了，赵姨娘自己没有这个能力，通过马道婆去魇。过去魇人的办法就是用纸剪成一些人，或者用木头做成一些人，或者用布做成一些人，往其心窝、眼窝子，人的身体要害部分扎针，这叫做魇。这边你在代表这个人的纸人或者是木人、布人身上去做这个事，活的那个人就会形成反应，比如说就会疯狂，会不正常。康熙得到这个报告以后，忧喜参半。忧的是什么呢？闹半天，我立了一个老二做太子，居然就形成了这种局面，就有他的兄弟来魇他，这可真没想到啊！我儿子这么多，这还得了啊！喜在哪儿啊？可见我这个老二是被冤枉了，他被人魇了呀！当时这个胤礽被押回紫禁城以后，就没让他回到他住的那个毓庆宫去，就在上驷院，上驷院就是那个宫廷里面养马的地方，搭了帐篷，把他在那儿圈了起来。康熙就说，那我得找他谈谈，就把胤礽叫来谈话。忽然发现胤礽神志开始清醒，因为这个时候康熙已经派人去查魇胤礽的根源了，查到的根源是谁呢？在哪儿呢？就是老大，就是康熙的大儿子叫做胤禔。有人就问，说老大不是应该封为太子吗？为什么康熙不封他呢？就因为老大他不是嫡出，是庶出，懂这个意思了吗？老大不是皇后生的，老二胤礽是皇后生的，懂了吧？老大他不服气，他当然不服气了——我是老大啊？！所以后来康熙就查抄老大那个住宅，在花园里面挖出来了一些木偶，就是魇人的木偶，是蒙古喇嘛帮他弄来魇人的东西，这就证据确凿了。因此康熙就大怒，说闹半天是老大把老二给魇了，就立刻把老大给拘禁起来了。老大从此以后就一辈子被关起来，这个老大也很悲惨。老大这个镇魇老二的事被证实之后，康熙再找老二谈话，就觉得老二果然神志变得清明，就正常了，康熙说你看这不就证明他是被魇了吗？把魇物一去除，他不果然就好了吗？康熙就开始琢磨，恐怕这个老二就是冤枉的，好容易把他立为太子了，我不能够随便地把他废掉。后来康熙就在半年之后，第二年，康熙四十八年，宣布复立胤礽为太子。是不是很戏剧性啊？如果只是一废，这个故事也就不这么曲折了，人家还二立呢，第二次又立为太子，这个胤礽就又成了太子了。

　　宫廷里面的这样一些变故，这样一些情况，不仅是影响宫廷本身，影响到皇族本身，也影响到整个朝野，特别是会影响到官僚集团，影响到上上下下各级官员，也包括曹家。因此恳请你听我下一讲，我将给你讲到当时的统治集团的皇位之争，如何反映到了《红楼梦》的文字里面；而这对我们探究出秦可卿的真实的生活原型，就更为关键。

103

曹家浮沉之谜

上一讲，说到了康熙四十七年的帐殿夜警事件，这个事件的影响非常之深远。

宫廷里面的这样一些变故，这样一些情况，不仅是影响到宫廷本身，影响到皇族本身，也影响到整个朝野，特别是官僚集团，影响到上上下下各级官员，也包括曹家。为什么呢？因为大家知道，曹家跟康熙、跟太子的关系太密切了，而且他们也无法把康熙和太子的关系择开。康熙在那么多年里面都这么信任太子，都培养他，大家已经习惯了；往往是康熙主持朝政的时候，太子就坐在他旁边，康熙问话，太子也问话，康熙发指示，太子表示同意，甚至还补充点什么；当然最后拍板的是康熙，但太子你能不尊重、不服从吗？如果康熙和太子没有在一起，那么往往是官员见了康熙以后，还要再去见太子，起码要去请安。当时所有官员都是这么想的：我要是对康熙好的话，对他效忠的话，我就得同时效忠太子，是不是啊？我效忠太子，也就意味着我效忠康熙，这俩人应该是不可分割的，没有必要两说的，我不能对他们采取两种态度。曹雪芹祖上，直到他父亲一辈，就是这么对待康熙和太子的。

康熙几次南巡，都带着太子一块儿到南方去。到了南京，到了江宁以后，不住在别的官员安排的行宫，就住在他的发小曹寅他们家。曹寅就是曹雪芹的祖父，是康熙的发小，发小是一句北京话，意思是从小一块儿长大的小伙伴、小朋友，为什么这么说呢？这就跟曹家的历史有关系了。

大家一定要记住，曹寅的母亲是康熙的保母之一，而且是保母当中最重要的一个，这个保母姓孙，孙氏。大家知道，康熙小的时候是没有母爱的。首先没有父爱，因为康熙生出来以后，他的父亲顺治皇帝根本就不在意他。顺治皇帝当时忙什么呢？忙着跟董鄂妃谈恋爱呢，是不是啊？他就盼着董鄂妃给他生儿子，董鄂妃后来真给他生了一个，他当时就当着群臣说，这个是我的第一个儿子。如果这个儿子一天天长大的话，这个皇位就传不到康熙那儿，明白了吧？就一定会传给这个儿子。可是后来这个儿子夭折了，没养大，即使这样，顺治在他得病、身体不行的时候，还曾经想把他的皇位传给他的一个兄弟，都没想传给康熙。这个时候，顺治的母亲孝庄太后起了重要作用，后来她经过一番斡旋，最终落实了由康熙来继承顺治的皇位。所以康熙从小没有父爱，而且，也没有母爱。

为什么没有母爱？这倒不是因为他母亲不爱他，而是因为在清朝立下一个规矩，就是皇后也好，其他的妃嫔也好，生了孩子以后，一律是把孩子搁在另外的地方，甚至是紫禁城以外去养；一年里面孩子跟母亲见面的机会也就是逢年过节或一些大典的时候，他们平常根本就不是在母亲跟前长大，是在保母跟前长大。孙氏就是康熙的保母。

当时又由于清朝有一种最可怕的流行病就是天花，也就是出痘，这是当时不可抗拒的一个病魔，一出现痘情，出现痘疹，就一大片许多人都得，然后死一大堆，特别是婴幼儿，死得特别多。皇宫也不例外，皇宫里面死去的那些皇子、公主，很多都是得天花死的，就是顺治皇帝本身以及后来的同治皇帝，据说也都是得天花死的。所以天花病在当时是非常不得了的，让人一听就害怕。《红楼梦》里面对这个情况也有反映，记不记得啊？谁出痘了？正面描写？巧姐。巧姐出痘，你看王熙凤跟贾琏多着急啊！当然贾琏是假着急，后来他利用那个机会干别的去了，咱们不多说了，凤姐是真着急。康熙他在身体方面有一个优势，就是他很早就得了痘疹，得了痘疹他没死。天花这种病属于什么病呢？属于你得了没死，你就一辈子不会再得了的那种，就是你获得了终身免疫力了。所以康熙就成为顺治所有的儿子里面，一个生命最有保障的人。这也是后来孝庄太皇太后做主，让康熙能成为皇帝的一张王牌，就是他出过痘了。因此现在你看康熙的画像，你得看仔细，看仔细据说也没用，你拿放大镜看脸也没用，因为不敢画。据说康熙脸上是有麻坑的，因为痘退了以后留下疤痕，不是很多，浅麻子，康熙整个的形象还是英俊的，有点浅麻子，可能就更是像水中浮萍一样，不但无损他的英武，还使他的相貌更有特点。康熙是这么一个人，因为他得过了这个天花，而且好了，所以后来就不让他在宫里住，就把他安排在紫禁城外，就是现在的东华门外北长街，现在那个地方叫福佑寺，他就是在那个福佑寺里面长大的。他整天眼前所见到的是他的保母，有人说那就是喂奶的奶妈子是吧？不是。奶妈是喂奶的时候才来，这个保母的"母"没有"女"字边，不是现在的劳务公司、家政服务公司介绍的那个保姆，不是那个字，是"母亲"的"母"，意思就是替代母亲的一种女性。负责什么呢？负责全面培养他，用今天的话说就是进行素质教育，从小教你你要站如松、坐如钟、卧如弓，你见人应该怎么样地行礼、请安，你社交活动当中要怎么样地坐有坐像、站有站像，你怎么和人对话的时候和蔼可亲、言辞得当，怎么懂得善良，懂得爱惜东西……是负责全面培养他这个人的。所以这个康熙打小就跟孙氏关系非常好——懂得他们这个关系了吧？我讲半天康熙，讲半天太子，都是和曹雪芹他自己的家族有关系的。

康熙和曹寅的关系，和曹雪芹他爷爷的关系，太不平常了，为什么说他们是发小呢？大家知道读书经常要有读伴，没有读伴的话，一个人太寂寞了，所以就有所谓"陪太子读书"的话；康熙那个时候当然没有被立为太子，那就是陪皇子读书，谁来陪呢？往往就从保母的儿子里面来选合适的少年。当时曹寅就被选来陪着康熙一块儿读书，是一个陪读。康熙当了皇帝以后，曹寅就成为他近身的侍卫，禁卫军当中的小头目。那当然太可靠了，是不是啊？一块儿玩儿大的，这个人来保卫他多合适啊！而且后来康熙除掉鳌拜，这些近身的侍卫也起了很大作用。鳌拜是一个擅权的权臣，康熙想了各种办法都没法除掉他。你通过正式的手续逮捕他的话吧，早有人通风报信了，而且他还可能反抗，可能干脆举兵造反呢。最后康熙想了一个什么办法？就是他身边的一些侍卫包括曹寅都会摔跤，鳌拜进来见皇帝的时候，康熙是少年天子，就好像闹着玩儿似的，"把他给抓起来"。鳌拜就没怎么太反抗，因为抓他的都是些小孩儿，禁卫兵、侍卫、少年人、摔跤的，他觉得拉拉扯扯，好玩，没想到真给抓起来了。鳌拜身边也没有别的人，让谁来救他？没治了，就这么把鳌拜给除掉了。所以你想，曹寅的作用大不大啊？他们关系好不好啊？关系非常铁。

因此，康熙皇帝后来带着太子到南方去南巡的时候，几次就都住在曹寅家，住在江宁织造家。说实在话，这有点荒唐，因为江宁那边很多大官按官阶、按地位都比曹寅重要，更何况皇帝住的地方应该不是任何官员的官邸，应该是一个单独的行宫。但康熙他就都没兴趣，你哪儿都别跟我说，我就只奔哪儿？我就奔曹寅家，就奔江宁织造那儿，我就住那儿。你看他们关系怎么样啊？住那儿以后，这是据正式的史料记载，孙氏当时还活着，曹寅的母亲还活着，康熙的保母孙氏还活着，当然，皇帝来了，孙氏就要过去谒见；见了皇帝，就要跪下了，因为那是皇帝嘛。康熙立刻把她搀起来，不让她跪，而且满脸喜色，叫做"见之色喜"，满脸高兴，还说了一句惊心动魄的话，他跟周围大臣说，"此吾家老人也"。厉害不厉害？情不自禁，按说不应该这么说，你再喜欢她，她只是一个保母而已，她是一个高级奴才罢了，但是他感情太深了，他说这是我们家的老人啊！这可是我们家的老辈子啊，他这么跟周围人说，所以被记录下来了。而且他当时兴致非常高，正好萱草开花——萱花，萱草那个花在中国是象征孝顺母亲的，所以他就写了一个大匾，叫"萱瑞堂"。萱草正在开花，非常美丽；"萱瑞堂"，这里面凝结着曹家和康熙关系里最甜蜜的东西。

那么曹家和太子的关系怎么样呢？也非常好。不过太子跟曹家的关系，说起来就没有这么多温馨的色彩了，就比较粗鄙。太子后来是一个很不像样子的人，到处掠取财物，多少钱他也不够用，多少银子在他手里也像流水一样花掉，太子是这么个人。他经常找曹家干什么啊？让他的奶公到曹家去取银子，取多少？摇摇摆摆一去，两万，开口就是两万啊，曹家就立刻想办法给他两万，给两万不就完了吗？过几天又来了，又要两万。就在太子被废之前的短短几年里面，太子的奶公凌普，光是这一个人，就从曹家和李家——

李家大家知道吧？就是曹寅的妻子的娘家，她娘家哥哥叫李煦，当时一直当着苏州织造，是康熙的另外一个宠信的人；凌普就到这两家，张口要银子——短短的几年之间，总共就取了八万五六千两银子。八万五六千两啊，你想想多大一个数目，所以他们的经济关系背后，也就反映出来他们的权力关系。当然曹家希望胤礽，希望皇太子能够顺利接班，对不对啊？甭说别的，你要不接班的话，这银子不就白填了吗？他们是这么一种关系。

有人就说了，你说了半天这跟《红楼梦》有什么关系呢？你不是说清史了吗？你这是痛说清史啊！咱们不是《红楼梦》讲座吗？那么好，我就告诉你，曹家和康熙、和太子胤礽的这种亲密关系，被写进了《红楼梦》。写到哪儿了？不止一处，现在我仅举一处，就是第三回。第三回你读得细不细啊？第三回写林黛玉进府，你可能说，啊，林黛玉进府，我读得很细啊，说王熙凤怎么人没到声音先到，贾宝玉怎么一看林黛玉没有玉，一听这个话，就生气了，就把自己的玉取下来摔掉了，那不是很热闹吗？我都记得啊！可是你记不记得，林黛玉到了荣国府中轴线的那个大宅院的正堂，看见的匾和对联呢？那是很重要的一笔哟，你不能够错过。我们一起回忆，想起来了吧，你应该就在《红楼梦》第三回里面，看到了一个金匾、一副银联，请注意了，一个是金的，一个比它低一等，但是也不是很低，是银的。

金匾上面写的是什么呢？写的是皇帝的御笔，三个大字，叫做是"荣禧堂"。刚才我讲过什么啊？康熙皇帝在曹寅的家里面写过一个什么匾呢？写过一个"萱瑞堂"，"荣禧堂"的物件原型就是后来一直挂在江宁织造府的"萱瑞堂"。你从这个字的含义上都可以看出它们互相的联系，"萱瑞"跟"荣禧"都有一种吉祥的，预示着这个家族会越来越繁荣的含义在里面。所以，曹雪芹实际上是把他祖父家里面的金匾通过艺术升华，变化为了林黛玉到荣国府所看见的这个金匾了。这倒还罢了，这个金匾是赤金九龙青地大匾，盖着皇帝的戳子。

写完金匾，曹雪芹又写林黛玉看见一副银联，而且曹雪芹用笔非常仔细，他不是马上接着写银联，他还隔了一些文字，再接着写银联。这个银联是乌木联牌，镶着錾银的字迹，就是把乌木上抠一些槽，然后把银子压进去。这个对联我们都记得，因为在《红楼梦》上写得清清楚楚，写的是"座上珠玑昭日月，堂前黼黻焕烟霞"，这样一副对联，有印象吧？现在我告诉你，这个胤礽，做太子的时候，他有一副对联是备受他的皇父康熙表扬，而且他到处把它写出来送人。史书上只是没有具体记载，他也写了送给了曹寅而已；他在江宁南巡的时候把它送给别的官员，都被记载在案。他没事就写自己这个名对，这是他很小的时候就对出的一个好对子，这个对子是什么呢？叫做"楼中饮兴因明月，江上诗情为晚霞"。你把这两副对子对比一下，结构相同："座上"与"楼中"，"堂前"和"江上"都是呼应的；对联最后一个字呢，干脆就一样，上联都是"月"，下联都是"霞"。我现在让你把林黛玉在荣国府所看到的那副银联，和真实生活当中胤礽在做太子的时候写的对联加以对比，你就会发现这两副对联是有血缘关系的，它们之间是有一个从生活真实升华到艺术真实的过程。也就是说，它们是从一个生活中的原型物件，演化为一个作品里，一个故事里面的物件，它们之间有这个关系。

胤礽这副对联的事儿，最早记载在康熙朝一个大官王士祯所写的一本书《居易录》里面，我看到起码有两本清史专家的著作里，都引用了王士祯《居易录》里的记载，说明这记载是可信的。但是最近有热心的红迷朋友告诉我，"楼中饮兴因明月，江上诗情为晚霞"是两句唐诗，是唐朝刘禹锡的一首题为《送蕲州李郎中赴任》的诗里的，经查，这确实是刘禹锡老早写下的诗句，那么，王士祯的所谓"太子名对"的记载，该怎么看待呢？王士祯行文比较简约，我想，他所说的情况，可能是当年太子还小，他的老师说了刘禹锡诗里的前半句，作为上联，让他对个下联，他当时并没有读过刘禹锡的这首诗，却敏捷地对出了下联，与刘禹锡的诗句不谋而合。这当然也就足以受到老师夸奖，康熙知道后当然也就非常高兴，一时传为了美谈。当时太子不但学对对子，也学书法，他一再地写这两句，因为书法好，经常写出来赏赐臣属，说这两句是他的"名对"，也就不难理解了。没想到，这"太子名对"，后来又演化为《红楼梦》贾府里，与皇帝御笔金匾额相对应的一副银的对联。

书上写这副银对联，落款是"同乡世教弟勋袭东安郡王穆莳手拜"，这些字眼里，其实也都埋伏着意思，都是在暗示太子。真实生活里，曹寅跟康熙是一辈的，他转化到小说里，就是贾代善；而曹頫和曹颙跟太子是一辈的，他们转化到小说里，就是贾政这一辈。因此，写对联的人就称自己跟贾政是同辈的，他们祖上虽然是主奴关系，但是起初都在关外生活，又一起打进关内，因此谦称是"同乡世教弟"。这位"世教弟"勋袭东安郡王是谁？我们都还记得，《红楼梦》里后来写贾府为秦可卿大办丧事，来了四家王爷参与祭奠，他们是东平郡王、南安郡王、西宁郡王和北静郡王，并没有东安郡王，可见曹雪芹在对联落款上写出"东安郡王"，是别有用意，是在影射"东宫"，写对联的时候还安好，但是到后来，可能就坏了事，就消失了；曹雪芹给这个东安郡王取的名字也挺古怪的，叫穆莳，其实他也是有用意的，穆，古汉语里通"密"，胤礽死了以后，谥号就是密，莳，是将植物移栽的意思，胤礽一生两立两废，两次从当太子的毓庆宫移往咸安宫被圈禁起来，这么一想，曹雪芹用这些字眼来写，确实都是在影射废太子胤礽，否则，哪有这么多的巧合？

我们从帐殿夜警往下捋，果然就发现清朝的康熙朝的皇帝和太子，和曹雪芹他自己家族的祖父一辈、父亲一辈，关系是非常密切的，而到他写《红楼梦》的时候，他就把他从他的祖辈、父辈那儿所得到的一些信息，很巧妙地写进了他自己的书稿里面。我想这个结论应该是成立的。有人可能要问了，说你说这些倒也还可以接受，只不过我们都知道后来康熙不就死了吗？结果太子不是也没有能够接班吗？下面我还会讲到，太子后来第二次又被废了。太子第一次被废掉过了半年，不是又复位了吗？但是三年以后，他又被废掉了，再次被废掉了，你想这是多大的波折啊！康熙他把太子第二次废掉之后，就发誓不再公开地来立太子，也就是说不再公开地建储，他很显然是采取了一个秘密建储的计划。也就是说他从公开地指定太子建立皇权的储位，改变为了用秘密建储的方式来完成权力过渡，就是我看重了某一个阿哥，我重点培养他，但是我不露声色，我不马上告诉他，你就是太子了，因为这样他就容易骄横，容易产生其他的不好的心思。我信任他，但是我又控制他。后来，多数人都认为他所看好的是十四阿哥，就是他的第十四个儿子。这第十四个儿子很有趣，他和四阿哥，就是后来成为雍正皇帝的那个哥哥是同母所生，他们两个是亲兄弟，就是他们既同父，又同母，是这样的亲兄弟。康熙信任十四阿哥的最突出的表现，就是他让十四阿哥当抚远大将军，去西征，给他以重兵，由他指挥。这个十四阿哥也很争气，在任抚远大将军过程当中收复了西藏，消灭了很多叛变的部族，使得清朝的政权更加巩固。康熙晚年非常喜欢十四阿哥，看起来他也确实想把他的皇位移交给这个儿子。可是他又病了，他没觉得自己这次可能到了生命的终点了，他觉得自己可能还能好，所以他就没有及时地把他所看重的十四阿哥从西北调回北京。当然如果真是下令调回的话，那也是一个很漫长的过程，大家知道当时的交通工具哪有现在这么发达啊？当时就是二十四小时不停地拿着马鞭，不断换马，一站站抽着马跑，也要很长时间才能回到京城。他没来得及把他心爱的十四阿哥叫回来，他就忽然不行了，这次就病大发了，就弥留了，生命垂危了。在这个状况下，其他的阿哥也都不知道确切消息，就知道父王病了，究竟病得怎么样，是不是很重，不清楚，但是有一个阿哥知晓康熙的病情，这就是他的第四个儿子胤禛，也就是十四阿哥的同父同母的哥哥。

他为什么能知道呢？平时这个四阿哥一副谦和的样子。在太子二废之后，好几个阿哥都想谋求自己被立为太子，比如说八阿哥就是一个不安分的人，叫胤禩。胤禩就曾经起过坏心，想谋求太子的地位，康熙是提高警惕的，康熙曾经痛斥过八阿哥，没让他得逞。但有的阿哥还是蠢蠢欲动，或者联合起来，或者共同拥戴一个，都希望通过皇权继承谋取好处。四阿哥平常显得很谦和，给人造成错觉，仿佛他从来不管这些事，再说他年纪也大了，他是老四，康熙晚年，他已经四十多岁了。他很早就在他的王府里面养喇嘛，现在北京有一处极有名的名胜，叫什么？叫雍和宫，就是由他的王府改造而成的，为什么改造成为一个喇嘛庙呢？就是因为他信奉喇嘛教，他在他的王府里面养喇嘛，搞佛堂，这样就使大家觉得他是一个不必跟他去计较的人，就放松了对他的警惕。万没想到，在康熙弥留的时候，掌握康熙病情真相的惟一的一个皇子，就是这个四阿哥。他何以能够掌握康熙的情况呢？他把当时的步兵统领叫隆科多的给笼络住了，这个人很重要，这个人就等于是禁卫军的头目，懂了吗？皇帝得需要有人保卫啊，保卫皇帝的人得是一些军事人员，军事人员得有他们的首领，这个首领就是隆科多，因此隆科多就掌握了整个康熙帝的情况。当时康熙病得不行的时候不是在紫禁城里面，而是在西郊的圆明园。隆科多就等于把康熙控制了起来，据说隆科多当时也有所考虑，在这个情况下，我应该投靠哪一个阿哥呢？投靠了哪一个对我最有利呢？十四阿哥？十四阿哥远在西北，再说隆科多原来跟他的关系也不好，其他的阿哥里，他想来想去，跟他关系最密切的就是四阿哥，所以他就单独把康熙病得不行了，要死了的消息告诉了四阿哥。因此据史书记载，虽然这个历史记载后来雍正继位之后他是进行过一番修理的，即便这样也仍然留下了痕迹，就记载下了四阿哥他一天之内好几次进入圆明园，而且能够直接逼近到皇父的病榻前，所谓探视皇父，这比那个帐殿夜警，从帐篷裂缝向内里窥视，不是更可怕吗？康熙那么弥留的时候，一睁眼，一张大脸就在眼前晃，还不是说挺老远，在帐篷裂缝外头，窗户外头，这真是挺恐怖的。最后康熙就死掉了，死掉以后就有两个权臣：一个是隆科多，还有一个是年羹尧，他们两个做主，宣布说康熙帝临死的时候留下的遗嘱就是四阿哥特别好，四阿哥特别像我本人，应该把皇位传给他，这样雍正就登上宝座了。

据说雍正登基的时候，还表现出一副非常不情愿的样子，好像还苦苦哀求，说别让我当了，似乎他确实没有权力欲望。但是一旦坐定了宝座，龙袍一旦穿到了身上，脸就往下一垮，那就不客气了，我就是皇帝。他第一件事情就是大封官爵，大封爵位，把兄弟们，把一些功臣全都予以加封，他没有贬任何一个人。当然他同时就通知他的弟弟十四阿哥，让他火速赶回北京，因为父王去世了，我继位了，你要赶快回京城。当时出现这样一个事态，这个事态对曹家打击是非常之大的。因为在当时，在所交往的这些康熙的儿子当中，曹家和许多的阿哥关系都比较密切；当然和太子那一支是最密切的，和其他的有的也很密切，比如像与八阿哥、九阿哥都很密切，和十四阿哥也非常要好，但是偏偏和四阿哥关系比较疏远，没什么大关系。因此在康熙死了之后，曹家就面临一个灭顶之灾。

当然，当时曹家无非是一个江宁织造，在雍正眼里面小菜一碟，因为他要对付的政敌太多了，是吧？他要对付哪些人呢？一个就是对付不服气的兄弟们，首先不服气的就是跟他同母的那个十四阿哥。据说十四阿哥回到京城以后，根本不给他下跪，心说，怎么回事啊？我这好好地回来，你就当了皇帝了，要我给你行君臣之礼，天下哪有这等事，就很桀骜不驯。十四阿哥不服，他的母亲，他们两个的母亲，也喜欢那个小儿子，并不喜欢雍正，所以雍正当了皇帝以后，马上就要给他的母亲移宫，因为她原来无非是康熙的一个侧室，现在就要把她尊为皇太后，就要移到皇太后住的专门的宫殿里面去，他的母亲是坚决不移，等于也是对雍正不满意，向着这个弟弟。所以当时虽然雍正登上了宝座，情况依然很复杂，再加上八阿哥、九阿哥结成联盟，共同对付他，这两个人也是使尽了招数，要颠覆他的皇位。大家知道，后来雍正就把这个八阿哥、九阿哥往死了治，把他们圈禁起来治罪，革掉他们的爵位，甚至把他们革出了皇族，就是从宗族里面予以驱逐，再后来简直就宣布他们不是人了，给他们两个各取了一个怪名字，一个叫阿其那，一个叫塞思黑。民间很多传说，说八阿哥被叫做阿其那，就是狗的意思；九阿哥被叫做塞思黑，就是猪的意思。其实根据清史专家的研究不是这样的，因为在满文里面，"阿其那"的音并不意味着是狗，"塞思黑"这个音也不意味着是猪。经过一些专家的严密考证，认为阿其那其实是八阿哥失败以后，自己给自己取的一个名字，意思是"俎上冻鱼"，俎就是案板，案板上面已经冻坏的鱼，是任人宰割的意思，是一个失败者给自己取的很无可奈何的名字。而塞思黑呢？据专家考证，是"讨厌"的意思，在满语里面是讨人厌的意思。不管是什么意思，当时雍正所要面对的是很多的政敌，像他的八弟、九弟就是他首先要对付的政敌，这两个人都被治得非常惨，后来这两个人相继地吃了东西以后立刻呕吐，很快就死掉了，据说是被他毒死的。这个传说应该是可信的，否则怎么会两个人都死得那么巧，而且死法是一样的。此外，雍正要对付的还有另外几个兄弟，就不细说了。

同时他还要对付谁呢？他要对付隆科多和年羹尧。有人说，是不是说差了？不是这两个人帮他登上皇位的吗？是的，这两个人的问题就在这里，他们知道得太多了。有时候在皇帝面前，你什么都不知道你是死罪；有时候，你知道太多你也是死罪。这两个人就是知道得太多了，大家懂我的话吧？所以他必须把这两个人治掉，封掉这两个人的嘴，后来这两个人果然都被治了罪。雍正上任以后很忙活，顾不到那些更小的官员，但是他还是及时把李煦给惩处了，在雍正眼里，李煦特别讨厌，就马上给收拾了——前面讲到过，李煦就是曹寅的姻亲，就是他妻子的哥哥，他的大舅子，就被整治了。当然那个时候曹寅已经去世了，曹家是曹頫在担任江宁织造。李煦被治了以后，在雍正三年的时候，雍正就把曹頫交给了怡亲王看管。怡亲王是谁呢？很有意思，这个怡亲王就是十三阿哥胤祥。雍正当皇帝以后，他只保留自己名字里的胤字，别的兄弟名字里的胤字一律改成允字，所以下面我说十三阿哥的时候，就叫他允祥。允祥是原来在康熙的所有阿哥当中最不得志的一个，怎么不得志呢？大家知道，康熙等儿子们长大了，就纷纷给他们封爵，这很正常吧？不能只是说老二是个太子，其他的怎么算呢？就分别把他们封为亲王、郡王、贝勒、贝子，等等。很奇怪的是，他两次封爵，第一次允祥年纪还小，没封上，倒还好解释；第二次允祥下面那个弟弟都封上了，允祥就愣没封，在康熙死以前，惟一没有被封爵位的成年的儿子就是允祥一个。这允祥就愣没封他，为什么没封他？经过后来一些分析，我们可以得出这样的猜测：上一讲我讲到的帐殿夜警大家还记得吧？帐殿夜警，康熙皇帝觉得有人从他的营帐外面裂缝向内窥视，这是有人告密的，谁告的密呢？实际上是两个人：一个是大阿哥，但是大阿哥后来败露了，上一讲我说到了，大阿哥他用镇物来魇太子，这个事被查出来，大阿哥就被圈禁了；还有一个告密者，很可能就是这个允祥，就是他。但是这个事康熙后来不好对别人说，当然康熙也希望从他那里得到情报，不能说他做错了什么，但是，告密兄长这种行为，又让康熙觉得并不值得褒奖；况且后来一度康熙又发现太子是被魇了，是冤枉的，所以康熙心里就不喜欢十三阿哥了。康熙的表达方式之一，就是始终不封他爵位，他就成了一个很尴尬的人物，他跟其他那些兄弟一样，都是皇帝的亲儿子，但是别人都封了这样、那样的爵位，只有他，始终就是一个阿哥的身份，没有任何爵位。可是，雍正一当权，立即封允祥为亲王，最高的爵位，怡亲王，而且对他非常地信任。所以在雍正三年的时候，雍正他腾出手来惩罚曹家，惩罚曹頫，就先把他交给怡亲王去。他跟曹頫说，你别乱找门路了，你有什么事，你就跟一个人说，你就跟怡亲王说，怡亲王他疼爱你，所有事他能帮你解决。雍正当然不是当面说，而是在曹頫的奏折上加的一些批语，大概就是这么个意思，这个就对曹家很不利了，是不是？因为在康熙朝一个最不受宠的阿哥现在成了亲王，曹家的命运掌握在他手里面，这不是什么好事。据说，怡亲王这个人确实还不是特别凶恶，所以对曹家，他也没有添油加醋地帮着雍正立即加以毁灭性打击。

直到雍正五年，雍正才彻底腾出手，这时他把其他的政敌都处理得差不多了，开始处理他不喜欢的官员。他有一个基本原则，凡是当年他父亲喜欢的，他都不喜欢；凡是他父亲不喜欢的，他就偏要喜欢。雍正在这样一个思维的情感支配下，整治了一大批在他父亲那个朝代里面受宠的官员，其中包括曹頫。在雍正五年就把曹家给查抄了。曹頫的罪名，一是他的家仆骚扰驿站，应该是真有这样的事。这种事如果发生在康熙活着的时候，根本就算不上多大的事，那时候曹家有康熙护着，谁敢为这样的事情告曹家？告也告不倒的。曹寅死前，康熙听说他得的是疟疾，立刻让驿站马不停蹄地给他的发小曹寅送特效药金鸡纳霜，只是曹寅自己没运气，药没送到，他就咽气了。那时候康熙自己事情正多，而且非常烦，曹寅死的那一年，也就是康熙对胤礽彻底失望的时候，那一年里他二废太子；但是就在这样的情势下，康熙依然顾念着曹家。曹寅死了，他让曹寅的儿子曹颙接替曹寅当江宁织造，没多久曹颙又死了，他又亲自过问，为已经绝后的曹寅过继了侄子曹頫，还让他当江宁织造。康熙六次南巡，四次住在江宁织造府里，他深知曹家的任上亏空，其实都是因为接驾造成的；但是康熙死了以后，雍正查亏空，就查出曹頫的大亏空，他装傻，曹頫也无从辩白，不能说这亏空其实是您父皇南巡的时候，接驾造成的。雍正六年，雍正就把曹頫逮京问罪，枷号了。虽然在北京也拨了一个很小的院子，一个有十三间半的小院子，应该在崇文门外，一个叫蒜市口的地方，给他们家住，但是曹頫被"枷号"。"枷号"就是每天得上班，上班干什么？就是戴上大的木枷，甚至上面有的时候还有铁包的边，或者是铁木结合的东西，戴着以后在街上站着，站着干什么呢？你还不能不出声，要不断地喊，我有罪，我有罪；你有什么罪，你得跟过路人说清楚，很惨，就是当街示众。曹頫是这样一种很悲惨的境遇。

但是，在《红楼梦》里面，我们仔细阅读《红楼梦》就发现，雍正朝曹家的某些情况，在《红楼梦》里面是很少被写到的，即便是从生活的原生态上升为艺术的情景也都比较少。曹雪芹他好像不太愿意写这一段，他重点写的是乾隆那一朝发生的故事，那一朝上层的政治权力斗争就更多地折射到了《红楼梦》的文字里面。我自己在探寻秦可卿原型之旅当中得到很多乐趣，我愿意把我的乐趣拿来和大家分享。所以说，我不想简单地马上告诉你这个所谓原型是谁，我恳请大家跟我一起继续我们兴味盎然的探索原型之历史旅行。

黛玉扔珠

都道是金玉良姻，
俺只念木石前盟。

空对着，山中高士晶莹雪；
终不忘，世外仙姝寂寞林。

叹人间，美中不足今方信。

纵然是齐眉举案，到底意难平。

日月双悬之谜

我们仔细地阅读《红楼梦》就发现，雍正朝曹家的某些情况，在《红楼梦》里面是很少被写到的，即便是从生活的原生态上升为艺术的情景也都比较少，曹雪芹好像他不太愿意写这一段。他重点写的是乾隆那一朝发生的故事，那一朝上层的政治权力斗争就更多地折射到了《红楼梦》的文字里面，这是我这一讲所要重点跟大家报告的。

那么《红楼梦》第四十回，有半回叫做"金鸳鸯三宣牙牌令"，写贾母她们女眷在一起打牙牌，由鸳鸯担任一个报出她们手中凑出的牙牌牌名的角色。这一段情节有的读者不太喜欢，说我又不会打牙牌，曹雪芹写这些干什么呀？其实，这段文字很重要，我解释给你听。

那么她们的牙牌游戏就开始了，首先由贾母摸牌，先是贾母亮明一张牌，鸳鸯让贾母说一句韵语——她们的玩法就是你亮出牌以后，鸳鸯报牌名，你跟上去说一句押韵的话，于是贾母就说了一句"头上有青天"。贾母为什么说这句话？就是因为雍正突然死亡、乾隆继位，乾隆是一个大政治家，他吸取他祖父和他父亲实施统治的经验教训，觉得他父亲和他祖父这两朝所留下的政治伤痕太深了，首先是皇族内部内斗形成的伤痕太深，所以他就实行了一个叫做"亲亲睦族"的政策。亲亲，第一个亲是动词，第二个亲是名词，意思就是，凡我皇族，大家都要团结起来，过去的恩怨，咱们一笔勾销，咱们重新开始过一种团结的共同支撑我们大清王朝的政治生活。而且他身体力行，他把雍正治过罪的那些皇族的成员，圈禁的，就把他释放出来；如果死掉了，他就善待他们的儿孙，又恢复一些爵位给他的后代。他做了很多这种事情。对于那些因为皇族内部斗争、权力更迭，犯了罪的这些官员，只要你不是真正地来反对清朝统治的，而是因为什么亏空问题或其他一些问题，我都予以赦免，一风吹。所以在乾隆元年的时候，曹雪芹他们家就碰到了一个"头上有青天"的情况，贾母对当时的那个皇帝是满意的。

当然，《红楼梦》里面所写的皇帝，是个模糊的形象，书里的皇帝上头还有个太上皇。其实在真实的生活里，在曹雪芹去世以前，清朝从努尔哈赤算起，一直都没出现过太上皇；清朝的太上皇的出现，是在曹雪芹去世很久以后，乾隆他实行了所谓内禅，把皇位给了嘉庆，自己当了太上皇。曹雪芹不可能，也没必要，去预见或假设有这么种情况。这就说明，曹雪芹他写书，虽然从生活真实出发，但他又是有艺术虚构的，他不想把书里的故事背景一语道破，但他又处处照顾到真实的社会背景，于是他就使用了许多巧妙的办法，说当今皇帝上面还有太上皇，我觉得他那是把康熙、雍正、乾隆三个皇帝合并在一起写。太上皇有隐喻康熙的意思，而书里元妃省亲以后的皇帝，所谓"当今"，则是指乾隆，至于雍正，他就体现得格外含混。贾母用"头上有青天"颂圣，所称颂的就是乾隆，乾隆的怀柔政策给现实生活中的曹家，带来了新的生机；贾母的原型李氏是真心实意地感恩戴德，化为书中的角色贾母，她在这时候就说了这样一句话。

说到这儿，我觉得还要把一个辈分问题给大家再捋一遍，大家头脑就更清楚了。清朝这三个皇帝里，康熙对应于曹家是哪一辈呢？是曹寅这一辈，投射到《红楼梦》这个书里面是哪一辈呢？就是贾母这一辈；下一辈，雍正这一辈的，就应该是曹寅的儿子，曹顒很快死了，就是曹頫，投射到《红楼梦》里面就是贾赦、贾政、贾敬这些人，他们是一辈的；然后就是第三辈，第三辈在王室当中那就是乾隆皇帝，与乾隆皇帝相对应的曹家的同辈人，就应该是曹雪芹这一辈，他们是一辈人，投射到《红楼梦》里面，就是那些玉字辈的人，贾珍、贾琏、贾宝玉等。它是这样一个对应关系。

所以贾母说"头上有青天"，就是因为在乾隆这一朝，曹家的情况得到了大大的缓解，这是有档案可查的。当时曹頫的那些所谓欠款、欠银就一风吹了，曹頫又重新回到内务府，投射到《红楼梦》小说里面就是贾政这样的人，又当上官了，虽然这个官不是很高，但是也还过得去，当了一个员外郎，是吧？所以贾母说"头上有青天"，其实就是从现实生活中的曹家来说，或者从《红楼梦》中的贾家来说，他们对皇帝是愿意效忠的，是很感激的。这是实事求是的反映、描写。

当然贾母说后几张牌的时候，她说的韵语也都很有意思，她说"六桥梅花香彻骨"，实际上也是讲，我们曹家，在小说里面当然就是讲的四大家族了——首先是史家和贾家,终于熬过了那个最困难的严冬,梅花开放了,是吧,获得了一个比较好的情景。而且她继续颂圣,叫"一轮红日出云霄",贾母对这个小说里面的当今皇帝,实际上也就是现实生活当中的那个乾隆皇帝,她是愿意一而再再而三地表达感激之情的。可是呢,整个牌凑成一副以后,这个牌名并不好,这就是曹雪芹精心的艺术构思了。他偏这么构思。鸳鸯就告诉贾母了,说您这副牌——那个牙牌打法是三张牌凑一副——说您这三张凑一副,"凑成便是个蓬头鬼";没想到这么三张引出感恩颂圣的牌,凑成了以后竟不是什么好的名称,是一个蓬头鬼。那个贾母也很聪明,她就说了一句,"这鬼抱住钟馗腿"。这是非常高妙的一种艺术构思,这就是曹雪芹他把生活提升为艺术的能耐了。钟馗,大家知道钟馗是专门打鬼的,他就写出一个微妙的形势,贾母一方面觉得钟馗会保护自己,是不是啊?可是鬼是不是立即被打掉了?又不是,这鬼没有被立即打掉,鬼又抱住了钟馗的腿。就是说当时贾家的局面是既碰到了困难,又有人保护,但是这个保护又不一定能够进行到底,所以究竟是钟馗把鬼打了,还是鬼抱住钟馗腿,把钟馗拖了一个马趴,还说不清楚呢,是不是?这很巧妙,所以他这些牌令词不是说在那儿随便写的,他写的时候是很动脑筋的。作者如此苦心,"十年辛苦不寻常",咱们读《红楼梦》,千万也辛苦一点、仔细一点,这才能读出味来,是不是?就好像我前几讲讲的枫露茶,三四道才出色,刚沏出来立刻喝,那不好喝,滗了三四道水,再沏出来,您再喝,那味就好了。这是贾母的令词。

但是等到史湘云接着来摸牌的时候,情况就发生了一个变化,这时候就出现了一句惊心动魄的话。请在座的每一位朋友跟我一起来深思这句牌令词意味着什么?史湘云就突然说了一句叫做"双悬日月照乾坤",什么意思啊?按封建社会当时那样一个统治思想,是不能够有日月双悬的,天无二日嘛!虽然不是一个另外的太阳,但是你是一个月亮，你跟太阳平起平坐地悬在天上，这还得了？这本来是李白的一句诗，李白的那句诗它所说的是唐玄宗在安史之乱的时候，匆忙地逃往四川，他当时还是皇帝，很狼狈，半道上三军哗变，他不得不把他心爱的宰相杨国忠杀掉了，杀掉了宰相还不行，人家说宰相的妹妹还在你身边呢，他就只好劝杨贵妃——杨国忠的妹妹自尽，杨贵妃也没有办法，就只好自尽死掉了；而这个时候，他的儿子就在另外一个地方宣布自己当皇帝了。他还没有退位，另一个皇帝又产生了。于是，李白当时有一句诗叫做"双悬日月照乾坤"。史湘云引用这句诗就意味着在乾隆朝的时候，在现实生活当中的曹家的头上出现了日月双悬的情况，这个情况反映到书里面，曹雪芹就通过"金鸳鸯三宣牙牌令"，通过史湘云，把它惊心动魄地宣示出来。书里的贾家别看在那里吃喝玩乐，他们头顶上，有两个司令部呢，他们究竟还能玩多久，取决于那两个司令部到头来谁吞下谁啊。

有朋友就可能会这么问我了，说日月双悬，这时候怎么日月双悬？康熙死了，雍正也死了，乾隆也当皇帝了，当稳了，怎么日月双悬？那个月亮是谁？"日"当然是乾隆了，"月"是谁啊？有没有月？有月啊！好大一个月亮！他是谁？

大家知道，太子胤礽曾经是康熙钟爱的儿子，上一讲讲了半天，大家应该印象还很深刻。康熙很早就为太子完婚，太子后来身边也有很多女人，生育能力也很强。康熙的第一个皇子是他十三岁生的，他超级早婚早育，太子生育也早，生了很多个儿子。太子所生的第一个儿子也夭折了，第二个儿子就等于是第一个儿子，这个儿子叫什么呢？这个儿子叫弘晳，大家知道乾隆的名字叫弘历，他们是"弘"字辈的，是一辈人。弘晳他年龄很大，因为康熙生殖能力太强了，康熙的最后一个儿子，比他前面的儿子生的儿子再生的儿子还小，他生殖能力太强。所以单从年龄上看你觉得有点混乱，但是从辈分上是一丝不乱的。这个弘皙年龄很大，在一废太子的时候他已经大约十五岁了，已经是一个很成熟的人了。弘皙是在康熙眼皮下面长大的，他的父亲第二次被废掉的时候，他已经十八岁了，而且他就已经结婚了，他也生了儿子了，他又给康熙生了嫡传的重孙子，叫永琛。有名有姓的，到那一辈上就都是"永"字辈，到了嘉庆那辈都是"永"字辈，嘉庆当皇帝以后，才把自己名字里的"永"改成了"颙"。在二废太子之后，当时究竟朝野反应怎么样呢？你现在查那个康熙、雍正朝的文献，你会发现很少这方面的记载，它们基本都被删除了，但是好在，我上一讲引用过，我们有一个邻国是朝鲜，他们的历史上仍然有相关记载。在这个朝鲜的《李朝实录》上有什么记载呢？有以下一些记载，比如说第一，在二废太子之后，虽然胤礽本人确实让康熙伤心了，觉得不能让他继承皇位了，但是胤礽的儿子弘皙是嫡长孙，康熙非常喜欢，因此康熙仍然在考虑要把皇位传给嫡系的，如果儿子不行，可能就传给孙子，而且这个孙子不是一个幼儿，已经是一个文武全才的青年了。而且《李朝实录》还记载，康熙后来一下子就病死了，雍正继位了，康熙在临死的时候有遗言，两条，一条就是说废太子这个人确实是以后不能够再让他在政治上有所作为，要永远地把他关起来，但是要"丰其衣食"；另外，就是说他自己的嫡长孙弘皙，要立即封为亲王。《李朝实录》里面有这样的记载，即便所记载的跟历史事实有所出入，也仍然说明在当时那个情况下，弘皙是一个举足轻重的人物。虽然他的父亲被废掉了，但是他仍然得到皇祖父的喜爱，他是清皇室真正的嫡传血脉。所以说，在乾隆朝的时候，乾隆万万没有想到，出现了一个强劲的政敌，就是这个弘皙，就是他的堂兄。

乾隆年纪小，一废太子的时候，乾隆还没出生；二废太子的时候，乾隆还是个婴孩，还很小，还不懂事。所以最初他小看了这个堂兄弘皙，他万没想到，在他登基以后，弘皙很快地膨胀了自己的政治势力，成为了他的一个强劲对手。如果乾隆他是太阳的话，弘晳就被人们认为是月亮，这个你一点也不要觉得奇怪。首先这个情况从清朝的史料上可以得到很多印证，我这个论断是有论据支撑的。因为雍正当时也小看了弘晳，上一讲我讲过，雍正他坐上皇位之后，他面对的政敌太多了，俗话叫"按下葫芦起了瓢"，是不是啊？他忙不过来，而且也确实好像是康熙有过这样的意思，就是一定要善待弘晳，因为他已经是死老虎了。他父亲在雍正二年就死掉了，也就是在雍正登基不久，原来那个太子就死掉了。雍正一想，弘晳又隔了一代了，而且当时弘晳可能表面上也很谦恭老实，也没露出毒牙，所以雍正就放了他一马。既然父亲说了封他为亲王，那就封吧，果然雍正就封了弘晳为理亲王，先是郡王，后来就是亲王。弘晳当然还是个敏感人物，所以说不能够让他在紫禁城里居住，或者给他一个大的王府，在北京城里、市区让他居住，那都不大安全，那么把他安排到什么地方呢？安排到昌平的郑家庄。现在你到昌平去，还有一个地名叫郑各庄，应该就是那儿，雍正把弘晳安排在那儿，在那儿盖了一个很大的王府。有人说，能有多大啊？很大，这个是有确凿史料可查的。

125

其实康熙生前，就开始做这件事，康熙当时主要还不是要把弘晳挪过去，因为当时废太子还活着嘛。废太子在被圈起来以后，开头是软禁在紫禁城里面一个叫咸安宫的地方，康熙觉得这早晚是个事，有这么一个人，被废掉的，在紫禁城里面住，不安全，但是他又是自己的骨肉——康熙这个人也有他注重骨肉感情的一面，所以他就说，那就在郊区给他盖一个大的王府，便于把他看管起来。而且又是一种柔情看管，说就干脆盖在我每次木兰秋狝路过的路线上的那么一个地方，把我的行宫也跟他的那个王府盖在一起。康熙有这么一个设想，后来就予以落实。昌平的郑家庄建成的房屋情况是这样的，行宫里面是大院套小院子，大小房屋是二百九十间，游廊是九十六间；给当时的胤礽盖了一个王府，是大小房屋一百八十九间，这个待遇还是比较高的，是吧？为了供应这个行宫和这个王府，在周围又盖了比如饭房、茶房、兵丁住房、铺房等等，有多少间呢？有一千九百七十三间。整个规模怎么样？大家想一想，相当大的一个规模。经过岁月的洗刷，这些建筑物如今都很难寻觅了，但有人在现在昌平郑各庄发现了一种很特殊的铜井，非同寻常的水井，那应该就是当年理亲王府的残存痕迹。在雍正朝的时候，雍正二年不是废太子死掉了吗？雍正就把弘晳作为一个亲王，安排到了郑家庄居住。这对弘晳来说，既有坏处又有好处，坏处就是还是有点遭贬斥，虽然我是一个亲王，一般亲王王府都应该在城里面，可是我却被发配到北郊很远的地方；好处呢，就是不管你怎么看管，这比在政治中心里面还是要松弛一些，我就可以另打主意了。而弘晳果然另打主意了。

还是回到"金鸳鸯三宣牙牌令"。你看，这"三宣牙牌令"多有意思啊！光这么一句话，就可以一下子——所谓"一树千枝"——一下子可以长成这么一棵枝叶繁茂的大树，说出这么多有趣的事情来。史湘云就点出来了，小说所反映的时代，它的时代背景、政治背景就是日月双悬照乾坤。当时"日"就是乾隆皇帝，他已经继承了王位，当了皇帝了。但是他的一个堂兄，废太子的这个儿子弘晳，却在郑家庄也做着皇帝梦，而且还有很多很实际的谋取皇权的阴谋活动。在现实生活当中，对曹家他们这种大家族来说，对这种情况一定都门儿清；底层老百姓可能糊涂，曹家不糊涂，也不能糊涂，因为他们必须随时搞清楚政治形势，从积极的角度说是为了获取更多实际利益，从消极角度说是为了避免遭受打击。现实生活中的情况折射到小说里，就是贾母她们心里都明白，史湘云就说出来了：双悬日月照乾坤。

下面有的朋友可能还希望我提供更坚实的论据，怎么见得人家弘晳就要夺权啊？就要谋取皇位啊？乾隆后来说的。我底下不引别人的话，那乾隆说了还有错吗？乾隆怎么说呢？乾隆后来就说，弘晳"擅敢仿照国制，设立会计、掌仪等七司"。就是只有皇帝才能有这样一些机构，掌仪司就是皇帝出行仪仗，仪仗队怎么来设置，怎么铺地毯，两边怎么挡帷幕；会计司更不消说了，帮皇帝管国库的；另外还有五司，一共有七司。哎，弘晳幸而他正好远在郑家庄，不在城里面，在城里头可能还麻烦了。郑家庄，刚才我已经说了房子数目给你听了，很多，足够他设立自己的行政机构，对不对呀？弘晳就在那儿自己当起了皇帝了，给自己设立了七司了，他已经做起皇帝来了。乾隆比他小，一开头没在意，没有盯牢他，后来乾隆长大掌权了，又成为一个大政治家了，就明白了。在现在的清朝史料里面，明明白白留下乾隆这样的话，乾隆说弘晳"自以为旧日东宫之嫡子，居心甚不可问"。乾隆这才意识到，他自己血脉上甚至还敌不过弘晳。按封建社会那个宗法思想，伦常排序，嫡庶之分，他是一个庶出的雍正的儿子，而弘晳呢，是康熙的皇后生的儿子的大老婆生下的儿子，而且是成活的一个嫡长子，就是说弘晳是康熙正根正苗的嫡长孙，是不是啊？所以后来乾隆恍然大悟，哎呀，没把这个人防范好，闹半天，他"自以为旧日东宫之嫡子"。而且后来乾隆发现，最让他伤心的是，皇族里面很多人都是这个思想，包括他父亲善待过的那些贵族，那些亲信，都还有这样的思想，就是他们心里头总嘀咕，谁应该当皇帝啊？自然先问康熙皇帝他的嫡子是谁啊，他嫡子坏了事，死了，那么他嫡子还有没有嫡子啊？有，而且又是康熙看着长大的，又并没有坏事，康熙也没说他不好，甚至还常夸他，他还又为康熙生下了嫡重孙，好旺的正宗皇家血脉啊！那么，他不就应该当皇帝吗？很多人都有这种想法，所以乾隆后来就警惕起来。一开头他大意了，结果有一段时间就是"双悬日月照乾坤"。在《红楼梦》第四十回"金鸳鸯三宣牙牌令"中，就惊心动魄地宣示了《红楼梦》这本书它整个的政治背景是"日月双悬",最后鹿死月手还是日手,至少到书中第四十回的时候,还尚未可定。

所以史湘云后来这个牙牌令令词一句比一句恐怖,叫做"闲花落地听无声"。在那个时候,这种斗争还是暗斗,在乾隆元年的时候还是暗斗,到乾隆四年的时候才变成一次大决斗,才变成明争。所以这个时候暗地较劲,叫做"闲花落地听无声"。据史料记载,弘晳曾给乾隆送寿礼,礼物里有一件明黄色肩舆,就是抬着走的躺椅,那东西的颜色是只有皇帝才能使用的;弘晳这样做就是一种挑衅,因为没有皇帝本人的命令,任何人都是不可以擅自制作这种颜色的用具的,但弘晳他就制作了,拿到你乾隆眼前了,看你怎么办?乾隆确实难办,如果说我就是要用这个东西,也该我自己叫人制作去,你不可以越过我让人去制作,你这是僭越妄为。可是人家又送过来,当作寿礼,表面上是好意,但若是收下,那么就等于开了个头,以后谁都可以随便去制作这种颜色的东西了。这件事情不大,"闲花落地",当时在朝廷里也没引起什么响动,"听无声",但其实是弘晳向乾隆发起的一次心理战。乾隆当时不动声色,只是说这肩舆不要,拿回去;但拿回去以后,弘晳就自己拿来用了,他就坐着只有皇帝才能使用的颜色的肩抬躺椅,过来过去的了。乾隆后来说起这件事还非常愤懑,但当时还是暗斗,没有撕破脸决一雌雄。

"日月双悬"的政治形势下,当时官僚阶层呈现的状态比较复杂,史湘云又说了一句牌令词,叫做"日边红杏倚云栽",意思是也有的人会依靠日这个力量,从而得势。但是你要小心,紧接着,史湘云又说出一句来,和"双悬日月照乾坤"一样让你心跳,叫做"御园却被鸟衔出",这句话很妙啊!御园,大家去过紫禁城的御花园吧?那么大一个大花园子,你可要小心,你防这个防那个,一只鸟就可能把你衔走啊，厉害不厉害啊？当然，这句话，一般可以理解为鸟儿飞进御园里，衔出了里面樱桃树上的樱桃。书里写史湘云的那副牌，凑成以后是"樱桃九熟"，牌相是三张牌九个红点，满堂红。鸳鸯报出"樱桃九熟"的牌名后，史湘云接着就说"御园却被鸟衔出"，意味着御园里所有的樱桃，所有的精华，实际上也就是御园的全部价值，都会被外来力量夺取走。简单来说，就是有一种潜在的夺权力量正在虎视眈眈，御园有可能被鸟就衔出去了，别看表面是"闲花落地听无声"。所以史湘云的这个令词也很可怕，预告了很多东西。

在"金鸳鸯三宣牙牌令"这一段文字里，不仅贾母和史湘云的牌令词隐含着这样的喻意，像薛姨妈说"梅花朵朵风前舞"，薛宝钗说"处处风波处处愁"，林黛玉说"双瞻玉座引朝仪"等等，也都不是随便那么一写，都有类似的意思在里面。

129

当然曹雪芹他写作从来都不会是写一笔就单纯地表达一个简单的意思，他总是一笔多用。后来有一个人叫做戚蓼生的，他给前八十回本的一种古本《红楼梦》作序，他就概括曹雪芹的艺术手法叫做"一声而两歌，一手而二牍"。意思就是说一个嗓子能唱出两首歌来，一只手能写出两封信来，他是在形容曹雪芹文笔的高妙，又叫做"一击两鸣，一石三鸟"。在这个地方实际上是一石三鸟，他写"金鸳鸯三宣牙牌令"，向读者揭示了小说里的贾家所面临的那种复杂的"双悬日月照乾坤"的政治形势；后来又通过林黛玉说了几句牙牌令，结果把《牡丹亭》《西厢记》里面的词说出来了，被薛宝钗逮到了小辫子——所以，这一段描写也是为后面的情节，为钗黛之间的矛盾冲突做铺垫的；同时又让刘姥姥说了一些很滑稽的话，特别最后一句，说"花儿落了结个大倭瓜"，结果下一回就表现所有贾府的这些太太小姐们都笑做一团，显示出文化差异所引起的情绪震荡。所以曹雪芹确实很厉害，叫做"一石三鸟"。

通过"金鸳鸯三宣牙牌令"，我们就知道，在《红楼梦》里面，实际上月亮是有特殊的寓意的，喻谁的？就是喻废太子以及他的儿子，更具体地说，是弘皙的一个代号，是隐藏在《红楼梦》文本后面的，构成曹雪芹写作的重大政治背景的一个人物的代号。

月喻太子，例子太多了，不仅仅是"金鸳鸯三宣牙牌令"。再细解释一下，我说月喻太子，完整的意思是，《红楼梦》里许多地方所出现的关于月亮的文字，都是在明喻或暗喻或借喻义忠亲王老千岁及其残余势力。就其生活原型而言，不仅包括胤礽，也包括弘皙，"太子"是一个复合的概念。

好，我们就来看还有哪些月喻太子的例子。我们一翻开《红楼梦》，第一回，就发现有个人物贾雨村出来了，这个贾雨村在第一回里面就有口号一绝，脂砚斋还特别指出来，说《红楼梦》"用中秋诗起，用中秋诗收"。因为她看过曹雪芹写的完整的《红楼梦》的书稿，第一回就是写中秋节，然后就有一首诗出现了，就是贾雨村的口号一绝，就是说月亮的。她告诉我们在《红楼梦》的最后一回，也会有一首诗，也是中秋诗，最后来收尾，来了结《红楼梦》，脂砚斋透露曹雪芹的写法是这样的。贾雨村的口号一绝说什么呢？"时逢三五便团圆，满把晴光护玉栏。天上一轮才捧出，人间万姓仰头看。"后两句这个场景太夸张了，这不就是皇帝出来了吗？是不是啊？"天上一轮才捧出，人间万姓仰头看"，干吗呢？说是写一个中秋的月景，实际上这首诗里面隐伏着一种政治情势，就是在"双悬日月照乾坤"的情况下，月亮已经非常地膨胀了。这首诗这样解释你可能觉得还是有点牵强，觉得用这么一首诗你说服不了我。好，咱们再来几首。

咱们知道在第四十八回，就写到有一个美丽的姑娘她要学着做诗，这个姑娘是谁呢？就是香菱，就是甄士隐的女儿。香菱前后写了三首诗，一首比一首好。第一首，林黛玉看了觉得简直是门外汉，不行，但是在这首里面就有一句，叫做"月挂中天夜色寒"，就是当时月亮的情形不是很妙，当时它虽然挂在中天了，但是夜色还寒，离月亮真正得势看来还要有一段距离才行。第二首，她写了，最后薛宝钗就说你这个不符合题目了，题目让你写月，结果你写月色了，但是这一首里面也有一句值得玩味，叫做"余容犹可隔帘看"。当时弘晳是被安排到昌平郑家庄去居住的，开头他本是被雍正安排去的，雍正死了以后，乾隆后来对他有所觉察了。弘晳他虽然被边缘化了，可是很多贵族家庭还是知道他是有势力的，特别是心里都觉得他是康熙皇帝的嫡长子的嫡长子，他是康熙皇帝的嫡长孙，所以叫做，虽然只剩下"余容"，但是"犹可隔帘看"，他还存在。到第三首，就是最后所有的人都觉得好，林黛玉、薛宝钗、李纨都说这首写得好，说明香菱终于修炼成一个诗人了。这一首被认为最好的诗里面有一句，就更惊心动魄，叫做"精华欲掩料应难"，就是说月亮这个精华，你要想把它掩盖，但告诉你，到目前为止你也难了。这月亮就要成事了，对月亮充满了期待。恐怕又有人说，说香菱这个诗，你是不是还是太牵强了？我原来读《红楼梦》哪觉得有这个含义，你是不是太耸人听闻了呀，是那么回事吗？对此我个人仍然坚持我的观点，就是那么一回事。

还有例子。大家知道，已经到了很后面了，到了第七十六回了，过中秋节，又过中秋节，林黛玉和史湘云在凹晶馆联诗，记得这个情节吧？那些诗你一句一句推敲过吗？又摇头，又不推敲。读《红楼梦》这些诗可千万不能放过，请您跟我一起细加推敲，推敲它乐趣无穷。你的感想、你的看法可能跟我全然不同，但是咱们在共同地读《红楼梦》，探索这些诗句背后的含义的时候，不是会得到很大的乐趣吗？是不是？我觉得这是很重要的。

林黛玉、史湘云就联诗了，联诗里面有很多句都是非常值得我们注意的，当然整个这个诗，因为是中秋节做诗，几乎都跟月亮有关，但是其中有些句子还是越想越惊心动魄。比如有这样一些句子，叫做"宝婺情孤洁，银蟾气吐吞"，这两句还好，意思就是说，宝婺，它指的也是天上的星辰，它的处境是孤独的，但是它很纯洁，实际上也是在指月亮；"银蟾气吐吞"，银，就是月亮是银色的，里面有蟾在那儿吐气。"药经灵兔捣，人向广寒奔"，月亮里面不是有一个兔子在捣药吗？她们两个就联诗说，人在这个时候一看月亮就想往广寒宫奔去，要投奔那个地方，里面那个宫殿，嫦娥住的宫殿叫广寒宫，"人向广寒奔"。有人可能会说，"人向广寒奔"的"人"就是说的"嫦娥"，因此这里面也许并没有你说的那么些深意。是的，这四句虽然是说月亮，但是好像还不算厉害，就是一般地形容一下景象罢了。那么我们再往下看。

底下几句叫做"犯斗邀牛女，乘槎待帝孙"。这两句可就不得了了，斗就是指的天上的北斗，北斗星。犯斗，一个星去侵犯另外一个星叫做犯，"犯斗邀牛女"，这个诗意它在模糊当中表达出很强的一种紧张的气氛。这句倒也罢了，底下还有三句，现在我告诉你，在有的古本《红楼梦》里面，底下我说的三句也被抄书人可能读出其中的味道了，由于害怕，就给删去了，所以不是每一个古本里面都保留了以下三句，因为以下三句用今天的话说就是太露骨了。底下几句是什么呢？一句叫做"乘槎待帝孙"，"槎"就是那个木筏子；"乘槎"，过去认为天上有天河，所以槎也可以在天河里面运行。坐上这个木筏子在天河里面运行，在等待谁的降临呢？等待帝孙，帝孙虽然是指的星辰，过去把织女星叫做帝孙，但是在这里它分明指的就是康熙的孙子。因为在乾隆朝所有人都知道，帝孙这个字眼指的就是弘皙，没有别人。他是康熙皇帝的嫡长孙，简称帝孙，别的庶出的都不能这么称呼。于是在凹晶馆联诗里面居然就出现了这种句子，要"乘槎待帝孙"，一些人就希望他成事，希望他最后是"天上一轮才捧出，人间万姓仰头看"。这是不是很惊心动魄啊？下面可能还有人不服气,说你是不是太敏感了?哎呀不是我敏感,谁敏感啊?是高鹗敏感,高鹗、程伟元敏感。高鹗、程伟元他们得到的那个古本里面是有这一句的,但是他们一看,"乘槎待帝孙",哎哟,咱别惹祸啊,赶紧把这个"待"字涂掉了,改成了"访"。所以你在通行本里面就可以看到,高鹗他们改成了什么呢?他不但续后四十回,他还改前八十回,他就把"乘槎待帝孙",改成了"访帝孙",一待一访,意思就完全不一样了。"待帝孙"就是你对一种力量有所期待,你希望他能解救自己,是盼望救星的意思,等待他成功的意思;"访帝孙"就是去做一趟客,做一次友好访问,就大不一样了。所以你说谁敏感啊?二百多年前那个姓高的他比我敏感,赶紧改了。

还有两句叫做:"虚盈轮莫定,晦朔魄空存。"就是说有人说了,月有阴晴圆缺嘛,月亮,有的时候它就会变成一个月牙,有时候是一个满月,有时候它是虚的,有时候它是盈的、充满的;月亮嘛,可以说是不稳定的,他们也注意到这一点,这个力量确实是时而显得很强大,时而显得很虚弱。但是,下面一句明确地宣示了他们的一个信念,叫做"晦朔魄空存"。在它完全变黑的时候和它完全变亮的时候都只是它的表象,明白吧?不要看表面的变化,无论怎样,它的实体,它的魄,是在天空当中稳定地存在的呀!这个联诗当中就联出了这样的句子,难道是偶然的吗?难道我认为在《红楼梦》的文本里面月喻太子,是完全没有道理的吗?

也有人可能会说了,你光是引诗,你能不能举出点情节的例子让我听听啊,是不是?在《红楼梦》的描写当中有没有暗示现实生活当中的曹家,升华为艺术当中的贾家以后,去支应潜在的政治集团的事情呢?有没有这种情节啊?如果你读得仔细的话,是有的。在第二十八回,突然插进一个很小的情节,很多人都不注意,但是我提醒你注意,就是贾宝玉匆匆忙忙跑过凤姐的院子,凤姐说你

133

来，你给我写几个字，有没有这么个情节啊？是吧？贾宝玉说写什么字啊？凤姐说，你甭管了，你就给我写。写的什么字？叫做"大红妆缎四十匹，蟒缎四十匹。上用纱各色一百匹，金项圈四个"，多不多啊？这东西不少啊，是不是啊？也很贵重啊。贾宝玉就问，"这算什么？又不是账，又不是礼物，怎么个写法？"凤姐说，"你只管写，横竖我自己明白罢了。"大家知道，凤姐平常写字、算账，她是有一个可供支使的人的，叫什么呀？叫彩明，记不记得这个人啊？彩明不是一个丫头啊，彩明是一个童子，是一个小男孩，但是有文化，会算术，一般的这种事情凤姐都是让彩明来做。但是在做这件事的时候，凤姐就没有叫彩明，而是找她最亲近的人，找贾宝玉来做这件事。她知道贾宝玉是个不问政治的人，贾宝玉根本就不耐烦，正合适，贾宝玉写完就忘了，太好了。凤姐要把这些东西往哪里送？有人说她送给元春的，人家这个贾家的大小姐在皇宫里面是贵妃啊，是不是？她送给元春，她要开一个单子，她需要贾宝玉这么秘密地来开吗？她让彩明开不就完了吗？而且她为什么不回答贾宝玉呢？你就跟贾宝玉说不就得了吗？凤姐说，这事横竖我明白就行了，我明白就罢了，怪不怪啊？而且底下，凤姐还有很多蹊跷的事情。到第七十二回，那一回里面凤姐讲她做了一个梦，叫梦中夺锦。她说突然来了一个人，看着很面善，仔细想又想不起是谁，来要一百匹锦，于是凤姐就问他，那个人说娘娘要一百匹锦，凤姐问他，是哪一位娘娘啊？结果那个人说的又不是咱们家的娘娘。有这个情节，是不是啊？当时王熙凤作为一个当家人，她所要支应的，要对付的不仅仅是一个太阳，她还要应付月亮那边呢，应付月亮那边只能采取这种办法，不能太明白地去应付，知道吧？

所以你看这些地方都说明，在康、雍、乾三朝，当时的政治形势影响了曹家，曹雪芹这个作者又把乾隆初期复杂的政治情势，和自己家族的命运，巧妙地投射到了《红楼梦》的文本当中，留下了诸多的蛛丝马迹；而且有的已经不是蛛丝，已经不是马迹，留下的痕迹已经是非常清晰了，这就是这一讲我所要强调的。请你注意"双悬日月照乾坤"！也可能有朋友就着急了，说您看您说了半天还没告诉我们，秦可卿的原型究竟是谁呢？关于这个，请听下回分解。

蒋玉菡之谜

有的红迷朋友问我，你为什么总讲些过场戏啊，你讲的那些情节，往往是在看书的时候，我匆匆翻过去的，有的地方简直就直接跳过去，不看那个，看下头，看贾宝玉跟林黛玉又怎么样了，关心的是究竟贾宝玉后来娶了谁，他怎么当的和尚，总之，关心的是《红楼梦》里的主要人物，主要情节，大主干，大脉络。各人有各人的读书角度，读书习惯，您那么读《红楼梦》，我觉得也是一种读法，我也很尊重，说真的我一点也不想干预，更谈不到批评了。我只不过是想告诉您，我有我的读法，您可听可不听，如果您听了两耳朵，觉得我的读法虽然让您吃惊，但也还有趣；您不赞同，但在多元存在的社会里，我们互相容忍，又从互相容忍，进一步，到互相听听，了解了解跟自己不一样的人与事，不一样的读书方式，不一样的读《红楼梦》的角度，增加些见闻，聊备参考，那不也挺好吗？

其实，我也非常重视《红楼梦》里面的主要人物和主要情节，贾宝玉和林黛玉，他们的爱情，能不重视吗？我从秦可卿入手，并不是光研究这一个人物，我不是搞人物论，不是搞秦可卿的人物专论。我从探究秦可卿的生活原型入手，目的是为了找到一扇窗，一扇门，从那个窗口望进去，从那道门槛跨过去，可以把《红楼梦》的时代背景，把曹雪芹的创作处境和创作心理，更好地把握住。把握住以后，融会贯通，我也就会把比如说您所关心的宝、黛、钗的感情纠葛，金陵十二钗正册中其他各钗，副册、又副册中的那些女性，以及贾府最后的陨灭等等方面，把我对这些的连续性的探究心得，一一表述出来。但是我必须一环一环地进行。现在我还在探究秦可卿的生活原型，而这方面的探究，就必须要涉及到您所说的，书中的若干过场戏。

我的观点是，我们读《红楼梦》，不能够错过它的一些过场戏，《红楼梦》每一回都有主要的情节，那情节基本上在回目上就都点出来了。但在主要情节的发展当中，会有一些过场戏，这些过场戏，早已有红学专家指出，都不是废笔赘文，都是经过精心设计的，都是有着重大意义的。

比如说第二十六回，这一回回目是"蜂腰桥设言传心事 潇湘馆春困发幽情"，很显然，重头戏是表现小红跟贾芸，以及林黛玉跟贾宝玉的爱情纠葛，当然还讲了一些别的事情。但是这里突然出现一个人物，就是冯紫英。大家记得这个人物吧，实际上在这回之前，他的名字已经多次出现了，有关秦可卿得病和丧事的情节里，

137

就多次提到他。我们从脂砚斋批语里可以得知，前面提到过的一些人物名字，虽然只是那么一提，没戏，但在八十回以后，却是要正式出场的，不但有戏，有的可能还有重头戏呢！那么冯紫英这个角色也不仅是被提到，他是会正面出场的，在前八十回里他就正面出场了，第二十六回这个人物就出现了。当时他见到了贾宝玉、薛蟠，然后贾宝玉、薛蟠就问他，说你前一段哪儿去了，冯紫英就说，是随着他的父亲打猎去了。这段文字是不是有的朋友还记得？这段文字值得推敲。他说他是三月二十八日去的，前儿回来的，他是在春天时候去的。打猎的事情，我在前面已经讲过了，就是说康熙朝的时候，康熙特别强调要保持满族的骑射文化传统，强调每年都要进行大规模的围猎活动，这些活动主要是在秋天，前几讲我讲到了木兰秋狝，但是春天有时候也会去打猎。

那么这第二十六回就讲到，神武将军冯唐之子冯紫英来了，为什么提到打猎这个事呢？就是薛蟠和贾宝玉发现他脸上有轻伤，脸上挂彩了，一开头他们以为他打架了，这些贵族公子经常挥拳打架，所以薛蟠就问他，这脸上又和谁挥拳，挂了幌子了？薛蟠自己就爱打架，他们都是一伙的，确实他们也经常打架，那么这个冯紫英就告诉他，说从那一遭把仇都尉的儿子打伤了，我就记得了再不怄气，如何又挥拳？可见他们有一个共同的对头就是仇都尉，仇都尉的儿子他们也认为不是什么好东西，他们打过架，但是自从那次以后，冯紫英说，他就不再那么随便打架了，不再荒唐了，他要做正经事了。那么做了什么正经事呢？冯紫英就说三月二十八去的，前两天回来的，干嘛去了，跟他父亲打围去了，就是打猎去了。地点呢？他也说出来了，是在什么地方呢？这个地点如果你囫囵吞枣那么读下去的话，你也就把它放过了，如果你细心的话，一看眼睛就会一亮，他说是在潢海铁网山上。

潢海铁网山，这个地名在第十三回出现过，你想是不是啊？第十三回秦可卿死了，死了就要找木头做棺材，好埋葬，这个棺材当时要好木头，薛蟠就说，他家里存有一副木头，是樯木，这个樯木就是潢海铁网山出产的。第十三回出现了铁网山的地名，第二十六回又出现，这绝不是偶然的。这在曹雪芹的笔下，是很重要的信息；这对冯紫英来说，那是非常重要的地点。他说是在铁网山上叫兔鹘子捎一翅膀，兔鹘子就是一种鹰，逮兔子的那种鹰，过去有一种鹰叫海东清，专门扑兔子，特别勇猛，又可以叫兔鹘子。那么这个冯紫英就跟他们解释，说脸上轻伤哪儿来的呢？不是挥拳打架来的，是跟我父亲到铁网山打围去了，在那儿为了抓兔子放鹰，那个鹰翅膀那么一扇乎，把我打了一下，出现了轻伤，他这么解释。他为什么要这么解释呢？想必有很多的原因，曹雪芹笔下也写了，贾宝玉跟薛蟠都急着问他，你为什么要去呢？冯紫英在这儿，没有直截了当地把前因后果说出来，但是冯紫英说了一句让人听了心里发痒的话，冯紫英说这次大不幸之中又大幸。这话多有意思啊！大不幸这是一个大前提，他怎么会大不幸呢？光是让兔鹘子捎了一翅膀，只能说是个小不幸；可是大不幸当中又大幸，怎么会又大幸呢？兔鹘子没把他捎得更惨，算是幸运吧，也够不上是什么大不幸中的大幸啊！这话好怪，说得薛蟠和贾宝玉心里痒痒，急着问他怎么回事，他还不说，他都不坐，只说今儿有一件大大要紧的事，回去还要见家父面回。他还说到，他去那个潢海铁网山，是因为他父亲冯唐要求他跟着去，否则他不会寻那个烦恼去；他父亲把他抓得很紧，不嫌烦，春天里就往那么个地方跑，把他弄得也很忙，这不，又等着他回去。这个冯紫英真是忙得很，他都顾不得坐，站着饮了两大海酒，就匆匆离去了。他那么忙，他父亲跟他，显然还有些其他的人，究竟在忙活些什么呢？

这个冯紫英是一个很神秘的人物，而且贾宝玉在对话当中还掐算了一下，说你是三月二十八日去的，哦，怪道前初三四儿我在沈世兄家赴席不见你。沈世兄看来也是和他们来来往往的一伙人里的，贾宝玉到沈世兄家赴席，那个应该是四月初三初四，那么一算，冯紫英去了多久？他说三月二十八日去的，那么在四月初三初四的时候，还见不到他的影儿，起码得有多少天你算算，起码得有一周以上是不是？就算他初五回来了，说明他也得去了一周，其实很可能不止一周。那么铁网山究竟是在一个什么样的位置呢？可以估算出来，应该就在木兰围场的范畴之中。在当时那个交通条件下，打猎时骑着马，去了以后，兜一圈很快再回来，差不多就是这么个时间段。他干嘛去了？这是第二十六回里写的，是个过场戏，但我主张不要放过，要琢磨。那么我说这个干什么呢？就是想告诉大家，在《红楼梦》的文本里面，除了一般读者所感兴趣的爱情描写，以及人与人之间的微妙的心理冲撞描写以外，它也时时地把他们曹家家族所经历的重大的政治斗争、权力斗争的事件，投射到他的作品文字当中。那么这段文字其实就是起这个作用，冯紫英干什么去了？他怎么会大不幸当中又大幸？隔了一回以后，我们就在第二十八回又发现一个情节，这个情节也很重要，冯紫英跟贾宝玉他们，坐在一块儿饮酒作乐。

在第二十七回里面，我们看到一些美丽的场面，贾宝玉和大观园里的一些女儿们在大观园里面举行一个活动。就是那一年的四月二十六日交芒种节，据书中说，当时闺中有一个风俗，她们把这一天当做饯花节，跟花神告别，就是百花开到这个时候，纷纷都要退场了，"开到荼蘼花事了"，最后一种花就是荼蘼花，荼蘼花都谢掉以后，所有春天的花事就都完结了。就在芒种这一天，她们要跟所有的花，跟花神饯行，这一天大观园儿女们就举行了这样的活动。

实际上这一天就应该是贾宝玉的生日。《红楼梦》里面，很多人的生日都是挑明了说，贾母是几月初几，薛宝钗是几月初几，王熙凤又是什么时候过生日，它都有一些很明确的交代，但是贾宝玉哪天过生日,在《红楼梦》的前八十回的文本里面,没有一个明确的交代。可是他又大写"寿怡红群芳开夜宴",这是为什么?这个我们放在以后专门谈贾宝玉时,再去揭秘,现在我先点到为止。我先告诉你第二十八回冯紫英请贾宝玉去赴宴,其实就是给他祝寿,为什么这么说呢?因为那一天跟着贾宝玉去冯紫英家的是谁呢?是四个小厮。贾宝玉小厮很多了,在《红楼梦》里面可以看到很多小厮的名字,其中最主要的那个是叫焙茗的,然后有锄药、扫红、墨雨等等,当然还有其他的一些小厮。这些小厮出现往往不止一次,偏偏在第二十八回,写他去赴宴的时候,多了两个小厮,这两个小厮在这之前和之后都永远不再出现;他们的名字一个叫做双瑞,一个叫双寿,这就暗示是请他去赴寿筵去了,瑞寿嘛。所以像这样一些很精心的文笔,作者既然如此精心地写下来了,我们读的时候也无妨非常细心地去读,体会出其中无穷的奥妙。

那么冯紫英请贾宝玉和薛蟠他们去了以后,他们发现席上出现了两个新人物,一个是蒋玉菡,一个是云儿——一个妓女,几个人聚在一起饮酒。在这个故事情节当中,作者也照应了一下第二十六回,那一回不是冯紫英说这次大不幸中又大幸吗?当时他不告诉薛蟠和贾宝玉,他说改日再说,现在已经改了日子了,也把这两位请到了,这两位就请他说,结果他又说并没有什么事。他说当时为了把你们请过来,我那是一个设辞,就是我故意用一个话头把你们吸引来。作者在第二十六回把这个事情很郑重地提出来,到第二十八回又轻轻抹去,可见作者在写这个情节的过程当中,内心不断地掂掇,我应该怎么写。他没有明白写出,但是又使我们隐隐感觉到话里有话,文章里有文章。这个我在下面还会回过头来跟你解释,为什么是这样的。

且说在这一回里面有一个非常重要的情节,就是贾宝玉和蒋玉菡两个人见面了,认识了,结交了,互换信物了。贾宝玉把自己随身带的扇子上的一个扇坠儿，送给了蒋玉菡，蒋玉菡就把他自己腰上围的一条汗巾子，就是系内裤的腰带解下来，送给了贾宝玉。而且他还交代得很清楚，这条腰带是谁送给他的呢？是北静王送给他的，北静王把这条大血红点子的，非常珍贵的，从外国进贡来的腰带，给了蒋玉菡。那个外国，曹雪芹设计得很奇怪，叫茜香国，而且国王是女的；这个女国王给书里的中国皇帝进贡，贡品很离奇，是腰带，而且是系小衣的，小衣就是内衣，实际上就是内裤，是那样的腰带。皇帝把那腰带给了北静王，北静王又赏给了蒋玉菡。蒋玉菡是个伶人，艺名叫琪官；过去这种唱戏的一般都是俗称什么什么官，《红楼梦》里面就有红楼十二官，龄官、芳官等等，记得吧？贾宝玉就和琪官互赠结交的礼品，这些情节都很重要。怎么个重要呢？我看下面有的朋友瞪着眼睛，在想，这有什么重要？这个在《红楼梦》里面是很次要的情节啊。哎呀，非常重要，它实际上是把当时雍正、乾隆时期权力斗争的一些情况，折射到了小说文本当中。所以说它实际上非常重要。

因为如果你仔细通读《红楼梦》，就会发现，实际上《红楼梦》里面隐约出现了两大政治集团，这两大政治集团是互相对立、互相冲突的，其冲突最后就蔓延到了贾府，激化了贾政和宝玉的矛盾，最后导致宝玉被他父亲暴打。宝玉挨打，其导火线当然有两条，一条是金钏儿的事情，这事又是由贾环添油加醋告到贾政面前的。金钏儿的事情，今天我们暂且把它放在一边，实际上贾政之所以最后把宝玉往死里打，并不是由于这件事，这是一件附加的事，那主要的，是一件什么事呢？是贾政在那儿正待着呢，忽然外头仆人跟他说，说忠顺王府派人来要见他。忠顺王府？贾政就想了，忠顺王府和自己一向没有来往，没有关系，怎么忽然忠顺王府派人来，而且派的不是一般的人，叫长史官——那个时代一个王府就是一个小朝廷，它有它的机构班子，里面的总的负责王府事务的官员叫长史官，那就是一个很大的角色了，这样的人物一般是不轻易出动的，可是这天忠顺王府就派这个长史官来了，就要见贾政。

贾政就觉得很奇怪，赶紧把人往里迎，因为忠顺王府，一听爵位的名号就是很尊贵的，是很重要的一个皇亲国戚，是很重要的统治集团的人物，贾政就把这个长史官迎进来了，问他什么事。这个长史官说这次来不为别的事，就是问贾府要琪官，要蒋玉菡，要这个人。而且长史官的话很刻薄，意思就是说，要是别的东西的话，你们贾府都拿走了也没关系，问题是这个人是我们忠顺王最喜欢的，坚决不能放弃的，而这个琪官，满城里的人都说，跟你们家公子交好。这个时候，贾政就一头雾水，这是怎么回事情？他完全不知道这件事情，就让底下仆人赶紧把贾宝玉叫来。贾宝玉来了以后还想撒谎，说不知琪官为何物，没听说过这个名字，结果长史官就冷笑，说你不要再撒谎了，你让我说出来对你也没有好处，琪官的那个红汗巾子，不就后来到了你的腰上了吗？大意就是这样的话。

贾宝玉一听，好家伙，这么机密的事情他都知道了，贾宝玉傻眼了。曹雪芹是这么写的，他写道，贾宝玉心想这话他如何得知的呢？他既连这样机密事都知道，大概别的也瞒他不过，不如打发他去了，免得再说出别的事来。贾宝玉就很紧张，在这个情况下他只好认头了，不但认了这个事，而且贾宝玉等于还泄露了机密，他说，既然连这样的事，你都知道，那你怎么不知道蒋玉菡已经在东郊二十里外，一个叫紫檀堡的地方，置了地、买了房，在那儿住下来了呢？就把蒋玉菡的去向告诉长史官了。长史官冷笑说，好，先去找一找，要找不着的话，再到你们这儿来找。这才是贾政发怒，"不肖种种大承笞挞"，贾宝玉被他父亲往死里打的根本原因。金钏儿投井是一个辅助的，一个火上浇油的原因，这把火是从琪官这儿轰地一下子燃起来的。读这些地方你要很仔细地读，你要想想这是为什么？

大家想想，忠顺王他在跟谁过不去啊？蒋玉菡被谁勾引走了啊？真正窝藏琪官这个戏子的是贾宝玉吗？并不是，是北静王。就是王府一级之间冲突，最后七冲八撞地折射到了贾府，是不是啊？双方在争夺一个戏子。据很多红学家分析，蒋玉菡你读成蒋玉函并不错，因为实际上它的谐音就是说的一个玉匣子，或者说装玉的匣子，函就是匣子的意思。双方在争夺一个匣子，这是怎么回事？琪官，写出来是琪，这个字是一个"玉"字边一个"尤其"的"其"，当然它的谐音也可以是"棋"，下围棋下象棋的"棋"，这谐音就意味着，好像在一个棋局当中，双方争夺一个非常重要的东西。那么这个玉函后来藏在哪儿了呢？紫檀堡，一个紫檀做的更大的箱子里面，这是个什么东西呢？在红学的发展史上曾经有一派叫做索引派，索引派现在是没落了，被很多人所否定，但是我个人认为，索引派在红学的发展史上，它留下了很重要的痕迹。像我在第一讲里面提到的蔡元培蔡先贤，他就是一个索引派的大师。他们认为《红楼梦》的主题、宗旨，就是悼明之亡、揭清之失，为明朝灭亡抱不平，是对清朝统治汉族表示愤慨的这样一部书，认为它里面有很多的文字都隐含这样一个意思。他们经常从字音字义上，做一些很细微的分析，认为这样就是把它隐蔽的内容检索出来了，所以叫索引派。索引派对于蒋玉菡这个人物，对他的名字谐音"玉函"所包含的寓意的揭示，还是发人深省的。他们这样的一个思路，我觉得还是可以参考的，就是说忠顺王府和北静王府所争夺的，一方要保、一方要夺的，就是一个最高的政治权力，就是在一个棋局当中最重要的那个东西，其实就是一个玉玺，就是过去皇帝的印章。明白这个意思了吧，皇帝的章是玉做的，搁在一个紫檀木的匣子里面，藏在那里面。

这个仅供大家参考，就是过去的红学研究者曾经有这样的思路。我个人是做原型研究的，我的整个研究都是在探究《红楼梦》当中的艺术形象的生活原型，这是我跟他们不同的地方。但是人家从索引的角度揭示出来的一些《红楼梦》里面所使用的命名的方法，谐音的含义，我也吸取他们的这些营养，我觉得他们的研究成果足资参考。

我倒不一定认为蒋玉菡就代表的是那么一个东西，就象征一个皇帝的玉玺，但是忠顺王和北静王，双方最后在一个戏子的问题上发生了激烈的冲突，一方是坚决不放弃，一方是坚决要把他藏起来，而且当中就牵扯到贾宝玉，这实在值得玩味。

现在回过头来想，那个冯紫英是什么人呢？他为什么要把蒋玉菡介绍给贾宝玉呢？对不对啊？贾宝玉本来就跟北静王认识，有联系。大家有印象吧，秦可卿死了以后，专门有半回书就叫"贾宝玉路谒北静王"，而且北静王还邀请他到府邸里面去做客。宝玉那以后应该也去过北静王府，但是贾宝玉正式认识北静王所喜爱的戏子琪官，却是在冯紫英家里。冯紫英当时请他去，说所谓大不幸中又大幸，虽然这"大不幸"与"大幸"都没有说出口，而且后来说只是随便一句玩笑话，要不你们哥俩就不会来，但这些实际上都有含义。就是说在《红楼梦》里面，实际上我们可以影影绰绰看见，两个互相对立的政治集团，而这两个集团的利益冲突都牵扯到最高的统治权。

那么我们可以清理一下——如果你把《红楼梦》仔细地清理一下就会发现，其中一派是北静王这派。北静王这派实际上又可以说不仅仅是北静王，他其实还并不是这一派的最高代表人物，这一派真正的最高代表人物，在《红楼梦》的文本里面实际上是点出来了的，叫做义忠亲王老千岁。在什么时候点出来的啊？就是秦可卿死了以后，为她找做棺材的木头的时候，薛蟠说我们家存的有木头，这个木头是出在潢海铁网山的，叫樯木，当年被人订过，谁呢？就是义忠亲王老千岁。那么这个木头订了以后，怎么就没拿走呢？因为义忠亲王老千岁坏了事，就不曾拿走。什么叫"坏了事"？这可是一句非常重要的话语。如果《红楼梦》是完全虚构的小说，完全没有生活原型，那么他点出来这个木头曾经有人订过，他可以说后来这个人不得好死，所以没拿走，是不是啊？也可以说他破产了，他没钱了，所以没拿走。他不这么说，他用了一个虚构者万万想不出来，很难想出来的词叫做"坏了事"。在上几讲我给大家讲过，在康熙朝有没有千岁啊？在康熙朝，正式册立过太子，告示天下，我康熙百年之后，这皇位就由我的儿子，我的嫡子，我的皇后生的孩子胤礽他来继承，他刚一岁半，我就册立他为太子。清朝跟明朝很不一样，清朝对皇子不是均等分封，胤礽被册立为太子的时候，其他皇子都没有分封，后来分封，也没有任何一个人可以与太子平肩。尽管在清朝正式的政治语汇里，并没有千岁这个称谓，但曹雪芹行文里特意用了"千岁"字样，就是暗示万岁之下的太子。

那么义忠亲王老千岁，后来这个太子是被封为亲王的，甚至太子已经被圈禁起来以后，康熙仍然厚待太子和他的太孙。他一个是说太子的衣食供给一定不能降低标准，要保证他的丰衣足食，过得舒服；另一个他对太子的长子，就是弘晳，他也特别强调，那是要封为亲王的，所以义忠亲王这个字眼里面就不但包含着太子，实际上也包含着弘晳。他是这样的现实生活当中的原型人物，在小说里面的一种折射。当然主要还是指胤礽，主要指这个太子，这个太子在上几讲里面讲过了，很悲惨，两立两废，他的一生是很坎坷很波折的。他都到了快四十岁了，还没有当上皇帝，他的父亲仍然非常健康，本来父亲的健康应该是他的快乐，可是这个人后来等不及了，父亲的健康成为他的痛苦。又据朝鲜的《李朝实录》，当时朝鲜的使臣，曾经去谒见过太子，那时候太子一废以后还没有二废，他就非常放肆地对外国的使臣发牢骚，说你们看看全世界的太子，有没有我这么大岁数还没当皇帝的？这当然不像话，不可以说这样的话，但是这也是他真实的心声。"老千岁"，这三个字眼生动不生动啊？十几岁的话不能说老千岁，是不是啊？下面有人点头，也有人摇头，说四十岁不算太老，那您是今天的观点。在那个曹雪芹的时代，曹雪芹自己在第一回里面就说了，半生潦倒，就是作者用自己的口气说半生潦倒，什么叫做半生，在那个时候，三十岁就是人的寿数的一半，人到了三十岁就度过了人生的一半了，六十岁就说明你寿数全了，七十岁就人生七十古来稀了。所以快到四十岁，当时已是年纪很大的一个千岁爷了。结果后来果然就坏了事，第二次被废掉，而且彻底地被废掉，他后来的岁月是在圈禁当中度过的。住在一个可能是待遇还比较好，条件还比较舒适的高级监狱里面，但是没有自由，度过他的残生。而且他还眼睁睁地看着他的弟弟四阿哥坐上了本来应该由他来坐的宝座，他就在雍正二年忧郁而死。

这就说明，康、雍、乾三朝的权力斗争的源头，还是跟这个太子的命运起伏有关。所以在《红楼梦》中出现了这样一个符码，叫义忠亲王老千岁，他坏了事，他被废了，而且被废了以后没有马上死，当然这个樯木就运不走，他再要订棺材就不敢用樯木了。从书里描写来看，樯木不仅是非常优质的一种木材，而且正像书里面贾政劝贾珍的那句话一样，非常人可享，不是一般人能够去用的。樯木说明长得直，什么叫樯，一个木字边的"樯"，不是土字边，就是船上的桅杆木。桅杆木，他用这个字眼也是有含义的。这样，实际上在《红楼梦》里面，我们就找到了一派的政治力量的源头，就是义忠亲王老千岁，北静王是向着他的。

我分析《红楼梦》里互相对立的两个政治集团，最终的目的，还是要弄清秦可卿的生活原型。书里的秦可卿，她如果出身高于贾府，那么，她或者属于忠顺王那个政治集团，是皇家在那一个支脉中的一个女性；或者属于北静王，也就是义忠亲王老千岁这一个支脉，是这方面的一个隐秘的成员。

北静王这个角色太有意思了，太值得探索了，因为北静王在秦

147

可卿的丧事后面就正式出场，而且我们发现，曹雪芹把他描写得好像是天上的神仙一样的人物，是不是啊？那个形象光彩四射，把贾宝玉都赛过去了。而且我们过去受那种论调的影响，总觉得贾宝玉是个反封建的人物，他最恨国贼禄蠹，最不愿意和达官贵人交往，但是他见北静王什么表现啊？这里我不细说，你闭着眼睛回忆，只回忆五秒钟就够了。受宠若惊，是不是啊？而且是真实的，不是装出来的，这是为什么？小说中的人物是被作家的笔所驱遣的，作家为什么要这样写，这里面有无数的奥秘。那么，北静王有没有原型呢？把这个原型搞清楚，是不是紧接着就可以揭示出秦可卿的原型了？下一讲我将就此展开探索。

《红楼梦》是一部带有自传性、自叙性的小说。它里面的众多人物都是有生活原型的。注意，我说的是里面众多的人物，不是说所有的人物，其中有的角色，比如一僧一道，就是那个癞头和尚与跛足道人，是不是也有生活原型呢？我觉得那就不一定有，很可能是完全虚构出来的。说小说里的人物有生活原型，当然也不是把生活里的人物跟小说里的人物简单地划个等号，谁就一定是谁。前面已经讲过，比如贾赦和贾政，他们的生活原型是一对亲兄弟，小说里也说他们是亲兄弟，但是生活当中这对亲兄弟里只有一个过继给了贾母的原型李氏，另一位并没有过继给她，小说里写的时候，就变通了一下，把他们俩都说成是贾母的儿子。虽然这么说，但在具体描写上，却又按照生活的真实面貌，写一个跟贾母住在荣国府里，住在府里中轴线上的正房里，另一个呢，并不住在荣国府里，他住在一个跟荣国府不连通的，黑油大门的院子里。林黛玉初到荣国府，拜见了贾母以后，要去给贾赦请安，邢夫人带她去，是要先出荣国府，坐车到那黑油大门外头，再进去，到贾赦邢夫人他们家的。这个例子就说明，从生活原型到小说人物，从生活真实到小说世界，曹雪芹采取了多种多样的，灵活变通的手法。

上一讲最后，我告诉大家，《红楼梦》里北静王这个角色很重要，值得特别注意。那么，北静王这个角色，有没有生活原型呢？

北静王是有原型的。首先从北静王的名字我们就可以看出来，北静王叫什么名字呢？他叫水溶，那么在清朝的皇家里面有没有一个人叫水溶呢？没有，但是有一个人叫永瑢。永是"永远"的"永"，永字去掉一点，上面一点去掉是什么啊？就是"水"。第二个字永瑢的瑢是"玉"字边加一个"容易"的"容"，玉字边的"瑢"把偏旁当中的一竖去掉，变成三点水，是不是就是溶解的溶啊？对不对啊？那么《红楼梦》写北静王的名字叫水溶，显然就是把这个永瑢两个字各去掉一笔构成小说当中这样一个角色，明摆着，水溶是从永瑢这个名字演化来的。

那么永瑢是谁呢？永瑢是乾隆的一个儿子，乾隆的儿子都是永字辈。那是不是可以得出一个结论，说《红楼梦》里面的北静王水溶就是写的乾隆的一个儿子呢？细考究，又不是这样的，他借用了永瑢这个名字，各去一点，构成小说当中水溶这个名字，但实际上，这个角色的生活原型，并不能说就是永瑢。

北静王这个角色，是将生活中的两个人物，组合变化而成的。

废太子

陌室空堂，当年笏满床，
衰草枯杨，曾为歌舞场。
蛛丝儿结满雕梁，
绿纱今又糊在蓬窗上。
说什么脂正浓，粉正香，如何两鬓又成霜？
昨日黄土陇头送白骨，
今宵红灯帐底卧鸳鸯。
金满箱，银满箱，
展眼乞丐人皆谤。
正叹他人命不长，那知自己归来丧！
训有方，保不定日后作强梁。
择膏粱，谁承望流落在烟花巷！
因嫌纱帽小，致使锁枷杠，
昨怜破袄寒，今嫌紫蟒长。
乱烘烘你方唱罢我登场，
反认他乡是故乡。
甚荒唐，到头来都是为他人作嫁衣裳！

第一个人物，可以说就是永瑢，因为取用他的名字，把他的名字加以变化作为小说角色的名字。第二个是谁呢？是康熙的皇子之一。

康熙有很多个儿子，上几讲我们介绍过了，康熙的生育能力非常之强。他的第二十一个儿子，二十一阿哥叫做允禧——康熙的儿子过去在雍正没有上台的时候名字的第一个字都是胤，第二个字都有一个示字边，字意都是吉祥幸福的意思；雍正上台以后呢，就保留他自己的胤字，把其他的兄弟名字里的胤字都改成"允许"的"允"了，取一个声音相近的字。二十一阿哥叫允禧，允禧这个人他的辈分很高，他是康熙的儿子，跟雍正是一辈的，是乾隆的叔叔。上一讲里面我已经说过，从生活的真实到艺术的真实，基本上是这样的匹配关系：在生活中，康熙跟曹寅同辈，小说里面，是贾代善贾母他们这一辈；再往下，跟雍正一辈的就是曹寅的儿子曹颙、曹頫，折射到小说里就是贾敬、贾赦、贾政；再往下就是乾隆，他在生活当中的同辈是曹雪芹，反映到小说里面，升华成为艺术形象就是贾宝玉，是这样的辈分关系。那么我们再拶一拶，允禧，他是废太子允礽的小弟弟，也是雍正的小弟弟，是二十一阿哥，他辈分高，但是他生得晚，因此他的年龄，实际上应该和曹雪芹差不多，比曹雪芹略大，是这么一个皇子。

这个人很有意思，考察他的一生，这个人他不问政治，表面上不问政治，喜欢文艺。他自号紫琼道人，又有一个号叫春浮居士。他留有著作到现在，如果你去找这个书，还可能找到，一本叫做《花间堂诗草》，他写诗，还有一本叫《紫琼严诗草》。我说到这儿也可能有人确实有点不耐烦，说你是不是说得太远了，还是说点和《红楼梦》有直接关系的好不好？好！允禧，我只举一个例子，你就知道他和《红楼梦》绝对有关系。这个人除了留下诗集以外，他还留下一个匾，这个匾现在还挂在咱们北京城，你可以去看，在哪儿呢？在什刹海后海，原来叫做中国音乐学院，现在还有一些机构留在里面，据说逐步要腾清。这里在清末的时候是恭王府，后面的恭王府花园现在成为一个公开的让大家参观的园林了，前面的恭王府的建筑还没有完全成为参观点，但是里面的一部分建筑保存得相当完好。在恭王府的庭院里面，就一直挂着一块匾，甚至在"文化大革命"当中也没有被摧毁，匾上写了四个字，叫做"天香庭院"。这跟《红楼梦》有没有关系啊？有没有一点关系？"天香"两个字我们多熟悉啊，"秦可卿淫丧天香楼"，是不是啊？那么现在你还可以看到这个匾，就叫"天香庭院"，虽然他没写天香楼，但是"天香庭院"也足够我们玩味了，是不是啊？这个匾当然很奇怪，这个匾上没有允禧的签名，但是有他的一枚印章，这个印章和签名具有同样的效力，证明就是他书写的。说这个什么意思，意思就是曹家在雍正朝遭罪以后，在他们的旧关系里面还有一些康熙朝的皇子，对他们家比较好，暗中保护，明里头可能也接纳，允禧就是其中之一。他表面上不问政治，也确实没有夺取皇位的野心，没有权力的欲望，但是这个人在几派的政治搏击当中，他采取了一种中立的立场，而这个中立又不是真正的中立，用今天的话说，他具有某种人道主义的情怀，他总是同情被摧毁的一方，被打击的一方，他总对那一方给予一些援助，给予一些温暖，是这么一个人。

这个人物年龄比曹雪芹略大，他的形象、气质应该就和《红楼梦》第十四回、十五回所写到的北静王是一样的。而且这个允禧后来他的谥号为"靖"——谥号，就是过去王公贵族死了以后，皇帝会给他一个最后的评价，用一个字，个别情况下可能用两个字，多数情况下用一个字来盖棺论定，这就是谥号——允禧去世后，他的谥号就被定为"靖"。北静王的"静"字，很可能就是从"靖"字演化过来，而且他后来封的是郡王，这个"郡"字和"静"字也很接近，字音很接近，所以从这些蛛丝马迹可以看出来，北静王的生活原型，跟允禧很贴近。

生活当中这个原型，允禧，他和曹家关系是非常密切的，曹雪芹写《红楼梦》，像天香楼这样一个小说里面的具体的建筑的命名，和这个生活当中的人物，都是有关系的。

说到这儿，我必须把那个撂下的话茬再拾起来，因为有的听众朋友可能已经按捺不住了，说你刚才不是说了，还有一个永瑢，你现在又说允禧，允禧是和雍正一辈的人，年龄小，辈分大，而你说的永瑢，这个永瑢他是乾隆的儿子，他不是孙子辈吗？从允禧往下算不是孙子辈了吗？这两个人物之间，有什么关系啊？

永瑢是允禧的孙子辈，你折算得非常准确，但他们俩确实有关系，非同寻常的关系。什么关系？当这个允禧死了以后，他们家就绝后了。而当时乾隆上台以后，为了维护皇族的团结，实行了一个政策，"亲亲睦族"，就是皇族之间在他父亲那一代，甚至他祖父那一代，结下的仇怨太深了，所以他一上台就觉得大家都是亲骨肉，要去亲近自己的亲骨肉，要以亲爱的一种态度和原则，来对待自己的亲骨肉，睦族，睦就是"和睦"的"睦"，就是一个宗族里面大家要和和睦睦地过日子。乾隆这样做是对的，那个时候你不抚平前两朝所留下的政治伤痕，你怎么能够巩固自己的统治呢？你要巩固你的统治，首先就要把上层团结起来，所以当时乾隆心很细，他发现他的一个叔叔允禧死了以后，家里就没有后代了，于是他就把自己的一个儿子，就是这个永瑢，过继给允禧作为允禧的孙子。明白这个关系了吧，这两个人后来就形成了真正的直系嫡传的祖孙关系，所以这两个人实际上先后在同一个王府里面，承袭着同样的爵位。因此这两个人就都和曹家有关系，这个永瑢虽然比曹雪芹小，但乾隆把他过继给允禧显然也不是偶然的、随便的，很小这个孩子就到他这个叔爷家里面去玩儿过，应该也是一个喜欢吟诗作赋的人。后来永瑢印行过《九思堂诗抄》，把他过继给《花间堂诗草》的作者为孙子，的确再合适不过了。曹雪芹跟随曹頫去允禧府里做客，在永瑢过继到这个府里以前，他们应该就见过面，曹雪芹对此印象很鲜明，所以他后来写书，就把他们祖孙两个人，合并成为了一个艺术形象，就是北静王。

大家知道北静王这个角色出现以后，他有一段话，就是北静王当时邀请贾宝玉到他的府邸里面做客，他说，"小王虽不才，却多蒙海上众名士凡至都者，未有不另垂青目，是以寒第高人颇聚，令郎常去谈会谈会，则学问可以日进矣。"他没有政治野心，没有夺取最高权力的欲望，但是呢，他在自己家里面搞了一个政治俱乐部，各地来的高人名师可以在他那里聚谈聚谈，这个在那个朝代从皇帝的角度是不允许的，是不能容忍的，不可以这样。但是，北静王在书里面，他就公开了自己有这么一个特点，他经常招集各地来的高人到他的府邸里面高谈阔论，而且他还邀请贾宝玉去，而实际在当时的社会生活当中，允禧就是这样一个人物。他经常在他的府邸里面举行诗会，他后来为什么出诗集啊？一个人写诗很寂寞啊，咱们看《红楼梦》就知道了，是不是啊？大观园一共没几个人，探春还要发请柬，给每个人写一封信，把他们邀请来，组织一个诗社，那么生活当中的允禧他有这个条件的话，当然要这样做，所以就邀请了很多人去他府里。估计在这个乾隆元年，曹家小康以后，曹頫，还有少年时代的曹雪芹，他们都去过，所以他们对允禧应该是很熟悉的，对他很仰慕的，并且和常到他的府邸来往的小孩永瑢也是很熟的。所以曹雪芹最后就把这个允禧的形象和永瑢的名字结合在一起，构成一个书中的艺术形象北静王。这个北静王显然在小说里面就属于我刚才说的义忠亲王老千岁这一派的庇护伞，他本人可能对夺取皇权没有什么兴致，但是他的情感是朝义忠亲王老千岁的余党这边倾斜的。

《红楼梦》里写贾宝玉路谒北静王，贾赦、贾政、贾珍他们表现得毕恭毕敬，这好理解，但是贾宝玉也表现得受宠若惊——贾宝玉按说是最厌恶国贼禄蠹，最害怕峨冠揖让的，对北静王，他却"每思相会"，听说北静王招呼他，"自是欢喜"，直至见到，举目一看，"面如美玉，目似明星，真好秀丽人物"——这是为什么？这就说明，在真实的生活里，对王爷大官，曹雪芹也是因人而异的，他不是一个搞政治的人，但他有他自己的政治倾向，再加上他的审美趣味，他是会对允禧、永瑢那样派别的皇族人物产生好感，甚至予以肯定、欣赏的。

　　就在写贾宝玉谒见北静王的那段文字中，在小说里面，出现了黑话。曹雪芹很露骨地写出了那样的话，我下面就要给你指出来。贾宝玉路谒北静王的时候，有这样的句子，可谓骇人听闻，千万注意，不要错过。就是北静王当时夸宝玉，说"令郎真乃龙驹凤雏"，这话已经很出格，书里的贾宝玉不过是一个员外郎的儿子，怎么能赞为"龙驹"，"龙"字好这么用么？北静王又对贾政说，"非小王在世翁前唐突，将来'雏凤清于老凤声'，未可量也。"这倒不那么扎耳，因为读者心里都有杆秤，宝玉肯定是水平超过贾政，相对于贾政那么个封建老古板，宝玉根本就是另一种人，但是请注意下面曹雪芹是怎么写的，他就写这个贾政忙赔笑，赔笑里面就有一句话，叫做"赖藩郡馀祯"，这可真是大胆文笔！

　　我先把这个句子里的后面四个字说一下。"藩郡"就是指被封了王位的，有王位的一个人，对他恭敬的称呼。"馀祯"这个"祯"字，是康熙一位皇子名字里的一个字，是哪位皇子的名字里面有这个字呢？是康熙的十四阿哥，当年的康熙给他取名字就叫做胤祯。这十四阿哥跟四阿哥，他们俩同母，四阿哥，康熙给取的名字是胤禛，四阿哥那个禛是一个示字边一个"真假"的"真"，十四阿哥的这个名字是一个示字边一个"贞洁"的"贞"，两个字在汉字里非常相近，上头只差半画，读音也一样。康熙之所以给他们两个起的名字表面上那么接近，也因为他们两个是同一个母亲生的，康熙生了很多的儿子，但是这两个儿子是同一个妈妈生的，所以康熙可能在取名的时候故意让这两个儿子的名字有点接近，可能是这样考虑的。在雍正登上皇位后，不服的人，就传布关于他的坏话。有一种说法在民间流传很广，就是说康熙把一个藏有传位密诏的匣子，放在了乾清宫"正大光明"匾额后面，雍正趁康熙不省人事，让人把那匣子取下来，打开一看，上面写着将皇位传给胤祯，于是就把祯字描改为了禛字；又有一种版本是说遗诏上写的是"传位十四阿哥"，他把"十"改成了"于"，变成了"传位于四阿哥"。这些说法，说明人们普遍怀疑雍正登上帝位的合法性，但这些传说被清史专家所否定。首先，康熙朝并没有将传位遗诏放到乾清宫"正大光明"匾额后面的做法，那种做法，恰恰是雍正发明的；而且传位诏书不会是那么简单的一种写法，清朝的诏书，尤其是这样重要的文件，都是先用满文书写，然后再译成汉文的，在满文里，四阿哥的名字和十四阿哥的名字，写出来差别比较大，很难描改。

但是，有的清史专家指出，康熙晚年，确实看重十四阿哥胤祯，有把皇位传给他的打算，后来这个念头表露得也很分明，因此雍正的登基，其实是一场宫殿政变。现在我们所能看到的传位遗诏，规格上倒是符合，有满文也有汉文，但疑点很多，很可能是事后伪造的。但不管你怎么在事后去分析，雍正他就是当成了皇帝。雍正当了皇帝以后，他就让他的兄弟们，把名字里的那个胤字都改成允，胤字只留给他自己专享。十四阿哥呢，成为雍正的一大心病，眼中钉、肉中刺，当然他对胤祯下的手，不像对八阿哥九阿哥那么毒，那两个后来一个被叫做阿其那，一个被叫做塞思黑，彻底削爵，而且彻底地被轰出宗族，根本不算皇族的人了，甚至人都不是了，贱民都不是了，最后雍正更干脆想办法把他们两个毒死了。这个十四阿哥毕竟还是他同母的兄弟，他先是让其去给康熙守陵，后来就拘禁起来，不过没有把他害死，但是告示天下，一个就是让他改"胤"为"允"——前面说了，所有的兄弟第一个字都不能叫做"胤"，都要改称"允"，第二就是这个人的名字，胤祯，光第一个字改成允也不行，第二个字还得改，就不许叫胤祯，就不允许"祯"字出现，谁要公开写出这个"祯"字，他就要生气，搞不好被他发现就要杀头。他把他这个同母弟弟的名字彻底改了，改成一个很怪的字，一个示字边，一个"是不是"的"是"，一个"一页两页"的"页"，这个"是"里面的一捺拖得比较长，把"页"搁进去，这个字就是"禵"，读音为提，最后他就把胤祯的名字改成了允禵。所以在雍正朝的时候，人们写文章都要避免"祯"字，到乾隆朝的时候，因为乾隆是雍正的儿子，是雍正指定的皇位继承人，虽然乾隆实行了怀柔政策，比如将允禵释放了出来，还封了爵位，但是乾隆仍然严格地执行他父皇的文字避忌。因此按说一个人在乾隆朝写书，他也是万万不能够在自己的笔下出现一个"祯"字的，而曹雪芹在写北静王的时候，就故意要把这个字放上去，各个古本在这点上没有差别，都叫做"藩郡馀祯"。

"藩郡馀祯"，这话表面上是什么意思呢？就是我们家贾宝玉确实有点如宝似玉，长得不错，是靠谁的福气呢？靠您，王爷您福气很大，您福气大得不得了，您还有富余，您剩下一点福气到了我们家，这点余福就让我们家的孩子出落得这么好，是这么个意思。表面是在向北静王谦虚，在那儿道谢，实际上在这儿说句不客气的话，就是露出毒牙，你雍正皇帝不是不喜欢"祯"字吗？现在我写书就偏要把这个"祯"字白纸黑字给你写出来，在这儿呢！所以如果你认为曹雪芹写作完全没有政治性的心理呢，那是说不通的，他确实不是想写一部政治小说，但是他们家的遭遇和三朝的政治斗争牵连得太紧密了，他们家不但跟废太子关系密切，和十四阿哥的关

157

系也极为密切，好得不得了；所以雍正当了皇帝以后，他们心里头是不服气的，这种不服气通过上一辈，通过曹頫就会感染到曹雪芹，曹雪芹在写作的时候，时不时就会露出一种他内心的怨恨，那么"赖藩郡馀祯"，这个字眼本身就是很惊人的。

说到这儿，我想有的朋友可能还是觉得，我光是举一个例子不服人，那就再举一个，其实我还好多例子呢。还记得北静王见了贾宝玉的时候，送了贾宝玉一个什么东西吗？鹡鸰香念珠，对不对啊？有人查过什么叫鹡鸰香念珠吗？你去问古董商去，有没有这种鹡鸰香念珠啊，没有。这是曹雪芹杜撰的一个名目，鹡鸰是一种鸟的名字，而且在古代的汉语里面，鹡鸰它有兄弟的含义，明白吗？那么鹡鸰香念珠，这含有讽刺意味，这个水溶就说，这个鹡鸰香念珠是谁给他的？当今皇上给他的。大家知道，在元春省亲之后，才是乾隆元年的故事，这个以后我还会再给你提供论据。从《红楼梦》第一回到第十五回，模模糊糊的应该是雍正朝的故事，对这一个阶段的故事曹雪芹在时序上时有混乱，而且有意无意地让它模糊不清，但是大体上可以推测出来，这一部分是写雍正朝的故事，或者说是写雍正刚刚暴死，乾隆刚刚即位，那个时间段上的故事，包括秦可卿死了，贾宝玉路谒北静王，应该都是这段时间里的事情。十六回以后，应该才正儿八经是乾隆朝的故事。因此把这个鹡鸰香念珠送给北静王的皇帝，应该就是暗指雍正皇帝。曹雪芹敢不敢骂皇帝？他敢骂皇帝，他骂皇帝什么啊？想起一句话了吗？"臭男人"，他借谁的嘴骂的？他借林黛玉的嘴骂的。所以你不要以为《红楼梦》里面没有政治，他有黑话的，曹雪芹是写黑话的，他不得不写下一些这种黑话。而且他为什么把这个香念珠叫鹡鸰香念珠，他隐含着这样的讽刺：您还好意思把一串念珠叫做"鹡鸰"，您那个残杀兄弟的作为在历史上都是罕见的，不但残杀了八阿哥、九阿哥，三阿哥也被整得是一溜够，死于禁所；十四阿哥，他同父同母的兄弟，也被他折磨得够呛；在底下，他整治的人就更多了，包括把他扶上皇位的隆科多和年羹尧，他都毫不留情。你想想，这么一个人，假惺惺把一个鹡鸰香念珠，象征兄弟情谊的东西，给了北静王，北静王不要，给了贾宝玉，贾宝玉不懂事给了林黛玉，给林黛玉好，这个曹雪芹设计的情节非常巧妙，就由林黛玉来骂，什么臭男人拿过的，我不要他，所以掷而不取，啪就扔地上了。大大出了一口恶气。是不是啊？有红迷朋友跟我讨论，林黛玉骂臭男人，不是连北静王也一块儿骂了吗？而且，贾宝玉跟她只是说，那是北静王给的，林黛玉骂的臭男人就是北静王。说得也对，这一笔描写，把林黛玉那蔑视封建礼法价值观的叛逆性格，鲜明地刻画出来了。但曹雪芹他也是在客观叙述，这叙述者前面是点明了鹡鸰香念珠的原始来历的，因此，曹雪芹这样写，就是骂皇帝是臭男人。

我觉得我的分析还是有道理的，这就说明在《红楼梦》里面，是有政治的，而且是两军对垒的。一派就是以义忠亲王老千岁为旗帜，以北静王为掩护，以冯紫英等人打前阵的这样一股政治力量，而且这股政治力量的人物还很多，我以后还会说到，它都是有埋伏的，这是一派。这一派概括来说就是"义"字派，明白了吧，牵头的就是义忠亲王老千岁，突出一个"义"字。另外一派就是忠顺王府这一派，这一派写得比较模糊，仇都尉和他的儿子应该是这一派的，但杀出来短兵相接，就是长史官到贾政这儿要人，要蒋玉菡。这一派在命名上曹雪芹也很费苦心，是"顺"字派，明白了吗？两派的符码里，都有一个忠字，两派对书里的太上皇，也就是现实生活里存在过的康熙皇帝，都没意见，都忠，他们在这一点上，有重叠，但对所谓"当今"，态度就不同了。一派对当前坐皇位的人，是顺从的，比较满意，对当今皇帝忠顺王府一派比较满意，所以曹雪芹给他取名叫忠顺王，"顺"字派；另一派是"义"字派，义忠亲王老千岁。

"顺"，代表着对皇权的顺从和拥护。"义"，这个"义"字，可不能随便出现的，大家想想在《水浒传》里面，一些造反的人，他们的厅堂挂一个什么匾啊？聚义厅！所谓"义"，就是面对着不义，愤而起来要主持正义，所以实际上在《红楼梦》里面，它是有很多笔墨写到了那些日常生活的流水账，你觉得无非是吃饭啊，做诗、看花，但那些文字背后隐藏着重大的时代背景、历史背景。他的故事的总背景，是有政治的。

在《红楼梦》里面，我们是可以找到两派政治力量互相激荡的痕迹的。贾府跟"义"字派是一头的，跟北静王的关系尤其密切。北静王府和贾府的关系密切到什么程度呢？在小说后面有很多透露，有些透露也还值得拿出来一说。你比如说在第五十五回好像很随便地写到了一句，宫中有一位太妃欠安，太妃就是当今皇帝的母亲那一辈的一个妃子，可是到了第五十八回，有人说是不是写错了，第五十八回说上回所表的那位老太妃已薨——前面不是说一个太妃病了吗？死的就应该是太妃，怎么又成了老太妃呢？其实这说的是一个人，看你以谁为坐标系：康熙的一个妃子，在雍正那一朝，她是什么啊？她是太妃；到了乾隆那一朝，她还没死，她是什么啊？老太妃。有人说，哎哟，能活那么久吗？哎呀，你查一查资料不得了，康熙有一位妃子活了九十七岁，的确活得久的。那么《红楼梦》里面所写到的雍正朝的太妃，乾隆朝的老太妃，可以考证出来。因为在《红楼梦》小说的第五十五回、五十八回已经写到乾隆二年的故事了，在乾隆二年你查史料，确实有一位康熙当年的嫔，嫔比妃低一格，姓陈，是汉族的血统，在那一年薨了，确实是大办丧事。这就说明《红楼梦》写所谓太妃老太妃薨的事，也是有生活原型的，只不过书里写她的时候，把她的封号提升了一下，从嫔升格为妃。

这个老太妃的生活原型，就是陈氏，一个汉族女子。这个陈氏的父亲都可以查出名字来，籍贯江南叫陈玉卿，有名有姓的。那么为什么曹雪芹要写这个陈氏呢？为什么要把现实生活当中的这样一个好像无足轻重的角色，搁到小说里面来写呢？而且有一段文字就更古怪了，他写这个老太妃薨了以后，朝廷大办丧事，像贾母虽然年纪大了，但她是诰命夫人，还有邢夫人、王夫人，这些人都要一起去参与这个丧事的，就要离开自己的府邸，到办丧事的地方，而且还要住下来的，结果她们怎么住呢？第五十八回有一段文字你也不要放过，说他们寻找下处，下处就是参与完祭奠活动以后，去歇息的一个住处。他们所找到的下处，乃是一个大官的家庙，房舍极多极干净，有东院有西院，荣府便赁了东院，北静王便赁了西院，太妃少妃每日宴息，见贾母等住东院，同出同入都有照应。这个文字很古怪，是吧？根据小说里面的描写，贾府地位并不高，是不是啊？贾府到了贾代善死了以后，就是贾赦袭了一个爵，无非就是一等将军，而北静王何等尊贵啊！两家合住一个大院子，而且大家知道，在中国的封建社会，东边西边哪个高贵啊？东比西贵，是吧。下面有人在叨咕，说不对，不是，慈禧太后不是西太后吗，她不是挺厉害吗？她本人厉害，是不是？真正在东太后活着的时候，东太后地位比她高的，只是因为东太后这个人很善良、很懦弱，权柄就落到西宫的手里面去了，而且东太后来又死掉了，是不是？确实是东比西贵的。

有的人说，这个曹雪芹写作就不认真，或者说就是艺术虚构，人家就乐意这么写，讨论什么啊，东、西有什么好讨论的？写小说嘛，贾家就住东院，北静王他们就住西院，怎么着了？你非要这么着我也没办法，这也是您的一种读书方法，我也很尊重，我这里作揖了，但是我希望下面这些朋友还是听我说一说，就是因为有生活的真实在那儿。《红楼梦》它是一个自叙性的小说，自传性的小说，他的创作素材，基本上就是他们曹家在那个时代的生活，他写这些

161

事情都有生活原型，那为什么生活当中会是这样的，我就要告诉你，曹寅和当时他的大舅子李煦，在康熙朝他们表面上是织造，实际上他们还负有非常重要的秘密任务，包括给康熙从汉族的女子当中选择妃嫔。这是有史料支撑的，有记载的，当然现在查不到很多资料，但是仍然可以从李煦的奏折当中查到，康熙有一个嫔姓王，汉族，王氏的母亲姓黄，死掉了，李煦就专门写一个奏折上奏康熙，康熙这种私人的事就是由他们来处理的。所以，书中这一段话之所以可以理解，是因为什么呢？因为在历史上，现实生活当中的康熙和现实生活当中的曹寅是一辈的，转化到小说当中，就是和贾母是一辈的，而这个陈氏之所以给她大办丧事，现在我就要告诉你她是谁的母亲了，她就是前面我们说到的，题写"天香庭院"的那位皇子的生母，她就是二十一阿哥允禧的生母。允禧和雍正是一辈的，就是比贾母原型矮一辈了，而且很可能在现实生活当中，陈氏之所以能够进入皇宫，之所以能够在康熙身边，给康熙生了儿子，就是跟曹家当时的选拔有关系。因此这个人生的儿子，转化为小说里面的北静王以后，这个府邸的人，对现实生活当中的曹家就绝对不能够摆老资格，摆自己的贵族地位，绝对是非常感激的，甚至又由于这一个宗族的老前辈还在，于是就让他们住东院，自己这边的太妃少妃就甘愿去住西院。当然我说的是小说当中的人物，实际上现实生活当中这两组人物就是这样的一种相处方式，这被曹雪芹很认真地、纪实性地写到了小说里面，虽然这些人物的名字转化了，但是所呈现的面貌还是生活当中的真实面貌。

那么这样一想的话，就太有意思了，这个允禧究竟和曹家来往到一个什么程度？是不是啊？《红楼梦》的"天香楼"很显然就来自于允禧的"天香庭院"的匾，《红楼梦》里面一会儿说太妃、一会儿说老太妃的那位妃子薨了以后的丧事当中，北静王和贾府两府临时居住的情况，就反映出当时的曹家和允禧这个王府之间有着非

x

常微妙的关系。那么好，不多说了，总而言之我们现在得出这个结论，我们在通过一番寻找以后，终于找到了和曹雪芹他们家族关系最密切的几个皇族的分支，那么秦可卿的原型一定就在这些分支当中。下一讲我就会告诉你究竟秦可卿的原型是谁。

秦可卿原型大揭秘

上

经过上几回的梳理，我们已经知道，要把秦可卿的原型搞清楚，需要从康、雍、乾三朝的政治斗争当中去寻找线索。那么现在其实已经可以说是接近水落石出了。经过了一番"柳暗花明"，我们已经走到了秦可卿的"又一村"了。我现在稍微回顾一下前面我对这个问题的探讨历程。

我首先从贾府的婚配入手，一步步走近秦可卿的生活原型。通过第三讲《贾府婚配之谜》、第四讲《秦可卿抱养之谜》、第五讲《秦可卿生存之谜》和第六讲《秦可卿出身之谜》，我层层剥笋般地分析，终于得出一个结论，就是秦可卿的真实出身，不但不可能寒微到是养生堂抱来的弃婴，也不可能是在一个小官吏的家庭里长大成人，然后才嫁到宁国府，有了贾蓉妻子那么一个身份。她的真实出身，不仅并不寒微，甚至还高于贾府，应该说是出身极其高贵，很可能来自于宫中，是皇族的血脉；所谓由小官吏抱养，也确实找了个小官吏来合作，充当幌子，但从根本上说，那是对外施放的烟幕。她应该很小的时候就被隐藏到宁国府，作为童养媳，精心地加以培养，并且与她的真实的背景家庭，也还一直有着联系，她应该是这样的一个人物。通过第七讲《帐殿夜警之谜》、第八讲《曹家浮沉之谜》、第九讲《日月双悬之谜》、第十讲《蒋玉菡之谜》和第十一讲《北静王之谜》，我又抽丝剥茧般地揭示出来，《红楼梦》虽然托言无朝代年纪可考，其实这部书里讲述的故事，其时代背景是大可考据的。经我考据，得出的结论是：《红楼梦》描写的社会背景，就是清代康熙、雍正、乾隆三朝，书里把康熙、雍正、乾隆三个皇帝合并在一起写，重点写的是乾隆朝，"当今"这个"日"，和潜在的敌对政治势力"月"，构成了紧张的"双悬日月照乾坤"的形势。在真实的生活中，就是被康熙两立两废的太子胤礽，和胤礽的嫡长子弘皙，他们那一派势力，总憋着要颠覆乾隆，取而代之，他们被曹雪芹艺术性地演化到书里，就是义忠亲王老千岁、北静王、冯紫英等等。书里面也出现了忠顺王那样的角色，跟北静王，跟"义"字派，或者说"月"派，尖锐对立，双方的摩擦乃至冲突，震荡波一直辐射到贾府，造成宝玉被痛笞，皮开肉绽。总而言之，在康、雍、乾这三朝的皇族之中，存在着两股敌对的政治势力，而秦可卿这个人物的生活原型，显然与其中的一股，有着密切的联系。

　　经过这样一番梳理，秦可卿的生活原型已经基本浮出水面。

　　但《红楼梦》的文本里面，仍然存有一些至关重要的疑点需要进一步探究，这些疑点的解密，对揭示秦可卿的生活原型，有着关键的作用。比如在第五讲《秦可卿生存之谜》中，我就提到，有一点特别令人困惑不解，如果秦可卿出身真的那么低贱，贾母怎么会对她极为满意，认为她是重孙媳中第一得意之人？还有，秦可卿的卧室陈设为何那么古怪，曹雪芹用这样的笔墨，究竟在向读者暗示什么？

秦可卿是在第五回出场的，前面已经讲了很多。前面所讲的我不重复了，通过贾母认定秦可卿乃重孙媳中第一个得意之人，以及秦可卿卧室的布置，我们隐约知道，秦可卿的出身是高于贾府的，能给贾府带来好处，令贾母都得意；而且她很有可能是一个公主级的人物，最起码是郡主级，是皇家的血肉。在分析秦可卿卧室陈设的时候，前面讲过的不重复，现在略做补充，就是在曹雪芹行文时，他特别写到，秦可卿安排贾宝玉午睡，还"亲自展开了西子浣过的纱衾，移了红娘抱过的鸳枕"，记得吧？除了其他的东西以外，还有这两样呢。大家知道，西子就是西施，不展开议论，因为大家很熟悉，西施意味着一种政治阴谋，她不是一个一般的女性，她在政治上具有颠覆性。那么红娘呢？也不是个一般的丫头，红娘能够成就好事，是一种中间的媒介，可以把两方面撮合在一起使双方得到好处。所以像这样一些符码都暗示我们，秦可卿她的高于贾府的出身，其中含有某种政治阴谋色彩，并且能够使贾府从中谋取利益。

常有人说，读《红楼梦》里关于秦可卿的文字，总觉得她很神秘。其实构成她神秘的因素之一，就是她身上含有某种政治阴谋色彩。我在第六讲《秦可卿出身之谜》中，提到一个情节，就是书中第七回薛姨妈派周瑞家的送宫花，贾府里的其他小姐、媳妇，对宫花的态度都或者平淡或者调侃甚至挑剔，而秦可卿接受宫花的情况，并没有明写；但恰恰在这一回，有一首回前诗，透露出在所有这些接受宫花的人里，有一位惜花人，她跟宫花有一种特殊的"相逢"关系，这个人"家住江南姓本秦"。家住江南，现在暂且不讨论，在十二支宫花的接收者中，只一个人姓秦，就是秦可卿，对不对？秦可卿既然本属宫中的人，宫花送到她手中，是她跟宫花喜相逢，那她有什么不能公开她的真实血统、真实身份的呢？那本来应该是很光荣的呀！为什么要隐瞒呢？为什么要放出烟幕，说她是养生堂的弃婴，是由小官吏抱养的呢？可见这里面有不能公开的隐情，而且事关重大。

《红楼梦》第十回，秦可卿突然病了，得了什么病，书中交代得很含糊。冯紫英便向贾珍推荐他幼时从学的一个先生，名叫张友士，是上京给儿子捐官的，兼通医理，可以给秦可卿看看病，于是《红楼梦》第十回就出现了一个"张太医论病细穷源"的情节。张友士为什么叫张太医呢？他与秦可卿究竟有什么深层的关系？

秦可卿的病症，乍听乍看，很像是怀孕了，邢夫人就做出过这样的判断，但是后来我们就知道，她没有怀孕，她月经不调，内分泌紊乱，吃不下睡不好，人消耗得瘦弱不堪，用今天的临床医学的观点来衡量，她应该是神经系统的毛病，心理上的病症，主要表现为焦虑、抑郁。她为什么好端端地突然就焦虑了，就抑郁了？宗族的老祖宗贾母对她不是挺好吗，认为她是第一得意之人；她婆婆对她也很好啊，连荣国府的王熙凤都对她那么样地百般呵护，上上下下的人对她都很好，怎么就焦虑起来了呢？然后就写到因为病了就要看病，那么当时是怎么给她看病呢？三四个人一日轮流着倒有四五遍来看脉，很离奇，哪有这么看病的，这不折腾死人吗？说弄得一日换四五遍衣服，坐起来看大夫，每看一次大夫就要换一套衣裳，这很古怪。得病得的怪，看病的方式也很古怪。

最后就来了一个张友士。我们知道，《红楼梦》的人名都是采取谐音、暗喻的命名方式，有的时候一个人的名字就谐一个意思，有的时候是几个人的名字合起来谐一个意思，"张友士"显然他谐的是"有事"这两个字的音。那么这个姓张的，他有什么事呢？在前面我已经点明了，第十回回目当中写的是"张太医论病细穷源"，但是在第十回正文里面又明明告诉你，他的身份，公开身份不是太医，他有事，他就忽然以这个太医的身份跑到贾府里来了，到宁国府来了。他有事，他有什么事？他论病细穷源，论的什么病？穷的什么源？值得探究。

仔细研究《红楼梦》的文本，我就感觉到，秦可卿这个角色的原型她不但是皇族的成员，而且应该是皇族当中不得意的那一个支脉的成员。她是一个身份上具有某种阴谋色彩的人物，她在皇族和贾家之间具有某种红娘的作用，具有某种媒介的作用；她得病，她突然焦虑和抑郁，并不是因为贾家的人对她不好，而是因为某个她自己的背景方面传来的重要信息，这应该是一个胜负未定，而且还很可能会暂时失利的、不祥的信息。

而这个时候，忽然来了一个重量级人物给她看病。这个人物表面上说是冯紫英的一个朋友，目的是上京给儿子捐官，却有一个奇怪的身份说是太医，所以我就估计在八十回后，这个人物一定会以太医的身份出现；否则在那么多的古本当中，本来有那么多的回目出现不同的文字，而在"张太医"这三个字上，所有古本却都一致。

下面有红迷朋友在那儿微微颔首，说对呀，太医，只有皇帝他才能够设太医院，那里面的大夫才能够叫太医对不对？冯紫英这位朋友怎么能叫太医呢？《红楼梦》文本里，写到好几位正式的太医。贾府那样的人家，府里主子生病了，有权让太医院派太医来诊视，这也可以说是皇帝赐予这些封爵的高级奴才的一种福利，他们可以享受太医出诊的医疗待遇。第四十二回写贾母欠安，请来了太医院的太医，穿着六品官服。贾母见了他，派头很大，问他姓什么，说姓王，贾母就摆老资格，说"当日太医院正堂王君效，好脉息"，那王太医忙躬身低头，回答她"那是晚生家叔祖"。你看太医是要穿官服的，而且贾府请太医来看病是很平常的事，这么一对比，张友士就太不对头了，这么一个人，怎么会在回目上锁定他是太医呢？

在上几讲里面我们已经讲到，在现实生活当中，有一个什么人他擅立内务府七司，设置了一系列和皇帝完全一样的宫廷般的机构呢？这个人不是别人，就是弘皙。这个人就是废太子的儿子，从血缘上讲，他是康熙的嫡长孙。他当时住在郑家庄，身份是亲王，但是他擅自按照宫廷的规格给自己设置了各种机构，那么他既然可以设立内务府七司，当然也可以设立一个机构，给自己看病，就叫太医院。因此，从生活的真实到艺术的真实，曹雪芹就构思出了这么一个角色，这位张友士就应该是来自于这个系统的一个人物。也就是说，张友士的生活原型，就应该是弘皙在郑家庄擅自成立的小朝廷里，所设置的太医院里面的一个人物。这么一个人物，变成了小说里参与阴谋活动的角色，那么他进了京城以后，当然不能公开说，我来自一个另外的朝廷，我是那儿的太医，于是他就说自己是上京捐官的。住在谁家里呢？就住在冯紫英家。这是我们在前面一再讲到的，《红楼梦》里有两股政治势力，一股是以义忠亲王老千岁及其同情者、庇护者组成的，这是可以叫做"义"字的一派，另一派是以忠顺王府为代表的"顺"字派。这个张友士显然就是"义"字派当中的一个人物，跟冯紫英是一伙的，于是，在第十回，他就出现在了秦可卿面前，给她号脉，看病。

以太医身份出现的张友士，在给秦可卿号了脉看完病后，还开列了一个长长的药方。红学界在有关张友士行医的情节上，有不同的见解。有人认为这个情节并没有什么特别的用意，书中贾珍、贾蓉对这一江湖游医的客气，也只是反映了当时人们的观念是尊重业余的而非专业的；还有人说这是作者富有游戏性的即兴笔墨，没有更深的内容可考；至于书中的药方，也只是作者借此显示自己的学识渊博，不足深究。但是，我要问，如果真是如此的话，曹雪芹为什么花这么大气力来写"张太医论病细穷源"呢？药方当中是不是隐藏了什么秘密呢?

脂砚斋批语里透露,《红楼梦》里面原来有很多药方子,据说原来在写林黛玉的时候,从第二十三回以后,回回都要开一个药方子,以显示林黛玉的病越来越重了。这条脂批呢现在保留了,在第二十八回回后,它说"自'闻曲'回以后回回写药方是白描颦儿添病也"。"闻曲"就是林黛玉葬花以后,听到梨香院里传来十二个唱戏的女孩正在练唱,她听到了《牡丹亭》里的曲子,如痴如醉。但是我们所看到的古本《红楼梦》里面,没有给林黛玉开的任何药方子;因此也有专家认为,那条脂批的断句,应该是"自'闻曲'回以后,回回写药,方是白描颦儿添病也"。可是现在我们所看到的文字里,也并不是回回写到跟林黛玉有关的药,这就说明,就是曹雪芹在披阅十载、增删五次的过程里,来回调整已写出的文字,他把书中其他的药方子都删除了,把有关林黛玉用药的文字也精简了,现在我们所看到的前八十回里面,正儿八经地作为作者的叙述文字开出的药方子,就只有张友士给秦可卿开的这一个。这个药方子曹雪芹在来回调整文本的时候,始终没有把它删除,一直保留在那里,被一代又一代的读者默默阅读,也引起很多红学家包括民间红学家对其进行探索,究竟这个药方子有没有深意? 它究竟传递着什么样的信息?

我们都知道曹雪芹他有一个惯常的写作方式,就是通过谐音,还有所谓拆字法,来进行隐喻。谐音好懂,什么是拆字? 比如说《红楼梦》那个金陵十二钗册页里面写到王熙凤,"一从二令三人木"。是不是啊? "一从二令"我们现在不去分析,"三人木"就是一个拆字法,"人木"就是"休"字,就是他把"休"字拆开了呈现出来,透露出最后王熙凤是被贾琏给休掉了。他往往在文本里面用谐音、拆字这样的手段,来向读者透露一些信息,因此,很多研究者,也就都顺着这个路子,去探究张太医的这个药方。甚至有的人已经把整个药方都破解出来了。

我也研究这个药方，但还不成熟，在这里就不展开谈了，我只说药方里面的头几味药。头几味药说的什么？人参、白术、云苓、熟地、归身。我也认为，实际上这个药方，应该是秦可卿真实的背景家族，跟她，跟宁国府进行秘密联络时，亮出的一个密语单子。

张友士来给秦可卿看病，甩下一个药方，这个药方起码头几句就很恐怖，因为贾蓉在他看完病以后就问他，我们这个病人能不能好，张友士怎么说的，大家应该还记得，张友士说人病到这个地步，非一朝一夕的症候，"依小弟看来，今年一冬是不相干的，总是过了春分就可望痊愈了。"这都是一些黑话啊，是不是啊？为什么是黑话？因为曹雪芹写了这句之后呢，他在叙述当中也说，他说贾蓉也是一个明白人，也就不往下问了。明白吧，这种叙述文本就告诉你，这个话不是正常医生的话，实际上他所传递的，是某种非医疗诊断的信息。因此我们从这样的文本，也就可以进一步做出判断，秦可卿的原型，应该是属于一个皇族的分支，在当今皇帝当朝的时候，是被打击被排挤的一支；而这一支又很不甘心，又想卷土重来，想颠覆现在皇帝的皇位。在这个阴谋集团当中，有各种各样的人物，张友士也是其中之一，他负责来跟宁国府，跟秦可卿秘密联系。这样，秦可卿的真实的皇族身份就又清晰了一步。

这个药方的头一句如果要用谐音的方式来解释的话，人参，白术，按我的思路，应该代表着她的父母；如果父母不在了，那就代表她的家长，俗话说"长兄如父"，这也可能代表她的兄嫂；或者她父亲没有了，母亲还在，哥哥还在，这就代表她的母亲和兄长。人参，这个参，可以理解成天上的星星，人已经化为星辰了，高高在上，我觉得可以理解为是象征长辈；白术，作为一味中药，术的读音应该是zhu（第二声），但是曹雪芹从南方来到北京，他还保留着不少江南人的发音习惯，张爱玲在她的那本《红楼梦魇》里面，举出过很多例子，吴语里zhu（第二声）和"宿"的发音很接近，因此"白术"作为黑话，也可以理解成"白宿"，"宿"也有星辰的意思，白昼的星辰，当然，"星宿"里的那个"宿"字，正确的发音又要读成xiu（第四声）。总之，我觉得"参"和"术"都隐含着星辰的意思，上几讲我已经揭示过，在《红楼梦》的文本中，月喻太子，星月同辉，中秋夜在凹晶馆黛玉和湘云联诗，星月的含义是相通的，因此，我觉得这药方里的头四个字，代表着秦可卿家里的长辈，她的父母，她的兄长。

如果说理解头两味药的谐音转义比较费劲，那么，下面我把第三味药的两个字拆开，与前后两味药连成句子，那意思就很直白了，它是这样的：

人参白术云：苓熟地归身。

意思就是她的父母说，告诉她底下这句话，说老实话，她的父母可能心情也很沉重，她自己看了以后也会更痛苦，就是"令（苓）熟地归身"，也即命令她，在关键时刻，在她生长的熟悉的地方，结束她的生命。为什么？在皇族的权力斗争当中，她的家族做出了一个很恐怖的决定，让她牺牲自己，延缓双方搏斗的时机以求一逞，所以她后来淫丧天香楼，画梁春尽落香尘。她的病，原来是政治病，她的死，原来是政治原因，这个角色在书里就是这样的。在下几讲里，我会讲到，为什么她必须死，为什么她死了，义忠亲王老千岁一派就得以有喘息的机会；而她的死，虽然延缓了双方的大搏斗，但斗争仍在继续；到最后，她的事情仍旧被"当今"追究，"月落乌啼霜满天"，太阳获得了绝对的胜利，书里面的贾府，也就彻底倾覆，那也应该是整个"义"字派的陨灭，"白骨如山忘姓氏，无非公子与红妆"，"落了片白茫茫大地真干净"。把这些弄清楚，我们就更接近她的生活原型了。

张友士开药方的时候，就说明她的父母兄长是处在困境当中，不但被当今皇帝所排斥，而且想进一步夺权的话，又障碍重重，很难得逞，甚至有时候不得不牺牲掉一些东西，乃至于牺牲掉自己亲生的女儿、自己的亲妹妹。这一回的文字，笼罩着浓重的阴影，调子十分沉重，怎么能说是没有深意的游戏笔墨呢？

当然，我对张友士这个药方的解读，到目前为止还没有十分的把握，说出这些想法，仅供大家参考。我对自己原型研究的总体判断，有相当的把握，但具体到对这个药方的解读，我现在只能提供出一个初步的思路来。

在张友士看完病不久，秦可卿就死掉了。秦可卿究竟得了什么病，张友士并没有指出来，只是说，"今年一冬是不相干的，总是过了春分就可望痊愈了。"从表面上理解这句话，秦可卿得的病并无大碍，很快就会好起来。但是随后不久，秦可卿却选择了死亡。这是为什么？

而且为什么张友士说"今年一冬是不相干的"，为什么冬天就不相干，为什么"总是过了春分就可望痊愈了"？而且后面写秦可卿的死，你能感到，模模糊糊是刮大风的时候，应该是在秋天，为什么总是在春秋时分决定这样人物的命运？

在前几讲里面，我已经点明了，清朝皇帝有一种很重要的活动，就是春秋两季木兰的围猎，当然其中重要的是秋狝，即秋天是最重要的一次，但春天有时候也去。所以一般来说，冬天就比较平静，因为在木兰秋狝的时候，特别是在春天比较小规模狩猎的时候，反对派是最容易下手的，最容易掀起一个义举，所谓聚义，然后闹事，来颠覆皇权的。因此小说的这个人物，给她看病的人，实际上就是她的家族派来的一个密探来跟她透露，当然这个话是当着贾蓉说的，今年这一冬是不相干的，这一冬双方可能都按兵不动；"总是过了春分就可望痊愈了"，春天那一次皇帝的狩猎如果这方面准备得充分的话，就有可能把皇帝杀掉。突发事变以后，这一派就

可以掌握政权。那么你现在再想一想，我上一讲提到的那段情节，就是冯紫英说春天他跟着他父亲去过围场，有没有这样的情节？想一想对不对？来回至少有一个多星期，甚至有个把月，脸上还留下了轻伤，他大不幸，但是他又回来了，大不幸中又大幸。这就说明，他们尝试过一次，那段故事应该发生在乾隆元年，那一年的春天，"义"字派聚集过一次力量，做过一次尝试，没有能够成功。当然，秦可卿之死这段故事，发生在我说的这个情节之前，这就说明，反对派在每一次皇帝出去行猎的时候，都曾经或者去踏勘过地形，做过事先的准备，或者说从蠢蠢欲动到蠢动，到出手，有过一些尝试，可是都被挫败了。所幸还没有完全被皇帝彻底地侦破，没有遭到毁灭性打击，所以他们只能采取收缩的办法，牺牲掉一些利益，甚至用牺牲掉一些本族人员的办法，来维持一个再一次积蓄力量的局面。所以你看，这些描写背后，都有很多很多的可供思索的东西。

因此，我们就可以知道，秦可卿的原型应该是一个不幸的公主。她的家族如果登上皇位，她就是正儿八经的公主。她得的是政治病，她隶属的那一支皇族在权力斗争当中处于劣势，而她的家族经过几次向皇位的冲击以后，都没有得逞，因此给她传递了一个很糟糕的信息，就是在必要时候让她顾全大局，自尽而死，以为缓兵之计。这就是秦可卿这个角色在小说里面，她的尴尬处境；她的原型，在生活里面也应该是类似的，处于很困难的境地。

在秦可卿身上，除了她扑朔迷离的身世以外，更让人说长道短的，莫过于她和她的公公贾珍之间的关系。在现存的《红楼梦》文本里，对这一关系的描写比较奇怪，我在《秦可卿的生存之谜》那一讲中，特别提出了这一点。生性耿直的焦大，在故事开始时，就很明白地骂了出来。从《红楼梦》里的描写来看，秦可卿和贾珍之间的暧昧关系，在宁国府里已是不争的事实，可身为婆婆的尤氏却睁一眼闭一眼，贾府里其他的人也都对此心照不宣，而且不动声色，这又是为什么？

在第七回的下半回，就写到焦大醉骂，这个大家都应该印象很深。焦大醉骂有两句难听的话，其中有一句我在前几讲已经分析过了，不重复了，就是"爬灰的爬灰"，这是骂贾珍和秦可卿之间有不正当关系。还有一句骂的是谁？"养小叔子的养小叔子"，这个骂人的话就比较费猜测。有人猜测说，他可能骂凤姐和宝玉呢。因为小叔子不是叔叔的意思，俗话里面什么叫小叔子？一个女性嫁了一个人家，她的丈夫的弟弟叫小叔子，丈夫的哥哥叫大伯子，如果还有另外的哥哥就是二伯子三伯子，弟弟才是小叔子。那么王熙凤是贾宝玉的嫂子，贾宝玉确实是王熙凤的小叔子，所以有人认为这句话是骂王熙凤和贾宝玉有不正当关系。但是从书中描写来看，证据不足，也很难说焦大就是骂他们俩；而且书里面描写了，骂的时候，大家都听见了，贾宝玉当时只问，什么叫爬灰，贾宝玉就没有问什么叫养小叔子，难道是贾宝玉知道自己是小叔子那个角色吗？显然不是这样的，所以这一点也值得推敲。

那么秦可卿究竟和贾珍之间是怎样一种关系，这个是历代读者都特别感兴趣的。听到这里有人在笑，说是不是这里面因为有情色描写，所以感兴趣？我看也不一定是这样，而是因为它构成一种非常复杂的互动关系，是值得我们探究的。人的生存是艰难的，人性是复杂的，好的作家总是要写到人在生存当中的生存危机，写到人与人之间在生存当中互相争斗和互相慰藉，所以我觉得我们可以在这里理直气壮地讨论贾珍和秦可卿的恋情。

有的红迷朋友始终不能原谅秦可卿，也更不能原谅贾珍，说乱伦，多丑恶啊，是不是啊？焦大都骂他们，连焦大这种水平的人都骂他，我这样一个高水平的人我能不骂他吗？我也得跟着骂！您先别忙跟着骂，其实您也是一个复杂的生命存在，您看过话剧《雷雨》吧，多半看过吧。这是一个现代作家曹禺的作品，已经成为中国话剧的经典剧目了，也拍成过电影和电视连续剧，对不对？您在剧场里观看这出话剧的时候，没准还带着手绢，擦过眼角呢，是不是啊？《雷雨》里面有爱情没有啊？《雷雨》里面有一组重要的爱情是谁爱谁啊？是周萍和繁漪之间的爱情，他们两个是什么样的伦常秩序啊？是儿子爱后妈，是后母爱前夫的大儿子，是乱伦恋，您看的时候把破鞋往台上扔了吗？您没扔，您很理解，很同情，闭幕以后您还鼓掌，那怎么对这个周萍和繁漪的爱情，您就这么能接受，对贾珍和秦可卿他们之间的感情，您就这么样地不能容忍呢？我觉得您可以冷静下来好好想一想，是不是啊？不能完全站在那个落伍的封建伦理的立场上，来看待这件事，来思考这个问题。更何况经过我前几讲的分析，您应该已经明白，秦可卿之所以到贾府里面来，是避难来了，是她的家庭在皇权斗争当中失利了，家里在某种特定情况下，必须把她隐藏起来，因此谎称她是养生堂的弃婴；直接送到贾家不方便，贾政，小说里面写他是一个员外郎，工部员外郎，负责工程建设的那个部的员外郎，因此找了自己一个下属叫营缮郎，营缮郎就是工部下面某分支的一个小官员，这个小官员是贾政的直接下属，就假称是这个营缮郎因为无儿无女，抱养了一对儿女，其中有一个女孩子是秦可卿，暂时寄存在贾家。秦可卿寄存到贾家当时贾珍已经结婚，有了尤氏，因此在名分上，只能把她说成是贾蓉的妻子。

而实际上秦可卿这个角色，她的生活原型的辈分，和贾珍是同辈的，两人并不乱伦。我为什么这么说，因为前几讲里面我反复跟大家讲，从人物的生活原型到曹家的真实情况，到小说里面的艺术角色，它的人物辈分是匹配的，这里再重复一下：义忠亲王老千岁，小说里面出现的一个名称，生活原型就是康熙朝的废太子，就是胤礽，后来被雍正改名为允礽，他的儿子是弘皙；在曹家这个家族里面，像曹頫他跟废太子是同辈的，在小说里面对应着贾敬、贾政、贾赦这一辈；胤礽生下的儿子就是弘皙，如果说他生下女儿的话，比如说弘皙的妹妹的话，在生活当中就应该对应于曹雪芹这一辈，是不是啊？在小说中对应的就是贾宝玉这一辈。小说里面跟贾宝玉一辈的是谁？在宁国府就是贾珍，在荣国府有贾琏、贾环等。所以说呢，如果秦可卿的生活原型是废太子家族的，而且如果她是弘皙的一个妹妹的话，那么她的辈分挪移到《红楼梦》小说里面，就跟贾珍是一辈人，和宝玉也是一辈人。我这个逻辑听明白了吗？因此，为什么曹雪芹放手写贾珍和秦可卿的感情，就是因为在他心目当中，他并不认为这是乱伦恋，他只是认为这是一种畸恋，一种畸形恋。

　　从小说里面的描写可以隐约感觉到，秦可卿的年龄实际上比贾蓉大，比贾宝玉更大。当然她比贾珍要小一些，她出场的时候应该是二十岁上下。她寄存到贾府时，很可能就是和贾珍一辈的，而贾珍是知道的。她跟贾蓉是名分上的夫妻，在小说里面你可以看到，贾蓉和秦可卿根本就没有同房过夫妻生活的迹象。第五回写宝玉要午睡，秦可卿先带他"来至上房内间"，那可能是贾珍和尤氏的住房，宝玉不喜欢那里头的气氛，秦可卿就说"不然到我屋里去罢"。这时候还写了有一个嬷嬷插嘴，她觉得不妥，忍不住就劝谏秦可卿，至少有两种古本里，那句劝谏的话是这么说的："那里有个叔叔往侄儿媳妇房里去睡觉的礼？"现在通行本里也是这么写的，但秦可卿满不在乎，就把宝玉往她卧室里带。要特别注意到，书里一再强调是秦可卿她的卧室，都没有说到贾蓉的卧室去。按过去封建社会的规矩和语言习惯，不能够说这个卧室是媳妇的，一定要以丈夫来命名这个卧室，比如说到贾政的房间，到贾赦的内室，等等。但秦可卿她就公开说那是她的卧室。这就说明，她在宁国府里面有很独特的生活方式，她多半是住在自己的房间里面，她跟贾蓉只是名分上的夫妻，而且这一点阖府上下应该都是比较清楚的。

当然，在宁国府里，也应该有一处贾蓉的居室，必要的时候，秦可卿也会在那里面，书里写张友士来给秦可卿看病，就使用了那个空间；秦氏的特享卧室，有时候贾蓉也会去，比如王熙凤和宝玉去探视生病的秦可卿，贾蓉也陪着进去；但书里写贾蓉与秦可卿的夫妻关系，相当含混，相敬如宾有余，男欢女爱了无痕迹。

焦大之所以跳着脚骂，触因当然是因为管家竟然把苦差事派给了他，他又正喝醉了酒。但焦大是跟着宁国公为皇家立过汗马功劳的人，他是有政治头脑的，他骂"爬灰的爬灰"，当然是骂贾珍，因为从名分上贾珍和秦可卿是公媳，偷媳妇是不对的，而且他应该知道秦可卿的真实身份，他知道藏匿秦可卿这件事的分量，他认为你贾珍既然把秦可卿当做贾蓉的媳妇藏匿起来，你就应该负责任，就应该扮演好公公这个角色，以等待秦可卿的家族获取最后胜利，给宁国公在天之灵争口气，却"那里承望到如今生下这些畜生来"，居然都是些败家子，贾珍就是头一个败家的畜生，你跟秦可卿乱搞，你坏了大事！

那他骂"养小叔子的养小叔子"，骂的是谁呢？我认为，他骂的是秦可卿和贾宝玉。他知道秦可卿和宝玉是一辈的，秦可卿实际上是贾珍隐秘的妻子，他门儿清，他清楚，宝玉是贾珍的弟弟，堂弟，是她的小叔子。即使不去考虑贾珍跟秦可卿的隐秘关系，就从秦可卿家族辈分与贾氏家族辈分的匹配关系上看，秦可卿主动去跟贾宝玉发生关系，不管她嫁的是谁，都是养小叔子的行为。注意，"爬灰的爬灰"，谴责的重点在偷媳的公公，而"养小叔子的养小叔子"，谴责的重点不在小叔子，而在那个越轨的女性。焦大因为知道秦可卿以矮一辈的身份藏匿在宁国府，是负有使命的，她应该静待她家族的胜利消息，应该最后为贾家带来好处，然而他发现这个女子竟然置自己的神圣使命不顾，在自己的卧室里跟贾宝玉乱搞，他真是痛心疾首啊！

书里写到，焦大骂时还说"我要往祠堂里哭太爷去"，最后还高喊，"我什么不知道！咱们'胳膊折了往袖子里藏'！"只差一点，他就忍不住要把秦可卿的真实出身叫嚷出来了，由于众小厮往他嘴里填满了土和马粪，才算中止了他的叫骂。曹雪芹写这一段，显然，是有他的深意的。

秦可卿这个形象，曹雪芹写她，确实有不安分的一面，往好了说，是浪漫，往坏了说，就是淫荡。有红迷朋友问，如果秦可卿真是皇家的骨血，藏匿到宁国府以后，贾珍怎么敢欺负她呢？贾珍是一个七情六欲都很旺盛的男子，颇有阳刚之气，胆大妄为，恣行无忌，虽然他知道藏匿秦可卿事关重大，但当秦可卿一天天在他眼前长大，出落得风流袅娜以后，他是无法克制自己的情欲的；而且他会觉得，关起宁国府大门，在那高高的围墙里，他怎么行事谁也管不着他，他也并不以为那就会坏掉宗族所期待的"好事"。而且，曹雪芹虽然对贾珍、秦可卿的恋情写得很含蓄，由于后来又删去了大段文字，更令人如堕雾中，但我们读那些有关的文字，还是能品出味来，就是秦可卿对贾珍，有主动的一面，很难说是贾珍强迫了她。这就跟《雷雨》里的繁漪和周萍一样，很难说究竟谁欺负了谁，谁勾引了谁。我觉得，曹雪芹他其实是很客观地来对待贾珍和秦可卿之间的恋情，什么应该不应该的，他们就那么相互爱恋了。生活，人性，就那么复杂，那么诡谲。

我们还要注意到，在第五回里面，警幻仙姑密授贾宝玉云雨之事，把其妹可卿许配与他，其实就是暗写，秦可卿作为宝玉的性启蒙者，使他尝到云雨情，所以之后贾宝玉和袭人不是一试云雨情，而是二试了，过去有的评家老早指出过这一点了。有的读者对曹雪芹这样写，当然是扑朔迷离的文本，也不大能接受，觉得那不是流氓教唆吗？其实在中国古典文学里面，在《红楼梦》以前的白话小说里，像《金瓶梅》，写性爱，是非常直露的，甚至可以说是相当地色情。《红楼梦》干净得太多了，色情文字很少，就是写到性行为，也尽量含蓄。比如周瑞家的送宫花，大中午的，贾琏戏熙凤，他完全是暗场处理，脂砚斋说那是一种"柳藏鹦鹉语方知"的手法；还有一处，他写贾琏忽然跟王熙凤说："只是昨儿晚上，我不过要改个样儿，你就扭手扭脚的。"凤姐嗤的一声笑了，啐了他一口，低下头便吃饭。这种含蓄的写法，是对《金瓶梅》那类作品的极大超越，是以情色文字，替代了色情文字。当然《红楼梦》也有个别地方，可以说比较色情，如写贾琏跟多姑娘偷情，但那是为了塑造贾琏这个艺术形象服务的，还引出了贾母"从小儿世人都打这么过的"著名议论，使我们知道那个时代的主流观念，骨子里究竟是些什么。简言之，《红楼梦》写性，都是为塑造人物服务的，他写贾宝玉在梦中被警幻仙姑以可卿加以点化，初尝性爱滋味，是为了展示贾宝玉这个人物的身心发展历程。他写这一笔，告诉我们贾宝玉生理上成熟了，但这时贾宝玉只是跟袭人偷尝禁果；他后来又写到贾宝玉心理的成熟和情感的成熟，与林黛玉之间有了真正的爱情，但对林黛玉没有一点轻佻的表现，那完全是精神上的共鸣，升华到圣洁的层次。因此，不能认为他写秦可卿对贾宝玉的性启蒙，是猥亵性的低俗文字。

秦可卿的"擅风情，秉月貌"，她与贾珍的暧昧关系，在宁国府并不是什么了不得的秘密。焦大醉骂，上下人等都听见了，尤氏当然也听见了，但尤氏无所谓，或许她心里不痛快，但表面上她不动声色，因为尤氏是一个深明大义的人，她知道，这个女子养在家里面，决定着宁国府今后的前途。万一秦可卿的背景家族获得了政权，那么他们就是开国功臣之一，他们保存了这个家族宝贵的血脉，他们的荣华富贵就会升级，所以她对贾珍和秦可卿之间的暧昧关系，在秦可卿死去之前，她都容忍。只是在秦可卿死了以后，他们所期盼的"好事"不幸"终了"，她才撂了挑子，说自己胃痛旧疾复发，躺在床上再不起来，后来是由王熙凤过来，张罗本来该由她张罗的丧事。贾蓉也是一样，王熙凤也是一样，他们都听到焦大醉骂，他们不能容忍焦大再骂，却一样也容忍了贾珍与秦可卿的非正当关系，为什么？那理由跟尤氏是一样的。我们这样来读《红楼梦》这些文字的话，就会有豁然贯通之感。

所以贾珍在秦可卿死了之后，他不掩饰他对秦可卿的痛惜，哭得泪人一般，还有一句话叫做恨不能代秦氏之死，如果仅仅是爱情，何至于到这个地步，是不是？他觉得这是葬送了宁国府很重大的政治前程，他很痛心，他说"合家大小、远近亲友谁不知道我这媳妇比儿子还强十倍，如今伸腿去了，可见这长房内绝灭无人了"。然后别人问他怎么料理，他说"如何料理，不过尽我所有罢了"，还是拍着手，不是压低声音偷偷地说，他公开说，他不在乎。

秦可卿死了以后，她睡在一个什么棺木里面？就睡在薛蟠提供的，坏了事的义忠亲王老千岁所留下的，那珍贵的檣木所制成的棺材里面。她叶落归根了。这时候她真实的家族血缘实际上就揭示出来了。下一讲我就会告诉你，秦可卿的真实身份。

秦可卿原型大揭秘（下）

在对秦可卿真实身份的层层解读中，这一人物的原型已经浮出了水面。在上一讲的《秦可卿原型大揭秘》中，《红楼梦》里关于她的古怪文字，已逐步加以破解。但仍有一些疑问还没有完全解开，例如，如果秦可卿的原型真是一个公主级的人物，她是谁的女儿？在戒备森严的清宫大院，她如何能躲过搜查送出宫中而让人收养？为什么偏偏选择了曹家来收养这个女子？曹家为什么敢冒那么大的风险？在文字狱盛行的清朝，曹雪芹对政治避之不及，为何还要以这个女子为原型，塑造出秦可卿这样一个与政治有着重大干

北静王

人间万姓仰头看。

天上一轮才捧出，

满把晴光护玉栏。

时逢三五便团圆，

系的角色呢？

在这一讲里，我要对这些疑问一一做出解答。

《红楼梦》是一部被删改过的作品，这是一个不争的事实。作者曹雪芹和他的合作者脂砚斋多次披露，在《红楼梦》的创作中，由于某种不能说得太清楚的原因，实际上也就是非艺术性的考虑，而删减了内容。在对《红楼梦》细细的解读中，一个明显被删减的痕迹，就出现在第十三回。脂砚斋明确指出，这一回删去了"四、五葉"之多，线装书的"一葉"，相当于现在书籍的两个页码，若以每个页码五百字计算，那被删去的就差不多有二千五百字左右。以曹雪芹的文笔，他用一千三百五十个字就能让妙玉的形象活跳出来，而且还把妙玉与贾母，与刘姥姥，特别是与宝玉、黛玉和宝钗这些不同的人物的互动关系，生动地表现了出来，因此也就可以估计出，第十三回所删去的文字里，该有多么丰富而生动的内容了。确实这一回也就显得比较短，跟其他各回相比，在篇幅上不够匀称。

第十三回说的是秦可卿突然死亡，王熙凤协理宁国府丧事的故事。根据脂砚斋的批语，我们可以知道，这一回的回目原来是"秦可卿淫丧天香楼"，因为删去了关于天香楼的文字，所以后来把回目改成了"秦可卿死封龙禁尉"。这在字面上也是说不通的，前面已经分析过，这里不再重复。

那么，第十三回里被删去的，究竟是些什么内容呢？一般人都猜测，一定写的是贾珍和秦可卿两个人的恋情，两人在天香楼上做爱，一定写这个。我也认为会有这个内容，但仅仅是这个内容吗？我觉得肯定不止这个内容，如果只是这个内容的话，曹雪芹不至于把它删掉，不至于脂砚斋给他一出主意，就把这个删了，不可能。因为在《红楼梦》里面，有时候根据情节的需要，根据塑造人物的需要，他也写一些情色场面，写得也挺露骨的，比如贾琏和多姑娘偷情,那段文字脂砚斋就没提议删去,他来回地整理书稿,都没有删。因此,可以判断删去的"四、五页"当中,既有贾珍和秦可卿两个人的恋情,还有必须删掉的政治性内容。

删去的文字里有政治性内容,可以从两个丫头的离奇表现看出来。秦可卿在天香楼上吊死了,导致了两个丫头的古怪反应。一个就是瑞珠,秦可卿死了以后,她就触柱而亡,如果她只是看见了主子淫乱,她何至于触柱而亡啊。贵族府邸的那些老爷、少爷是满不在乎的,你是我的仆人,我当着你的面做这样的事,你能怎么着,你看惯了见怪不怪!大家记得尤二姐、尤三姐到了宁国府以后的那个情节吗?贾敬吞丹死了,当时贾珍和贾蓉不在家,尤氏来料理这个丧事,她把娘家的继母和两个妹子接到宁国府,帮助照应一下。后来贾珍和贾蓉骑着马赶回来了,贾蓉先回来,这时有很大一段文字描写,说他当着丫头婆子什么的就乱来。因为尤二姐、尤三姐虽然是他的姨母,但是他很不尊重,这两个人年龄也不是很大,又很漂亮,本身作风也不好,他就想,首先不说别的,想占便宜。你记得那一回里面写到,旁边丫头还有劝的,说她两个虽小,到底人家也是姨妈那一辈的,贾蓉说你说得对,咱俩先亲一个,馋她两个。我现在说的不是原文,是大致的情节,记不记得?搂过丫头来就亲嘴,有鬼个避忌!当时在封建大家庭里面,主子具有至高无上的地位,尤其是男主人,他不避讳这些丫头的。如果是贾珍和秦可卿在天香楼上仅仅是乱性,被瑞珠撞见了,那虽然也对瑞珠不利,但瑞珠不至于事后便触柱而亡;瑞珠一定是听见了绝对不应该听见的话。那绝对不应该听见的话,就应该是秦可卿真实出身的泄露,就应该是政治性的信息,也就是义忠亲王老千岁那一派,"义"字派的绝密信息。所以瑞珠觉得我被发现听见了,我如果自己不死,主子把我治死就会更惨,我别活了,她就急茬,活不下去,触柱而亡了。另一个丫头显然也听见了什么,那就是宝珠,宝珠不愿意死,宝珠比瑞珠聪明，她采取了什么办法呢？一想秦可卿没有生育，没有子女，我就甘愿做她的义女，我来驾灵，我来摔盆，我来充她的子息，参与丧事活动；后来秦可卿的灵柩被送到了铁槛寺，她就在那儿待下来，表示我再也不回来了。当然这样令贾珍很放心，贾珍听说一个触柱而亡了，他知道这个人听见了政治性的机密信息了，你死了，死了好，你就泄露不了了；这一位也打算永远闭嘴，永远闭嘴也好，就接受她当义女。按说宝珠那么一个丫头是没那个资格的，贾珍将瑞珠以孙女的规格殓殡，又命令府里的仆人称宝珠为小姐，都是很滑稽的，他为什么要这样？其实就是暗暗感谢她们不泄露政治性机密。可见曹雪芹所删去的"四、五叶"文字，里面会有关于秦可卿真实出身的泄露，会有关于秦可卿的这个家族处境如何困难的一些文字描写。

曹雪芹写《红楼梦》的总动机，他确实还不是要写一部政治小说，再加上当时文字狱那么严酷，所以脂砚斋跟他说，说你删去算了，不要有这些内容。脂砚斋有关的批语是这样写的："秦可卿淫丧天香楼，作者用史笔也。老朽因有魂托凤姐贾家后事二件，嫡是安富尊荣坐享人能想得到处，其事虽未漏，其言其意则令人悲切感服，姑赦之，因命芹溪删去。"经过我前面那么多的分析，这条本来让我们觉得语意含混难解的批语，就比较好理解了。脂砚斋说曹雪芹写秦可卿用的是"史笔"，就是不顾情面，照实写来。这段批语的口气，完全是在说秦可卿的生活原型，脂砚斋的意思是，你如实地写本没有什么不对，这个人尽管她没能完成原来预定的使命，但是她临死前毕竟还是贡献出了很好的主意，这是那些只知道享福的人想不到说不出的，她的这个好的表现你没有遗漏掉，给她写出来了，光是她的这些言语和一片心意就让人感动佩服了，那么，就姑且赦免她的"擅风情，秉月貌"吧，所以我让你删去她在天香楼上淫乱的这些文字。曹雪芹听取了脂砚斋的建议，他可能后来也觉得自己虽然有真实的生活依据，但是那么样写出来，未免太残酷了，这个人物的原型本来就那么可怜，这些事帮她隐瞒算了，于是就动手把有关情节删除了。当然，无论是脂砚斋还是曹雪芹，删减第十三回的重要动机，应该还是避免文字狱。这可不像"藩郡馀祯"或者"臭男人"那样，仅仅是只言片语，这可是大段的情节，还是删掉算了，但这个根本的动机他们又不能留下文字的痕迹。

我在最前面关于红学的简介中，提到红学的一个分支版本学，也就是说《红楼梦》是一部有多种版本留世的作品，早期的手抄本大都叫做《石头记》，各种版本在文字上都有若干差别，研究这些差别，可以探寻出曹雪芹的原笔原意。有的版本出现的异文可能是誊抄者的手误，有些却是人为的曲解，有的则是曹雪芹原笔原意的保留。仔细研究不同版本里的异文，对我们更准确地把握曹雪芹的创作意图，是一个重要的方法。那么，在《红楼梦》的各种版本里，有关秦可卿的文字，有没有特别值得注意的异文呢？在戚蓼生作序的《石头记》里，我就发现了一处在别的版本里被删掉的文字——回前诗。这首回前诗反映了曹雪芹真实的写作意图，作者对秦可卿这个人物的真实身份，在这首回前诗里是有所透露的。在蒙古王府本的《红楼梦》第十三回前面，也能找到这样一首回前诗，只有个别字跟戚序本不同。

戚蓼生作序的古本《石头记》第十三回的四句回前诗，是这么写的："生死穷通何处真？英明难遏是精神。微密久藏偏自露，幻中梦里语惊人。"这四句什么意思呢？"生死穷通"，生和死不用解释了，穷和通也是两个概念，跟生死是搭配的，穷就是完蛋了，到尽头了，通就是通达了，走通了。那么小说里面写的这些，尤其是秦可卿以及相关人物的生生死死，穷穷通通，哪些是真的呢？回前诗中先自问一下。"英明难遏是精神"，这文笔很英明，他不能都写出来，但是有一种精神，作者有一种精神上的倾向，他没有办法遏

制；或者说是秦可卿这个人物有她的英明之处，就是她临死也还有
股精神，她难以遏制这股精神，她要发泄，结果就"微密久藏偏自
露"。"微密久藏偏自露"，这七个字太重要，也太露骨了，告诉我
们，秦可卿她的真实身份长久都是很隐秘的，但是在这一回里面偏
偏要有所暴露，有所显示，那就是秦可卿给王熙凤托梦，"幻中梦
里语惊人"。她显然是高于贾府的一个有广阔的政治眼光的人物，
在梦里她指点贾府，今后你们应该怎么办，我已经不行了，我要走
了，但是我实际上是一场政治交易的产物，我死了以后，你们家并
不是马上也要遭灾，反而会有一桩喜事降临，会有"烈火烹油、鲜
花着锦"的好事出现，但是那也是瞬息的繁华，在那个好事之后跟
着来的就是"三春去后诸芳尽，各自须寻各自门"。所以这个人很
厉害，"幻中梦里语惊人"。秦可卿这个人物她的生活原型，其实在
这首回前诗里，已经透露出来了。

　　关于秦可卿，在第七回还有一个细节，您千万别忘，就是香菱
被薛家强买以后，又被带到京城，住到贾家。当时周瑞家的看见了
香菱，周瑞家的说她长得像谁啊？周瑞家的跟金钏说："倒好个模
样儿，竟有些像咱们家东府里蓉大奶奶的品格儿。"金钏就立即表
示她也有同感。曹雪芹写这一笔是乱写的吗？随便写的吗？他都是
有寓意的。香菱是个什么人呢？第一回你还记得吗？甄士隐正抱着
香菱玩，来了一僧一道，这两人当时怎么说的？他们说，"施主，你
把这有命无运、累及爹娘之物，抱在怀内作甚？"秦可卿就是一个
有命无运的累及爹娘的一个生命。她自己很清楚，她生在最不应该
出生的时刻，给爹娘带来很大的麻烦。后来她虽然被隐秘地寄养在
了宁国府，爹娘牵挂她，但她的被藏匿又随时可能给爹娘招惹麻
烦；而她的生死存亡，完全取决于她的家族能否在政治权力的搏斗
中获得胜利。她虽然是一个生命，却无法自己决定自己的命运，所
以后来她焦虑到极点，得了抑郁症。她自己说，任凭神仙也罢，治

得病治不得命，她那有命无运的悲惨程度，甚至超过了香菱。

在《红楼梦》第五回"游幻境指迷十二钗 饮仙醪曲演红楼梦"中，曹雪芹一连写了很多首册页诗，这些诗是金陵十二钗的判词；此外，又有《红楼梦》十二支曲；每一首诗每一支曲，都暗示着书中人物后来的命运。虽然《红楼梦》是部残缺不全的作品，但是通过这些词曲中的暗示，读者能了解到这些人物的命运轨迹和最终结局，也能了解到作者对这些人物的态度和评价。在"金陵十二钗正册"最后一页的判词中，以及关于秦可卿的那支曲《好事终》中，曹雪芹概括了秦可卿的命运并对之有所评价。

金陵十二钗正册最后一页上，画着高楼大厦，那应该画的是天香楼，画上有一美人在高楼里悬梁自尽。这画面很明确地告诉你，秦可卿不是病死在床上，她是上吊自尽的。配合这幅图画的判词一共四句："情天情海幻情身"，意味着秦可卿的家族背景是天和海。"情既相逢必主淫"，这当然是说秦可卿跟贾珍相逢，双方都有情欲，你爱我我也爱你，必然就会有淫乱的事情发生。曹雪芹他是用"秦"来谐"情"的，吴音里qin和qing是不分的，"秦可卿"谐"情可轻"，意思就是这种感情本来是应该轻视的，不必那么看重的，但事实上却发生了——"秦可卿"又谐"情可倾"——过分倾注情感的事情。我以为，曹雪芹这样谐音，他的含义不是单一的，不光是说贾珍跟秦可卿的感情，他也是在说贾家和"义"字派的感情，和"双悬日月"的那个"月"的感情，太过深厚了，结果就做出了藏匿秦可卿的事情；如此看重政治结盟的感情，也是并不可取的，"情可轻不可倾"，这是事后悟出的，很沉痛的教训。下两句是"漫言不肖皆荣出，造衅开端实在宁"，这就说到秦可卿与贾府陨灭的因果关系了。如果秦可卿的问题只不过是跟贾珍有不正当的关系，没有别的因素在内，那么她的生死存亡，跟荣、宁二府的兴衰安危能有多大关系呢？这两句实际上就跟我们点明了，不要以为后来贾家断送了前辈创下的家业，问题都出在荣国府，那祸根，实实在在地是在宁国府这边；那滔天大罪，就是宁国府藏匿了秦可卿，又不是谨谨慎慎小心翼翼地藏匿，贾珍又跟秦可卿发生了恋情，把事情弄复杂了，因此，最后贾府的倾覆，首要的罪责，在宁国府。

《红楼梦》十二支曲，实际上加上引子和收尾，一共是十四支，那第十二支，曲名叫《好事终》，说的是秦可卿。"画梁春尽落香尘"，这是对秦可卿在天香楼悬梁自尽的诗化描绘。"擅风情，秉月貌，便是败家的根本"，是说秦可卿不安分，她不该在藏匿期间跟贾珍淫乱。在这里我要提醒大家注意"秉月貌"的措辞，月貌当然是花容月貌的意思，就是说秦可卿她非常之美丽，但是我上几讲已经告诉你了，在《红楼梦》的文本里，月喻太子，因此这样措辞，我以为也是在点明秦可卿跟"月亮"的亲缘关系。下面的句子，跟那判词一样，也说到秦可卿跟贾家败落的关系，"箕裘颓堕皆从敬，家事消亡首罪宁，宿孽总因情"。"家事消亡首罪宁"跟"造衅开端实在宁"意思一样，好懂。不好懂的是"箕裘颓堕皆从敬"，"箕裘"就是指家族的正经事，"箕裘颓堕"就是家族的正经事因为不去负责，都乱套了，颠倒了，但是这怎么能说是贾敬的问题呢？有的红迷朋友就跟我讨论，说贾敬跟秦可卿有什么关系呀，他根本就不在宁国府里待着，他跑到都城外的道观里跟道士胡羼，炼丹，打算升天当神仙，怎么这支说秦可卿的曲子里，竟会责备起他来了呢？应该说"箕裘颓堕皆从珍"才是啊。贾珍一味享乐，把宁国府都翻了过来，也没人敢管他；他又跟秦可卿乱来，他有责任嘛！怎么会这里不去说他，反倒去说贾敬呢？

曹雪芹在关于秦可卿的这支曲里，他就是要透露这样的信息，就是要告诉我们，对宁国府藏匿秦可卿这桩关系到家族命运的大事，贾敬竟然采取了逃避的态度，他居然就不负责任；如果他负责的话，他留在府里，对贾珍起到抑制的作用，也许事情就不至于闹

189

得那么乱乎，焦大也就不至于骂出那样一些丑事来；但是他逃避了，任凭箕裘颓堕，不闻不问，他连府里给他过生日，都坚决不回来，他对宁国府后来的倾覆，负有头等的罪责。这个贾敬应该也是有生活原型的，最初接收那个秦可卿原型的时候，他的父亲，也就是书里贾代化的原型还活着，跟贾代善、贾母的原型他们共同决策，决定由宁国府的原型来藏匿秦可卿的原型。做出这一决策的根本原因，"宿孽总因情"，就是他们跟现实生活中的废太子，关系实在太铁了，太有感情了，也就顾不得是否最后会导致"作孽"的后果，是否会葬送了百年望族的前程。当然，他们也是投机，这件事做稳妥了，一旦废太子，或者废太子死后，当着理亲王的弘晳，能够翻过身来，登上皇位，他们家族所能得到的好处，那就怎么往高了估计也不过分。在真实的生活里，贾敬的原型，那时候他就不同意藏匿秦可卿的原型，但长辈做了主，他也无法阻拦。后来贾代化、贾代善的原型相继死去后，他就公开撂挑子了，他就逃避了，他把爵位让给贾珍的原型袭了，把族长也让给贾珍的原型当了，他的态度就是，今后府里的事跟我都没关系了。从生活原型、原型人物、原型空间、原型事件，到小说里的人物、府第、故事，应该就是这样的一种对应关系。

　　关于秦可卿的这支曲，曲名叫《好事终》，现在那含义很清楚了：本来藏匿秦可卿，是一桩好事——对于秦可卿本人来说，她可以不必跟父母及其他家人过被圈禁的生活，而且一旦她的家族在权力斗争中获胜，她就可以亮出真实的公主身份；而藏匿她的贾家，如果她的背景家族，也就是月亮，"天上一轮才捧出，人间万姓仰头看"，终于成事了，那么就相当于立了大功，荣华富贵就一定会升级，这当然是大大的好事。但是最终却是"月"派的失败，而且还没等到最后失败，就先要让秦可卿牺牲，好事没成，好事终结了，所以关于秦可卿的曲子叫《好事终》。

高鹗续书，在前面他也保留了关于秦可卿的判词和《好事终》曲，那里明白地写着"首罪宁"，他往下续书，到最后当然也只好把宁国府的罪写得好像是比较大。根据他的写法，皇帝整治宁国府比较彻底，贾家延世泽，只宽恕了荣国府，但是高鹗最后给宁国府归纳的罪状是什么呢？你现在看看去，很滑稽的，大体上一个就是逼娶良家妇女，就是说尤二姐的事。但这个尤二姐是谁娶了她啊？是贾珍吗？就算贾珍在当中起了不好的作用，罪名首先也应该是贾琏啊。贾琏他国丧、家丧都不顾，违反封建礼法娶了尤二姐，而且还造成尤二姐跟她原来订婚的丈夫的分开，造成了一些其他的后果。这是荣国府的事呀，高鹗他却为了把宁国府写得罪大恶极，就列出这么一条罪状。还有一条更可笑，有关尤三姐。高鹗的文字大体就是说，这个人死了以后宁国府没有报官，私自掩埋了。可这才算多大的罪啊，在封建社会也不是什么不得了的罪。然后他就把贾珍写得最后被治得很惨。他想不出别的办法，因为什么？也许是他没有搞清楚前面关于秦可卿的描写是怎么回事？其实也许是他太清楚了，他要回避，他要掩盖，所以他这么写。实际上在八十回以后，根据曹雪芹本人的构思，贾府的陨灭，"造衅开端实在宁"，"家事消亡首罪宁"，应该主要是宁国府惹出大祸，那"造衅、首罪"是什么？应该就是后来"当今"重提宁国府居然收养了皇族罪家女儿的事情。本来这件事已经通过秦可卿自尽，体面地解决了，但"三春去后"，"当今"改变了态度，新账旧账一起算，那么藏匿秦可卿这件事，当然就是弥天大罪，贾家就没有活头了。这时不但宁国府罪不可赦，荣国府也脱不了干系，于是忽喇喇似大厦倾，昏惨惨似灯将尽，家亡人散各奔腾。

那么我说到这儿，先做一个结论，再针对可能对我提出的质问，做出一点解答。我的结论就是：曹雪芹所写的秦可卿这个角色是有生活原型的。这个角色的生活原型，就是康熙朝两立两废的太子他所生下的一个女儿。这个女儿应该是在他第二次被废的关键时刻落生的，所以在那个时候，为了避免这个女儿也跟他一起被圈禁起来，就偷运出宫，托曹家照应。而现实生活当中的曹家，当时就收留了这个女儿，把她隐藏起来，一直养大到可以对外说是家里的一个媳妇。在曹雪芹写《红楼梦》的时候，这个生活原型使他不能够回避，他觉得应该写下来，于是就塑造了一个秦可卿的形象。概而言之，秦可卿的原型就是废太子胤礽的女儿，废太子的长子弘皙的妹妹。如果废太子能摆脱厄运，当上皇帝，她就是一个公主；如果弘皙登上皇位，弘皙就会把已故的父亲尊为先皇，那样算来，秦可卿原型的身份依然可以说是一个公主。

秦可卿原型的公主级身份，是许多《红楼梦》的读者没有想到的。我这个结论出来以后，一定会有人提出质疑，头一个问题就是，在康熙时期，太子胤礽被废圈禁后，受到严格的看管，在那样的情况下，把一个婴儿偷运出宫，难道是可能的吗？历史上难道存在过类似的事实吗？

有的人不清楚清朝那时候的情况，以为太子被废被圈禁，只是把他一个人带到一处地方关起来，不是那样的；废太子被圈禁，是整窝地被圈禁。他当太子的时候，住在毓庆宫，被废被圈禁后，有个移宫的过程，移往紫禁城一角的咸安宫去，而且也不是光转移他一个人。他除了正妻以外，还有许多小老婆，有大大小小一群儿女，还有伺候他和他妻妾儿女的一大堆男女仆人，因此，那转移是个浩大的系统工程。就算康熙动了气，下了很严厉的命令，要求转移的过程中不许有疏漏，那也难免出现一些混乱，一些漏洞。何况太子一废以后，没多久康熙又后悔了，太子又复位了，那么一废的时候对太子不好的人，在太子复位后肯定会被打击报复，因此，二废的诏令下来时，执行移宫的人员里，就一定会有人觉得不能太生硬，谁知道康熙他过些时候会不会又平了气，再让太子复位呢？在那样的过程里，发生一些逃逸的事情，看守者执法不严的事情，都是可能的。更何况，贪图钱财，贿赂到手，管你什么王法不王法，这样的人，这样的事，自古有之。人性的黑暗面，加上还可能有的人性中的同情心、怜悯心、不忍之心，在那种复杂的世态中，有人以复杂的心态，做出越轨的事，实在不是什么难以理解的事。

就是把废太子一家都转移完了，太子一家全都被安顿到咸安宫里软禁起来了，看守的制度也完善了，那也依然难保没有空子可钻。因为康熙有指示，对废太子，以及他那一大家子，生活待遇上还要保持原来的水平，叫做"丰其衣食"，那么天天往里头送生活用品，往外运废物垃圾，应该还是川流不息的状态。清朝史料里还有夏天往咸安宫里运送冰块，给太子他们消暑的记载。废太子和他的家人，刚迁到咸安宫里，气焰不会太高，却也难免还会习惯性地颐指气使，还有一些余威；看守他们的人员，有的一开始也肯定让他们三分。因为那时候谁也说不清楚，以后究竟会怎么样，既然一废不久康熙就后悔过，焉知二废后会不会三立呢？当时的情况，可以说是很怪异、很微妙的。

根据史料，太子被二废后，他是一直不死心的。他曾利用太医院太医去给他的福晋——就是大老婆——看病的机会，买通那个太医，让他带出一封密信去。密信是用矾水写的，表面上，是张白纸，但是拿到火上去一烘焙，字就现出来了。太医把密信递到了废太子指定的人手里，那人也没拒绝接收。这封密信的内容，是废太子指示那个接收密信的大官，设法在见到康熙皇帝的时候，为他说好话。当时西北又有部族叛乱，废太子让帮他说话的人向康熙保举他担任征西大将军，以戴罪立功，实际上也就是图谋重新回到太子的位置上去。没想到矾水写密信、私递出咸安宫的事，很快被人告发了，康熙严厉地处置了相关的人，对废太子倒没再怎么样，只不过不去理他就是了。这个例子也充分说明，废太子他不甘心，他也还是有余威的，有的人就帮他传递密信，有的人就帮他说话。

根据查出的这些史料，我形成了一个思路。在当时那种情况下，废太子身边的一个女人，如果恰恰在他被二废的关键时刻，产下了一个婴儿，他们不愿意让这个可怜的孩子，一落生就陷于被圈禁的处境，于是趁着混乱，买通看守，将其偷运出宫，送往曹家藏匿。这种事情是有可能的。

但是抽象推论，是不能说服人的。那么我不跟你进行抽象的推论了，我要告诉你，从清朝所留下的档案里面，可以找到根据，证明在那样的情况下，是有人曾经逃逸出来的。这些材料，甚至在雍正朝和乾隆朝他们反复清理遗留档案的时候，都没有被删去。例如，根据《清圣主实录》第二百六十八卷的记载，在太子第二次被废的前后，从太子被圈禁的咸安宫里面就逃出过一个人，不过不是一个幼儿，是一个成人。这个人有名有姓，当然是满族人，叫得麟。这个人他没想到自己的主子又被废了，又要从毓庆宫移到咸安宫，而且移到咸安宫以后，就要跟主子一起被圈禁，这一圈禁，就不知道哪一天才能获得自由了，他就决定逃走。他采取了一个什么办法呢？诈死。他装死，想办法通知外面看守的人，说死人了，要运死尸，所以就把他当做死尸抬出去了。这可不是假设，不是推理，这是生活中真实存在过的事情。这个得麟诈死逃出以后，还有人收留他。你不要总是问，逃出皇帝下命令的圈禁，已经是死罪，难道会有人敢于收留他吗？那不也是死罪吗？依我看，任何时代，任何情况下，总会有人冒死做一些违法的事。那个收留得麟的是一个大学士，叫嵩祝，他就收留了得麟。后来康熙亲自处理这个案子，得麟被处死，嵩祝也被整治；康熙就指出，虽然太子被废了，但是像嵩祝这种人，还是要做讨好废太子的事，就是总怕废太子再成为太子，最后还要登基成为皇帝。现在我们虽然还没找到任何关于太子的女儿偷运出来，被曹家藏匿的史料，但我们可以不必再问：那是可能的吗？因为其可能性，应该大于得麟的逃逸和被收留藏匿。得麟是一个成人，诈死以后装作死尸也很大，尚且都可以偷运出来，何况刚刚诞生的婴儿。得麟不过是废太子身边的仆役，尚且有大学士嵩祝觉得"奇货可居"，可以作为将来向"正位"的胤礽邀功的本钱，愿意将其收留藏匿，那么，收留藏匿胤礽的一个女儿，对于曹家来说，难道不是能获取更大利益的政治投资吗？何况"宿孽总因情"，他们之间不光有共同的政治利益，交往久了，也确实有了感情。

说到这儿，可能有人会说，我还是有点不服气，我知道清朝当时有宗人府啊。什么叫宗人府？就是皇室的每一个成员，每一个皇族血脉的孩子，从婴儿就要开始登记的。宗人府是管这个的，这些是要严格登记的，不能说你生一个孩子就让人家抱养了，隐瞒起来，这查出来以后可是死罪。但还是上面那句话，在任何时代，都会有个别人，冒死去做一些违禁的事。我现在就举实例告诉你，也在康熙朝，康熙自己就曾经处理过相关的一个案子。就是宗室原来的内大臣觉罗他达，因为孩子太多，他小老婆又生了一个孩子，他就不想要了。尽管宗人府定例森严，他就是不报，不报这个孩子又不能把他弄死，怎么办呢？就有包衣佐领——这个人还有名字，康熙还点了名，名字叫郑特，他就把觉罗他达不要的这个孩子，领到自己家养起来了。现实生活当中的曹家，就是满族的包衣，就是统治集团的一个奴才班子里面的成员，跟这个郑特的身份，是一样的。作为包衣，郑特居然就敢于背着宗人府，收养皇族血统的后代，这可不是什么小说里面的情节，这是历史上的真事，因此你就不要再那么问了：皇家有规定，皇族血统的孩子必须一落生就到宗人府登记的，难道会有人敢于不登记吗？私自收养皇家血统的孩子，是违法的，尤其是奴才身份的人，更不允许把皇族的后裔私自抱去养起来，难道会有包衣，把皇族没在宗人府登记的孩子，私自抱去养起来吗？可能吗？不存在可能不可能的问题，康熙亲自处理过这样的事，有史料可查；而且康熙处理时还提出这样一条，说这一家血脉因此就不清楚了，所以今后在选秀女的时候，这一家的女孩子就不可以混入选秀女的名单里面了。康熙很严厉地指示，有类似情况要严格查明。虽然皇帝很严厉，但是，你看有例子是不是？有人就从被圈禁的宫里面逃逸；有人就收留逃逸的人；有的皇族生了孩子就瞒着宗人府，违禁地送给别人；而包衣奴才身份的人，他就敢私自把皇族血统的孩子抱到自己家养起来……包衣郑特的身份跟曹家差不多。曹家就是包衣世家，按说不可以随便把皇族的血脉拿到自己家里养，何况是被废掉的，坏了事的。但是康熙朝就发生过类似事件。因此，我们所面对的就不是一个可能不可能的问题，依我说，这是完全可能的，只是我们现在还没有找到胤礽的一个女儿被曹家藏匿的一手档案而已。

那么在这一讲的最后，我重申我研究得出的结论，就是《红楼梦》里面所写的秦可卿是有生活原型的，这个原型人物就是现实生活当中废太子家的一个小女儿，她应该是在废太子第二次被废掉的关键时刻被偷偷地送到曹家养起来的。曹雪芹在写作一部带有自叙性的作品的时候，就把这个生活原型化为了小说当中的秦可卿。

但是关于秦可卿的故事并没有结束，因为秦可卿在临死前给凤姐托梦的时候她有明确暗示，就是她的死亡和另外一个人的升腾是互为表里的，她是被人出卖的，她是被人告密的。那么在现实生活当中和在小说当中，向皇帝告密造成秦可卿死亡的那个人是谁呢？我将在下面几讲里，逐步地揭示这个人的真面目。

在上一讲最后，我把自己探究的结论告诉了大家，就是《红楼梦》里面秦可卿这个艺术形象，她的生活原型，是康熙朝废太子的一个女儿。那么这个结论出来以后，我就碰到了一位红迷朋友，他不太服气，跟我来讨论。当然，我自己的一些结论，并不要求别人都来认同，本来红学就是一个公众共享的学术空间，大家都可以活跃起来，各自发表看法。我就问他，你怎么想不通呢？他说，依他想来，如果曹家藏匿了废太子的一个女儿，而且被人告密了，事情败露了，皇帝不会仅仅是让这个废太子的女儿自尽，一定会立即打击曹家。可是他说，你看看书里面怎么写的呀？书里面写的是，秦可卿在天香楼上自尽以后，贾家不但没有马上遭到打击，反而进入了一个"烈火烹油，鲜花着锦"的新局面。这家的富贵荣华，还上了一个新台阶了！因此，他就跟我讨论，问我说，如果生活当中，确实发生了您说的那样的事情，而您又说，它是一个自叙性、自传性的小说，反映到小说里边，作者却又是这样来写，秦可卿的死亡，没有马上给贾家带来打击，更不要说毁灭性的打击了，不但没有遭到打击，反而贾家情况更好了！这多奇怪呀！

我觉得他这个思路挺有意思的。我估计，观看我这些讲座节目的观众里，也会有人提出类似的问题，就是说，小说里这么写了，究竟是现实生活当中，大体上就是这么一个状况呢？还是曹雪芹在写这一段的时候，他完全离开了生活的真实，去进行凭空的艺术想像呢？

现在我可以很明快地回答大家这个问题，跟我讨论的这位朋友，我也是很明快地回答了他。我说呢，在现实当中，恰恰就是这么一个情况，曹雪芹写入小说的时候，当然对原始的生活形态，有改变，有挪移，有夸张，有渲染，有回避，有遮掩，但是总的来说，现实当中基本就是这么一个情况。我说完以后，那位红迷朋友就觉得，有一个新的问题，要跟我讨论。我说，你先别着急，因为我在上一讲里面，最后我自己提出了一个问题，我得先把我那个问题回答了，咱们再来讨论你这个新问题。他也觉得挺逗的，怎么研究《红楼梦》，跟套罐娃娃似的，一个问题套着一个问题？我说，这样研究《红楼梦》，才兴味盎然。

大家记得吗？在上一回最后，我自己提出一个问题，就是说，如果说在书里面——咱们先说小说，秦可卿这个事情暴露了，是有人告密，那么，这个告密者是谁呢？是谁把秦可卿的真实身份，告诉了皇帝呢？那么这个问题，我现在不绕很多的弯子，我也可以很明快地告诉你：你读《红楼梦》，读完秦可卿之死，很快就会读到另外一个人的升腾，这个人是谁呢？就是贾元春。第十三回秦可卿死了，对不对？第十四回、十五回，基本都是写秦可卿的丧事，到第十六回，就写了一件跟丧事反差很大的喜事。什么喜事？"贾元春才选凤藻宫"。因此从小说里面内在的情节逻辑来看的话，向皇帝告发秦可卿真实身份的这个人，应该就是贾元春。

你现在仔细想一想，贾家的命运，如果把贾家比喻为一只鸟的身子，他们家的命运，就是靠两只翅膀的扇动，来决定家族的提升。一只翅膀，就是秦可卿。贾家藏匿、收养了一个义忠亲王老千岁的骨血，一个女儿，这就是秦可卿。他们为什么要这样做呢？因为义忠亲王老千岁虽然"坏了事"，但是"坏了事"，并不等于说这支力量就彻底地毁灭掉了，它还存在，还可能从"坏了事"的状态，转化为"好了事"。所以从小说来看的话，宁国府隐藏了这样一个人物，一直把她作为贾蓉的媳妇养起来，把她调理成一个气象万千的杰出女性，就是在进行政治投资。这是往义忠亲王老千岁这股政治力量方面来投资。

在上几讲里边，我已经给大家讲了，义忠亲王老千岁的原型，应该就是康熙朝被两立两废的太子。他虽然被两立又被两废了，但是在康熙朝，这个人并没有死去，这个人是在雍正二年才去世的。康熙到了晚年，大家觉得，这位老皇帝的脾气，越来越让人觉得反复无常。不少人就想，他既然可以把胤礽废了又立，立了又废，那么有没有可能，就在他还在世的时候，第三次把胤礽立起来呢？因为这是他的亲骨肉，他从小把他培养成一个太子，费了多少心血啊。当时一些官僚集团的人，都有这种揣测，尤其是康熙认为"皇长孙颇贤"的传言，流传得特别广泛。"皇长孙"就是废太子的嫡子弘皙，而且弘皙那时候又为康熙生下了嫡重孙永琛，人们普遍觉得，即使康熙彻底废了胤礽，不让他继承皇位了，把帝位传给弘皙的可能性也是很大的。这些生活中的真实状况，化为小说里面的故事以后，贾家藏匿秦可卿，视她为政治投资的"绩优股"，你也就应该能够理解了，是不是？虽然义忠亲王老千岁"坏了事"，但是他的那些残余势力仍然存在，像冯紫英什么的都是，小说里面这些人物，都是属于这一派。所以贾家觉得，可以通过收养、藏匿秦可卿，进行这边的政治投资，一旦政局发生变化，义忠亲王老千岁本人，或者他的儿子，在小说里以模糊的光亮笼罩全局的"月"，在新的政治局面下成了皇帝，那么贾家就立大功了。你在人家最困难的时候，能够毅然决然地去藏匿人家的骨血，让其免于跟父母一起被圈禁，那么，人家成了新皇帝，肯定要大大地褒奖你。

　　我在上几讲里面，已经大体上提到了，你现在应该懂得这一点，就是为什么"坏了事"的义忠亲王老千岁，会把一个女儿寄顿到贾家呢？就是因为在真实生活当中，太子一废的时候，可能他还没有什么思想准备，有关情况我就不重复了，我前几讲讲过这个内容了；但是在二废之前，这个人会不会已有了思想准备？他经历过一次了啊！他有思想准备。他的家属，一大群人，除了他本身的正室以外，他有很多个小老婆，他的正室给他生了孩子，他的小老婆也给他生了孩子，太子也是子女满堂的。另外，还有伺候他们的很多人，是不是啊？而且在前一讲已经讲过了，那就不是小说了，是史料记载，说那时就有一个叫得麟的人，他发现太子又不行了，又要被废掉了，废掉了就要被圈禁起来啊，谁愿意被圈禁起来呢？就算是对太子的生活供应标准还不太降低的话，也没有自由啊——人总是向往自由的，高级监狱毕竟也是监狱，对不对？废太子他没有自由了，所有那些跟他有关的人，包括伺候他的人，也都没有自由了，所以这个叫得麟的人，就无论如何不想跟着被圈禁，就设法逃出去。他就诈死，把自己装成死人，想办法让人把他当尸体运出去，然后还真那么运出去了，还有一个大官僚就把他给收养了。当然，最后是被人揭发了，这个得麟处死了，藏匿他的官僚被整治了。

因此，你应该能够理解，在第二次大风暴要来临的时候，很可能这个时候，太子的一个妻妾就要临盆了，这时候，他或他的那个妻妾就想，风声传来了，又要被废了，又要被圈禁起来了，这个有命无运的孩子，为什么让她从一个婴儿起，就做囚徒呢？还是想办法通过各种关系，把她偷渡出宫吧！于是就把这个孩子偷渡出来，或者谎称是养生堂的孩子，或者谎称是被一个小官僚收养，或者就直接地，干脆藏匿到曹家，由曹家造出一些谣言，把她保护起来，养起来。所以无论是现实生活当中也好，是小说当中也好，你就都应该能够理解，一家人之所以能够去藏匿、收留暂时政治上失利的一派政治力量的一个骨肉，一是因为他们之间毕竟交往多年，有感情，"宿孽总因情"，二是因为这样做也是政治投资，将来还很难说，像押宝一样，还有一本万利的可能。这就是贾家的一只翅膀，秦可卿。

但是和当时清朝的其他官僚一样，曹家进行政治投资，不能光是一面投资——一面投资你就不保险，得"双保险"！于是就有另外一只翅膀，那翅膀也使劲扇动，就是把自己家族的一个女儿，送到宫里面去，想办法让她逐步晋升，使她最后能够到皇帝的身边，成为皇帝所宠爱的一个女子。在小说里面，这个人就是贾元春。这当然是一个很现实的投资了，因为投资对象是现在的皇帝，所谓的"当今"啊！

就这样，两只翅膀飞。如果这边这个投资失败了，不成功，那么只要这个翅膀没有完全折断，还勉强能够扇动，那边的翅膀又还强劲的话，这个鸟还能飞起来。所以他们两面进行政治投资。在现实生活里，曹家是这样的，小说里面，曹雪芹的艺术构思是设计了一个贾家，告诉你贾家一些故事。那么在小说的前半部，他就重点给你讲了，一个是秦可卿，一个是贾元春，她们两个的故事。

当然，前面也写到了一些其他的女性，写到刘姥姥，有很多的故事，但是可以说，从第一回到第十六回，"金陵十二钗"中亮相得比较充分的，应该就是秦可卿，然后在第十六回的时候，就像海面上浮出来一角冰山一样，贾元春就浮出海面了。这是关系到贾家命运的两个女子，她们是非常重要的。

根据小说的描写，我们就发现，有这样一个因果关系，就是秦可卿上吊自杀之后，接着发生的事情，就是贾元春地位得到提升。因此，我刚才之所以能够很明快地告诉你，因为我的判断就是，作者的构思——他没有直截了当写出来，但是他的构思是这样的，后面我还要举很多例证证明，他确实是这样一个构思——就是由于贾元春告诉了皇帝，我们家藏匿了一个义忠亲王老千岁的女儿，就是由于她对秦可卿真实身份的告发，才形成了小说里面那样一些情节的流动。其中最关键的情节就是，秦可卿在天香楼悬梁自尽。她不得不死，因为皇族的骨血，尤其是罪家的骨血，是不可以藏匿起来的。可是皇帝喜欢贾元春，她的告发行为，又体现出了她对皇帝的忠诚，于是皇帝就把这件事划个句号，你秦可卿自尽了就算了，贾家藏匿皇家骨肉的事情就不予追究了。而且，皇族家的这类事情，也属于"家丑不可外扬"，因此，对外还允许贾家大办丧事，宫里还来大太监参与祭奠，就对这个事情进行遮掩，让丧事表面显得很风光，不让社会上一般人知道真相。贾元春告发了秦可卿，体现出了对皇帝的忠诚，当然她也一定会苦苦哀求皇帝，不要追究他们贾氏，皇帝大概觉得她忠孝两全，于是予以褒赏，就提升她的地位，就"才选凤藻宫"了。小说里面，它是这样一个情节逻辑。

说到这里，必须回答那位红迷朋友这样一个问题了，这恐怕也是很多人都想问我的：在现实生活当中，是不是真有这么一个情况？皇帝难道就那么愿意原谅生活当中的曹家吗？小说里面，写成贾家在秦可卿死了之后，不但没有受到惩罚，反而有一个大好局面出现，这样的情节安排，有合理性吗？

要回答这个问题，就必须弄清楚《红楼梦》叙述文本里的时间顺序问题。

《红楼梦》它是小说，作者在第一回里面，通过石头跟空空道人对话，就故意有一个说法，叫做"朝代年纪，地舆邦国，却反失落无考"。就是他不愿意直接说出来，我写的是哪朝哪代的事，他也不愿意直接说出来，我写的是哪个空间里面的事情。所以红学界一直有争论，究竟它写的是什么时候的事情？在《红楼梦》文本里，对男人，避免写他们剃去额发留大辫子，贾宝玉虽然写他梳辫子，但又不像典型的清朝男子的辫子，写北静王的服饰，更接近明代的样式。以至后来许多人画《红楼梦》图画，男人的服装打扮基本上往明朝靠；戏剧影视当中，人物的服装造型就离清朝更远了。但是清代对女性的服装改变不是很大，一般汉族妇女的服饰跟明代很接近。《红楼梦》里写女性服饰，清朝的味道是有的，但不明显。比如满族妇女有自己很特殊的服饰，如旗袍、两把头、花盆底鞋等等，这些在《红楼梦》里都没写。而且，对于书中诸女子究竟是大脚还是小脚，除了尤三姐直接写到是小脚，傻大姐直接写到是大脚以外，都写得很含混。这当然是曹雪芹的一种艺术处理技巧，他不想直截了当地通过这些描写来坐实小说的具体时代背景，但这里面除了艺术考虑以外，恐怕也有避免惹麻烦的非艺术考虑。时间上有模糊处，空间上也有模糊处，大观园里，南方北方的特有植物全出现，比如红梅花。北方地栽的红梅花非常罕见，甚至根本就种不活，但是故事里出现了很壮观的红梅花。红学界因此争论也很多，大观园是在南京，还是在北京啊？究竟在什么地方？当然，更多的细节证明，书里写的荣国府、大观园，还是在北方，在北京。比如里面多次写到炕，在炕上坐，在炕上吃饭，贾环在炕上抄经，故意把炕桌上的蜡烛推下去，烫伤正躺在炕上的贾宝玉等等，炕这个东西在金陵是没有的。贾宝玉还说"常听人说金陵极大",可见他懂事后就根本不住在金陵,金陵对于他来说只是一个常听大人提到的地方。也就是说,自林黛玉进都以后,故事里人物活动的主要空间,就是在北京,甚至连北京西北城的花枝胡同,也写进去了。当然,曹雪芹也借用了某些江南的事物,特别是景物,不过从主要的方面看,是写北京。曹雪芹在文本上,时间、空间方面,都故意让它有一定的模糊性,他使用了烟云模糊的艺术手法。

但是实际上《红楼梦》的文本,它又具有很强烈的自叙性和自传性。它的自叙性和自传性,又是可以勘察清楚的,因为它具有这种素质,所以这个文本很有意思。就在《红楼梦》第一回当中,我上面所引的"朝代年纪,地舆邦国,却反失落无考"这话旁边,脂砚斋就有一条批语,一语道破天机。

脂砚斋她很厉害,因为她是曹雪芹的合作者。小说里面的石头,不是跟空空道人有段对话吗,这段话你明白吗?为什么叫《石头记》呢?就是石头它后来缩成扇坠大小下凡去,经历一番人世的浮沉,复杂的经历,最后这个石头,又回到原来那个地方,青埂峰,还原成一个大石头。还原成大石头以后,跟原来有什么不同呢?上面就写满了字。写满什么字呢?意思就是写满了现在咱们看到的字,就是《石头记》。所以石头就跟空空道人说,我所写的这个东西"朝代年纪,地舆邦国,却反失落无考"。可是脂砚斋批语,马上跟上一句,叫做"据余说,却大有考证"。脂砚斋批的时候很开心,他们两个人互相在调侃,脂砚斋的意思就是,实际上你写这些东西,托言石头所写,其实不就是你曹雪芹写的嘛,其实你所写的这些,无论是从时间上来说,还是从空间上来说,都是"大有考证"!

我个人的研究方法,属于探佚学当中的考证派,我考证的思路,就是原型研究,所以我现在进行这些考证,我觉得不好笑,因为脂砚斋鼓励了我，脂砚斋就说了，"大有考证"。那么现在我要考证什么问题呢？就是要考证《红楼梦》叙述文本里的年代顺序问题，就是《红楼梦》它究竟写的是什么时代、什么朝代、什么历史事件背景当中的事？

大的方向我们老早就确定了，在前面，我已讲了很多，比如帐殿夜警事件，曹家在三朝中的浮沉兴衰，等等，通过那些分析，我们就知道，《红楼梦》应该写的是康熙、雍正、乾隆三朝，写的是在那个大背景下发生的事。现在就需要更加细化，比如说从第一回到第八十回，究竟写的是哪一年的事？把这个问题搞清楚以后，有什么好处呢？那样的话，不但我们可以进一步地了解到《红楼梦》写作的历史背景，而且可以了解到作家写作的时候，他内心的种种情愫，他的痛苦，他的欢乐。而且我们还可以通过排一个时间表，了解到《红楼梦》小说文本后面的人物原型、事件原型、物件原型、细节原型，所以这种探究是很有意思的。

为了讨论起来方便，我先把最容易回答的部分，先说出来，比较麻烦的，我放在后头。最容易的部分是什么呢？就是我可以很明快地告诉你，《红楼梦》的第十八回的后半回起到第五十三回上半回，写的都是一年里面的事情。这个我想大家不应该有争论的，因为你读时就发现了，它的季节变化的时序非常清晰，可以说是一丝不乱的："元妃省亲"，当然，除夕我就不算了，转过来就是过年了，然后就是元宵节，然后就是春天了，然后就是初春，仲春，然后是春末，然后是初夏，然后是夏天，然后是秋天，然后是冬天，然后下雪了，然后又到过年的时候了。所以，从第十八回后半部，到第五十三回上半回这三十五回书，很显然，写的就是一年里面的事情，而且它把春、夏、秋、冬四季，把季节背景描绘得是非常地清楚。那么这三十五回书，所写的这一年是哪一年？就是乾隆元年。

为什么我说它是乾隆元年？有很多证据。但是我在这儿要讨论的问题太多，我不一一列举，我只举几例。首先举一个最小的例子，第十八回写到贾元春省亲，省亲就有一些细节描写，写到所谓的銮舆卤簿——卤簿是一个文言词，可能你听起来不太好懂，但是我跟你一说成白话文，你就懂了，就是仪仗。皇帝出行或者是后妃出行，前面都有仪仗队，仪仗队非常地复杂，有非常烦琐的仪仗规定。《红楼梦》写元妃省亲，就写到卤簿，"一对对龙旌凤翣，雉羽夔头"等等，我就不细致引用原文了，你可以自己去翻。但是里面有一个细节你值得注意，就是书里面提到在贾元春省亲的时候，仪仗队里面有一把曲柄七凤黄金伞。过去的仪仗，你看《红楼梦》的那些图画，或者现在拍成的电影、电视剧，它都会有这样一些道具出现。首先，仪仗里面会有一种伞，当然这个伞，不像我们现在生活当中的伞这么小，这么低，它都是很长的柄，上面有很大的伞盖，而且伞盖旁边，有时候有一层，有时候有三层布幔围起来。它主要的作用，还不是来遮阴或者遮雨，它有那个功能，但那是其次的，它主要是表示一种威严，是权力地位的象征。那么曹雪芹笔下，就有一个很具体的名词出现，有一个具体的器物，叫做曲柄七凤黄金伞。

现在我就告诉你，这种曲柄的黄金伞，只有乾隆朝的时候才开始有，在康熙和雍正朝时候，当时在所规定的銮舆卤簿、仪仗里面的伞，都是直柄的，曲柄伞是乾隆朝才开始有的一种创制。就是说在仪仗方面，各朝它不断要有所改进，曲柄伞是乾隆朝的时候才有。因此光是这一句就说明，十八回末尾到五十三回，书中所写的这段故事，它的朝代背景，是乾隆期间的事情。

但是这样一个很小的物件的一个细节，还不足以充分说明问题，因为你可能会说，它也可以把乾隆朝有的东西，借用在这儿。那么好，你现在读十八回到五十三回，读这一年的故事，你就会发现其中有一回，就是其中第二十七回，很明确地提出一个日子。

什么日子呢？就是四月二十六日。作者就很明确告诉你，这一年的四月二十六日是芒种节。我们都知道，每年的二十四节气，并不都在同一天里交那个节气，有的年还会是闰年，同一个节气，相近的各年日期会差很多天。二十四节气有一个芒种，曹雪芹就在书里告诉你，他所写的这一年就是四月二十六日交芒种。那么你去查《万年历》，乾隆元年就是四月二十六日交芒种。这不是巧合。再加上有的红学家，比如像周汝昌先生他就考证出来，实际上四月二十六日就是曹雪芹的生日！作者之所以这么郑重地来写这一年的故事，就是因为那一年他十三岁了，关于那段时间他的记忆是最完整的，而且这一年生活是最美好的，所以他铆足了劲来写这一年的故事。《红楼梦》里多次明写暗表，贾宝玉在那些情节中，是十三岁。例如第二十三回，写贾宝玉住进了大观园怡红院，就写了几首诗，抒发他四季里快乐闲适的生活。在叙述文字里，曹雪芹就这样写道："因这几首诗，当时有一等势利人，见是荣国府十二三岁的公子作的，抄录出来各处称颂……"又如第二十五回，写贾宝玉和王熙凤被魇后奄奄一息，一僧一道忽然出现，来解救他，癞头和尚把通灵宝玉擎在手上，长叹一声道："青埂峰一别，展眼已过十三载矣！"都是表明书里的这位主人公落生十三年了。

周先生关于曹雪芹年龄和生日的推算，您可以去读他的著作，我这儿借用他的学术成果，我不做铺开的讲述，因为这太复杂。

那么在小说里面，在一个艺术的故事里面，曹雪芹他设定为，这一年是四月二十六日交芒种节，这应该就证明，他写的是乾隆元年的事情。因为整部书它是具有自叙性、自传性的，是有写实的前提的，它的艺术的升华，都是在现实的时间和空间的基础之上去渲染完成的。把这点搞清楚，很要紧。而且曹雪芹写得非常有趣，他把四月二十六日这个芒种节说成是饯花节，饯花神的日子。因为到芒种的时候，所有的花就都谢光了。《红楼梦》里引用了一句诗，叫"开到荼蘼花事了"——据说，荼蘼这种花是开得最晚的，因此也谢得最晚，等它谢了，那基本上就没有什么花开了，植物都开始结果，开始出现另外的局面了。想像有花神，这是很美丽的一个想像，所有花都开完以后，花神就要去休息了，因此，就要跟他饯别。闺中女儿们，小姑娘们，就特别地讲究这个风俗，因此在《红楼梦》里面，出现了那一回的描写，包括黛玉葬花。黛玉为什么要在那一天葬花啊？因为那一天，是一个跟花神告别的日子，她要通过葬花，这样一种礼仪形式，来表达自己对花的一种珍惜，对花神辛苦了一年，给我们带来这么多美丽的花朵开放的情景，表示感谢。当然她也表示哀悼，因为花儿谢落了，还是很让人遗憾的事情。第二十七回准确地点明芒种节日期，大写饯花神，更证明了第一回到第五十三回，应该就是写乾隆元年的事情。

那么第五十四到第六十九回这十六回，我又可以断定，它是写乾隆二年的事情。它就是一年一年往下这么写。为什么说它写的是乾隆二年的事？我也有证据。因为在这一部分，刚开始写那一年春天的时候，就写到宫里面有一个太妃，先是病了，后来又说是上一回所表的那一位老太妃薨逝了。记得吧？有这个交代吧？我记得我在前面，已经跟大家点出来过，所谓太妃、老太妃，或者以后我们还要讲的王妃、皇妃，有的时候指的就是一个人。因为你比如说，康熙身边的一个女子，如果是一个妃子的话，在雍正朝她就是一个太妃，是不是啊？大家称呼她太妃，非常符合；但是雍正驾崩以后，到乾隆朝她就成了老太妃了，实际上，小说里面所写到的太妃、老太妃，就是同一个人。

那么，这个人有没有原型？这样一个背景人物，其实也是有原型的。恰恰在乾隆二年年初，宫里面就死了一位康熙身边的女子。小说是很忠实地把乾隆二年朝廷里面的一个情况写出来了。在真实的生活里，这个女子姓陈，她的父亲叫陈玉卿，是个汉族人。你现在可以去查康熙的有关资料，康熙这个人，他是一个七情六欲发达的人，他身边有四十位女子，前后都有过封号，没封号的更多；就是他给过封号，或者他去世以后，由雍正或者乾隆再给予封号的女子，就有四十位之多！当然，其中三十多位，都是满族的妇女。在这点上，康熙既是一个会享乐的帝王，又是一个很有政治原则的人。这些妇女到了宫里面，他可能很宠爱，也跟她生孩子，但是给封号，他非常谨慎，他基本上只给满族的妇女封号；一些汉族的女子非常美丽，他也非常宠爱，也给他生儿养女，但在给汉族的女子封号方面，康熙相当吝啬。这就显示他是一个政治家，因为他觉得，满族的这个政权，要把它巩固住的话，必须确立一些原则，包括从细节上来确定满族高于汉族的原则，也是必要的；因为满族它是少数民族，入主中原以后，它统治这么一大批人，多数都是汉族人，所以不能够让汉族人觉得，自己好像可以翘尾巴，所以汉族女子到了宫里面以后，康熙是这样的态度。

这个陈氏到了康熙身边以后，很得宠；陈氏给康熙生的儿子，他也很喜欢。但是在康熙朝的时候，给陈氏的封号非常低，陈氏是到了乾隆朝才死，在乾隆二年死后，才由乾隆封她为熙嫔，还没到妃那一级。但是小说把她说成一个妃，这个也是能理解的，毕竟从生活到艺术，它有一个适度夸张、渲染的过程。

我这么说，可能有的朋友，还是要跟我讨论，说，你这样说，还是猜测成分太大吧？你仅仅是因为那一年宫里面，死了这么一个康熙身边的女子，后来封为一个嫔，你现在就说，小说的第五十四回到第六十九回，就是写乾隆二年的事情，是不是太武断？我觉得，我再往下讲，你就会感觉到我真不武断，因为如果仅仅是点到这儿，其他就不说了，那么我这个说法，就确实还缺乏充分的根据。但是，大家记得吧？后面书里面有一些具体的交代，这个交代很古怪。前面我已经讲过，现在有必要略加重复，就是书里说，贾母、邢夫人、王夫人她们这些人，根据朝廷的规定，就都要去参加丧葬祭奠活动，守灵期间不能回家。那么晚上在哪儿过呢？就要找一个下处来休息，于是就租用了一个大官的家庙。这本来也不稀奇，过去的贵族他们参与丧礼活动，照例要这样做。在所租的家庙，小说里面就写得很清楚了，东院是贾母她们住。那么谁住西院呢？北静王府的人，北静王府的太妃、少妃住西院。看起来是闲闲的一笔，但是你仔细想的话，咱们先不说生活真实，就以小说来说，这写得不通啊。北静王，小说里面已经说明，他的封号是王爷，是不是啊？贾家你算什么呀？贾政官职相比就低太多了，虽然贾赦有一个头衔，有一个爵位，也无非是个将军，比王爷差很远。而且过去讲究东比西贵，曹雪芹却写贾府住东院，北静王他们住西院，所有的古本，一直到通行本，都这么写的，可见，曹雪芹他不是随意那么一写，他是有生活依据的。在《北静王之谜》那一讲里，我已经讲到这个情况，那是为了说明北静王的生活原型究竟是谁，现在我又一次讲到这些，是为了告诉你，这前后的文字所描写的，究竟是哪一年的事情。

关于《红楼梦》里的时序问题，我在下一讲里，还会有更详尽的分析。

秦可卿被告发之谜 下

上一讲最后，我讲到《红楼梦》第五十八回里，写在参与宫中老太妃的祭奠活动时，贾府和北静王府合租一个大官的家庙，作为女眷歇息的下处；尽管贾府地位远比北静王府低，可是贾府女眷却住在了东边，占据了尊位。那他为什么这么写？就是因为他太忠于生活的真实了。

小说里贾代善的原型，是曹寅；贾母的原型，是曹寅的妻子李氏，李氏的哥哥，叫李煦。

在真实的生活当中，曹雪芹的祖父曹寅，以及他妻子的哥哥李煊，是康熙特别喜欢的两个官员，一个后来让他当江宁织造，一个让他当苏州织造。什么叫织造？这官位看起来并不高，就是管理机房，给宫里面制作纺织品的这么一个机构。但实际上这两个人，跟康熙关系可不一般了！前面几讲我讲到了，他们还兼当康熙的密探，经常秘奏江南地区的气候收成，民间舆论有什么流言，还有明朝的遗老遗少有什么动向，以及退休官员的表现，等等；对遗民或退休官员，他们派人盯梢，或者亲自去拜访，实际上是摸一摸情况，然后就给康熙写密折。当时有些外国传教士，外国商人，也是他们先进行接触，然后把情况汇报给康熙。他们两人还有一个很"光荣"，但是又绝对不能把"光荣"亮出来的任务，就是给康熙挑选江南美女，充实康熙的内宫。

康熙很喜欢汉族妇女，喜欢小脚女人。这个不是我乱说，康熙朝的外国传教士，这些外国传教士有时候很放肆，按说，他们是不能够观看康熙的妃嫔的，但是有一个西方传教士，汉名马国贤，他回去后写了一本回忆录，书名叫《京庭十三年》，书里写到，有一次，他当时不许到现场，但是他把园林亭榭的窗帘拉开了，他往外偷看，看到了康熙和他的妃嫔嬉戏的情景。他就说，在康熙的妃嫔里面，有两种装扮的女人，一种是满装的，满族是大脚；一种就是汉族妇女，小脚。他说，康熙故意用青蛙吓唬汉族的妇女，汉族妇女就吓得尖叫着跑，脚又小，跑不动，康熙就哈哈大笑。这个从情爱上讲，是一种性虐待的表现，是可以理解的，从现代性心理学说，也不算太出格，这个玩笑开得不是很大，不必因为这一点就对康熙激烈否定。这个例子证明，康熙很喜欢一些美丽的汉族妇女。

那么现在能不能查到有关档案，证明在他身边的这些汉族妇女里面，就有李煦或者曹寅给他挑选出来的呢？可惜的是，曹寅这方面的资料，现在还没有能够查出来。但是李煦方面，查得很清楚。李煦跟曹寅，一根绳上俩蚂蚱，所以在他们两个之间进行类比，进行推论的话，应该是说得通的。在故宫的档案馆里面可以查到，李煦有一个奏折，报告王氏的母亲黄氏病故的一个奏折；就说明这个王氏，一个汉族妇女，一个江南美人，她就是李煦挑选的，送到康熙身边后，得到康熙宠爱。而且，这个王氏也很争气，她给康熙生了三个儿子，其中有一个儿子，就是我在前几讲提到的，在"帐殿夜警"事件当中，康熙为一个什么儿子着急啊？十八阿哥。就是用现在的临床医学观点来看，得腮腺炎的那个孩子。康熙把他紧紧搂在怀里面，还记得吧？这就是王氏生的，是一个满汉混血儿，是康熙非常喜欢的一个皇子。当然，后来很遗憾，十八阿哥死去了，没能长大成人。李煦的这个奏折就说明，这个王氏所有的事情，都由他来操办，王氏家里边，母亲姓黄，死掉了，这个事都要由李煦写奏折来告诉康熙。从现在的角度来看的话，那不就是康熙的岳母吗？岳母之一吧，当然，康熙皇帝可能不一定这么去认，但是康熙也需要及时地知道，他身边这个汉族女子家族里的情况，那么这样的私事，就由李煦来帮他处理。你说康熙对李煦、曹寅他们有多信任。

那么这个陈氏，虽然没有找到什么过硬的档案资料，证明她确实是曹寅向康熙推荐的，但是我的推测也并不离谱。为什么？就是因为后来发现，曹家和陈氏所生的一个康熙的皇子来往甚密，这就是我在前几讲里提到的允禧，就是康熙的第二十一阿哥。允禧还留下了他亲自题写的一个匾，我在前面也给你讲过，现在我们再回顾一下，这个匾挂在哪儿呢？恭王府里面。当然，这个恭亲王指的是咸丰皇帝的兄弟，晚清的那个王爷，这处地方在康、雍、乾时期由谁居住，还需要查找资料，也许，允禧一度住过？允禧题的那个匾上，写了哪四个字呢？"天香庭院"。你不觉得惊心动魄吗？在这些字眼上，难道一律都是巧合吗？天下有这么多巧的事情吗？怎么就巧来巧去，全巧一块儿了呢？这就说明，《红楼梦》的生活真实，和它的艺术真实当中，都有很多证据证明，现实中的曹家，和乾隆二年死去的这个老太妃关系密切。因此在小说里面，就写成了这个样子，就是这个老太妃薨逝以后，她的后代，对小说里面的贾家会如此尊重。

我说到这儿，你可能又一头雾水。她的后代，我记得我在讲北静王的原型的时候，讲到过。北静王的原型，他的名字，来自于乾隆的一个儿子，叫永瑢。前几讲可能过去比较久了，现在咱们回顾一下。小说里面，北静王叫什么名字啊？叫水溶，"永远"的"永"去掉一点，念什么啊？念水；一个玉子边一个"容易"的"容"，去掉玉子旁当中的一竖，变成三点水，念什么啊？念溶，对不对？所以，水溶这个名字，显然就是从永瑢那儿过渡过来的，是不是啊？那么，你会说了，那不是永瑢吗，永瑢跟允禧，有什么关系啊？永瑢后来过继给了允禧，成为允禧的孙子，明白了吗？小说里面，北静王的形象、气质，主要就取自于允禧，名字取自于过继给他的孙子，北静王是这两个人物综合起来的艺术形象。所以说小说里面，写贾家和北静王两家，在老太妃薨逝以后，他们所歇息的院落，贾家住了上院，占据尊位，北静王的少妃、太妃，甘愿住下院。小说背后是生活的真实，你现在明白了吗？他们家之所以最后能有一个允禧，有这样的荣华富贵，喝水不忘挖井人，当年谁给您推荐到皇宫里来的呀？你光是长得漂亮，没人推荐，你不也就在那儿自己憔悴到底吗？是不是？显然就是曹寅，和李煦一样，轮流地给康熙送江南美女。曹家所推荐的陈氏，也生了孩子，而且这个孩子，二十一阿哥后来还长大了，封了王，就是允禧。小说里面他就演化为北静王的形象。

通过这些分析，你也许能够大体同意我的推断，就是说，《红楼梦》的第五十四回到第六十九回，应该就是讲的乾隆二年的故事。在乾隆二年，没有其他的任何一个康熙的妃嫔，或者宫里面跟

贾元春

二十年来辨是非，
榴花开处照宫闱。
三春争及初春景，
虎兕相逢大梦归。

康熙有关系的、有名有姓的女子薨逝，就只有这么一个，实际生活当中是熙嫔，小说里面叫做老太妃的薨逝。而乾隆为了团结皇族，表达他对祖父的尊重，为了向官员百姓表现他如何提倡孝道，当然，更是为了显示他继承祖业的合法性，就为这位熙嫔大办丧事。这成为那一年里开初的一桩大事，书里写贾母等去参与祭奠，也写在年初，完全合榫。所以，你看书里虽然石头自己说，我写的这个年代无考，但是脂砚斋就说了，大有考证。我就根据脂砚斋的指点，考证了一番。

那么第七十回到第八十回，写的就是乾隆三年的事情。这个我也有证据。在现实生活当中，到乾隆三年的时候，曹家的情况就不是太好了，自身还撑得住，但是他们家亲戚就出事了，曹家的一些靠山，就从坚硬的石头山化为冰山了。

曹家当时有两大靠山，一个叫做傅鼐。傅鼐是什么人呢？傅鼐一生宦途，他的官运是起起伏伏，可以叫做波澜壮阔。但是，这个姓傅的和姓曹的有什么关系呢？是曹寅的一个妹妹嫁给了傅鼐，懂了吗？因此这个傅鼐，应该是曹雪芹的什么啊？他的祖父的妹妹的丈夫，是祖姑丈，他祖父的妹妹应该是他祖姑。当然现在的人不太论这个，我看下面有个小伙子直乐，现在好多年轻人都是独生子女，关系没那么复杂，三姑六爷不知道是谁。但是在过去那个时代，那是很近的亲戚。傅鼐的仕途，细说起来很复杂，概而言之，就是在康熙朝的时候，很不错；在雍正朝的时候，一开始遭到打击，因为你知道雍正，凡是他父亲喜欢的官员，他都不喜欢，但是傅鼐这个人，在做官上有一套权术，他就尽量让雍正皇帝感觉到，他是无害的，所以到了雍正晚年，政局比较稳定以后，雍正又起用了一些过去他冷淡过、甚至打击过的官员，其中包括傅鼐，雍正把他提升了。

到了乾隆朝，乾隆元年的时候，傅鼐得到重用，就做到尚书一级了，他当了兵部尚书，还兼刑部尚书，那可是非常大的官啊。但是，到了乾隆三年的时候，傅鼐出事了，得罪乾隆了，乾隆就整治傅鼐，不但罢了他的官，还让他入狱了。入狱以后，他在监狱里面就真的病了，病得不行了，皇帝又发慈悲，让他回家，用今天话说，叫"保外就医"，他就死在家里面了。是不是很悲惨？当时曹家这么重要的一门亲戚，就出现了这么个很糟糕的状况。

那么还有一门亲戚，离曹雪芹就更近一点，就是曹雪芹他的祖父曹寅的女儿，嫁得比他祖姑更好。嫁给了谁呢？嫁给了平郡王，成了平郡王的正室，也就是成了平郡王妃。那么这个女子，跟曹雪芹是什么关系呢？就是他的姑妈嘛！他这个姑妈也很争气，在封建社会，一个女人，怎么叫争气啊？就是你嫁到人家，你得生孩子，生男孩，这是非常重要的。曹雪芹他这个姑妈就给平郡王生了世子。什么叫世子？就是在清朝，皇帝生的儿子可以叫皇子，更多的情况下叫阿哥，皇子再生孩子就叫世子，世代的"世"，就是说，皇族的血统世代往下传流。那么曹雪芹这位姑妈生的这个世子是谁呢？就是福彭。

那么福彭又是谁呢？福彭是乾隆的发小，乾隆当皇帝以前，当然不叫乾隆了，那时还没有这个年号，乾隆原来叫弘历，弘历小的时候读书，谁是陪读？福彭。他为什么是陪读呢？因为他是王爷家的孩子嘛，世子陪皇帝的孩子，陪阿哥读书，这很正常。两人关系非常好，乾隆那个时候就爱写诗，乾隆的诗集自己刻印，谁写序啊？福彭写序。所以乾隆当了皇帝以后，你估计福彭会怎么样啊？当然官运亨通。福彭最后当的官就比尚书还高，等于内廷一个总理事务的职位，核心政治集团里面的成员，得到非同小可的重用。

但是再好的关系，因为它是一个权利关系，利益关系，也会出现裂痕。到了乾隆三年的时候，福彭跟乾隆之间就失和了，福彭就被人参了，乾隆就拉下脸，不论什么发小不发小了，就要有关机构去查他的问题，福彭就危了。本来福彭是曹雪芹的表哥，关系多铁啊，曹家有这么大的靠山，日子多好过。但是到乾隆三年的时候，情况就不妙了。我说这些，你可能又不耐烦了，大概在想，光说这些历史上的事，干嘛啊？你说的这些情况，书里面有没有反映啊？书里面有反映。在第七十回到第八十回，曹雪芹写得很聪明，他没有写贾家直接受到打击，但是贾家自己就窝里斗了，外面的还没有杀进来，自己家的人就跟乌眼鸡似的，恨不得你吃了我，我吃了你。那个时候，真实的生活中，确实是曹家还没有直接受到打击，虽然他们的权贵亲戚出了一些问题。当时曹家还混得过去，可是他家的背景开始出现问题了，靠山开始融化了，那气氛也就紧张起来。把现实生活的真实气氛反映到小说里，在《红楼梦》第七十五回开头，从那段文字，你就可以感觉到，外部的紧张气氛蔓延到了贾府里面。

有人总是不注意读这些内容，一位红迷朋友就对我说，你讲《红楼梦》，你老是讲过场戏！你讲的那是《红楼梦》吗？我也就问他：什么叫过场戏？怎么来读《红楼梦》？他是受过去的一个思维定势的影响，过去通行本的影响太大了。《红楼梦》又多次被改编成戏曲、戏剧、电影什么的，改编过程中，把很多东西全给排除掉了。它排除掉有它的道理，尤其戏曲，它的艺术特点是大写意，它不可能像小说这样说得很细，只能选取改编者认为是最主要的，粗线条地加以表现。所以不少人对《红楼梦》的印象就是一个"宝黛悲剧"。跟我讨论的这位红迷朋友，他对《红楼梦》就有个思维定势，他满脑子除了调包计、黛玉焚稿、宝玉哭灵啊，他没别的，你说别的，他就不耐烦，甚至责问：你讲这些，算是讲《红楼梦》吗？我反过来问他，我提到的这些文字，都是曹雪芹写在书里的呀，难道曹雪芹不该写下这些吗？分析这些文字，怎么会不是讲《红楼梦》呢？当然，一本书各人有各人的读法，谁也勉强不了谁，他就那么看待《红楼梦》，对此我也很尊重；但是我也希望他尊重我，尊重我发表自己看法的权利。我在这些讲座里经常举出一些以往人们很少注意到，甚至红学界也很少涉及到的《红楼梦》里面的一些所谓过场戏，一些没有在各回回目中概括到的内容，但这毕竟是《红楼梦》的正式文本啊，不是总有人说，研究《红楼梦》不要脱离它的文本吗？我很细致地来分析它里面的文字，正是紧扣文本啊，强调"文本"的人士，为什么要"叶公好龙"呢？我认为，有些一般人认为是过场戏的文字，其实都不是可有可无的过场戏，这都是一些不可或缺的文字，传递着非常重要的信息。像第七十五回开头所写的，就应该非常重视。

它写的什么呢？写尤氏在荣国府，她办完一些事，就要到上房去，要到王夫人那儿去。这时候，她身边的仆人，就悄悄劝告她说，你不要去。为什么不要去？那仆人说："才有甄家几个人来，还有些东西，不知是什么机密事。"这时就出现这么个情况，气氛不对头，甄家来了一些人，带东西来了。于是尤氏想起来，贾珍看了邸报——邸报就是当时官方所发布的，给所有官员看的，类似现在内参的东西，上面会有一些朝廷的重大事件，一些皇帝的指示，一些案件什么的，这种东西叫邸报——说甄家犯了罪，现今抄没家私，调取进京治罪。而且底下仆人，还跟尤氏反映："才来几个女人，气色不成气色，慌慌张张的，想必有什么瞒人的事也是有的。"你懂这是在干嘛吗？寄顿财物，就是说，小说里面写到，江南甄家被查抄了，被查抄以后，这些人就到贾家来寄顿财物。知道吧？这是违法的，这是皇帝不允许的。但是甄家、贾家，他们之间的关系，那实在是择不开，所以贾家就帮甄家藏匿这些东西，就出现了这样惊心动魄的情节。所以尤氏一想，那就别到王夫人那儿去了，就回避了。后来又写王夫人到贾母面前，因为这样的事，你不能不跟老祖宗汇报啊。王夫人就跟贾母说，甄家出了事，被抄家什么的，贾母就不爱听，当然不爱听，心情很不好。后来贾母大意就是说，咱们就别说这些，咱们该怎么乐，咱们还怎么乐，咱们过咱们自己的快活日子，于是故事就继续往下流动。曹雪芹这样写，脂砚斋又批，脂砚斋的批语，正好批在咱们心上。我看到这儿，我就想，怎么这儿说的是甄家的事呢？真奇怪！影影绰绰写了一个甄家，似乎甄家也就是贾家，仿佛一个在镜子里头一个在镜子外头，不好坐实的，怎么这儿就写甄家出事了呢？脂砚斋批语也是这么说："奇极！此曰甄家事！"什么意思？就是你这个作者，真亏你想得出来，你把这样的事栽到甄家头上，愣告诉读者说是甄家的事！你这样处理素材，不是很奇怪吗？他们两个之间是一种合作的关系，批语因此也就很调侃。

曹雪芹什么用意？他就是要把真实生活当中，曹家在乾隆三年所遇到的，跟自己家关系很密切的这些亲戚，傅鼐家、福彭家，遭到皇帝打击的情况，含蓄地投射到小说里面去。他想来想去，在小说里面，你要说有什么人家出事的话，只能够把甄家挑出来，把这个情节安在甄家头上。所以脂砚斋等于跟他讨论，说你这样一个写法，合理不合理啊？"奇极，此曰甄家事！"但曹雪芹他就是这么写，现在我们读的文本就是这样。这就是因为在乾隆三年，曹家后台很硬的、地位很高的两家亲戚都出了问题，有一家还特别惨，傅鼐就入狱了，虽然最后允许回家养病，死在家里面，那也等于是完蛋了。福彭后来在政坛上还有起伏，但是在乾隆三年的时候危了，不灵了。

所以，实际上《红楼梦》的第一回到第八十回，整个儿是写的清朝从康熙、雍正到乾隆朝的故事，其中，第十八回后半部到第八十回都是乾隆时期的事。这一点特别清楚，有八个字可以形容它清楚到什么程度，一个叫做"粲若列眉"，"粲"就是非常地清晰，甚至发亮，好像两弯浓眉毛似的，非常清楚；另一个叫做"若合符契"。古代皇帝把将军派出去打仗，怎么下命令啊？临别时候，就拿一个

"符契"，它是用金属或者玉石什么的做成，剖成两瓣，它有它的形状、图案，而且上面还有字，我留一半，你拿一半，到时候我有什么特别重要的命令，我就让我派的使臣，骑着驿马跑到你那儿，说皇帝传旨了。你说的有什么凭信？啪，拿出来一对，严丝合缝，这叫"若合符契"。所以实际上从第十八回后半部，到第八十回，写乾隆元年、二年、三年的事情是很清楚的。整个故事的背景不是不可考，而是正如脂砚斋所说，大有考据。

但是第一回到第十七回，究竟写的是康、雍、乾时期什么时候的事，这就比较含混了。当然第十三回、十四回、十五回，应该说还是清楚的，包括第十六回，内容都是雍正暴亡、乾隆登基那个时候发生的一些事情。这个我下面还会给你详细解释。

但是从第一回到第十二回，它就是比较混乱的，在时间表述上，大体上它有一个轨迹，但是前后，第一，有矛盾；第二，有含混不清的地方。比如说，我在上几讲里面反复给你讲到，有个"枫露茶事件"。"枫露茶事件"是在第八回。第八回，你记得吗？下雪了，下雪珠了，是不是啊？而且贾宝玉把茶杯摔了以后，贾母问什么声，袭人撒谎说，下雪了，我倒茶滑了一跤。应该是冬天吧！对不对啊？但是往下写，它故事又没有中断，人物事件好像顺着一条河道，继续往下航行，但是，时间上就互相矛盾了。它写到，比如说，第十一回，王熙凤到宁国府里面去，这时候又是一派秋天景象，你记不记得？又是菊花盛开，又有溪水在潺潺流动，又有蝉声在叫，是一个夏末秋初，或者是深秋景象，说什么它也不是下了雪珠子，有人被雪滑倒了之后的情况。所以它在季节时序上，有说不通的地方。

另外，在作者本身的时间交代上也有矛盾之处，这一点很早就有《红楼梦》研究人士指出来。比如，林黛玉的父亲林如海，究竟什么时候死的？林黛玉由贾琏带着去苏州，究竟是什么时候？它前后说得不一样，一会儿说林如海是冬底身染重疾，一会儿昭儿回来了，又说林如海是九月初三病故的，似乎贾琏他们去的时候还只是秋天，一时回不来，要年底才回来，所以还要给他们捎大毛衣服去……时间交代上，前后明显矛盾。而且这第十二回在故事内容上，也有一些明显的风格不统一处。比如说，贾瑞的这段故事，就显得有点突兀，对不对？

据我分析，这是以下几个原因造成的。第一，我个人认为，这是因为曹雪芹他不太愿意写雍正朝曹家的惨况。那个时候，他年纪很小，雍正抄检曹家是在雍正五年，曹頫被逮京问罪、枷号示众是在雍正六年。当然，红学界对曹雪芹究竟生在哪一年，是有争议的，有的认为是生在康熙朝的晚期，有的认为生在雍正二年。但不管你怎么算，那个时候他年纪都很小，他的记忆不是很清晰，主要靠听大人来讲，才能够知道当时的情况，对那段生活他个人生命体验不丰富，所以，他没怎么写，他甚至把乾隆元年以后，他们家得到一个更上台阶的新局面的一些好事情，前移了，挪到第三回到第十六回里面来写了，这是一个原因。

另外一个原因，我觉得，就是因为他一开始写《红楼梦》的时候，他打算把他原来的一部稿子，糅合进去。原来曹雪芹完成过一部什么小说稿呢？《风月宝鉴》。这个是在脂砚斋批语里面，说得很清楚的。脂砚斋有一条批语说，"雪芹旧有《风月宝鉴》之书，乃其弟棠村序也。今棠村已逝，余睹新怀旧，故仍因之。"这是在《红楼梦》第一回，讲到这本书有过很多名字的时候，脂砚斋的一条批语。在第一回里面，讲到这部书有过很多的书名。曹雪芹本人，当时可能正接近于写完这部书，刚刚草创完最后的情榜，曹雪芹本人就比较主张叫《金陵十二钗》；但当初身边其他人也出过主意，有说叫《红楼梦》的，有说叫《风月宝鉴》的，也有《情僧录》的叫法。脂砚斋是坚持要叫《石头记》，曹雪芹开头自己也把它叫《石头记》,《金陵十二钗》可能是他刚排定九组一百零八位女性名单时,产生的一个并不稳定的想法。不过最后他还是同意了脂砚斋的意见,就把这本书叫做《石头记》。但是其中为什么要列上《风月宝鉴》这样一个名字呢?就是因为曹雪芹在小的时候,可能还是练笔的时候,写过一本小说,估计没有多么大的篇幅,叫做《风月宝鉴》。

这小说什么内容,你现在不难估计,《红楼梦》现在的文本里面,就揉入了《风月宝鉴》的部分内容。比如说,贾瑞的故事,肯定就是《风月宝鉴》里面的。在写贾瑞的这个故事里面,就出现了那个东西,记得吧?一面镜子,正面照怎么样,反面照怎么样。当时这部书,可能内容都是写一些风月故事,就是一些性爱的故事。其中,很显然就写了贾瑞追求王熙凤,又追不到,自己淫性发作,最后死于过分的性亢奋,死得很惨。那么这部小说的主题,看起来也比较肤浅,就是告诫人不要妄动风月,就是在情爱、性爱这类事情上,你要谨慎,不要沉迷其中;如果沉迷其中,就会像贾瑞一样没有好下场,类似这样一种主题。脂砚斋看来并不喜欢这部旧稿,只是觉得曹雪芹弟弟棠村为那部稿子写过序,而棠村在曹雪芹写《石头记》的时候已经故去了,于是仅仅为了留个纪念,才保留下《风月宝鉴》这么个名字而已。

那么在第一回到第十六回的里面,秦钟和智能儿的故事,还有什么香怜、玉爱之类,估计也是原来《风月宝鉴》的一部分。你还可以找到其他一些痕迹。曹雪芹把当年《风月宝鉴》的一些东西,揉到了前十几回里面,其中保留最完整的,应该就是贾瑞的故事。这样把旧作一揉进来的话,就搞乱了,尤其写贾瑞的部分,贾瑞究竟病了多久?贾瑞从来来回回照镜子,病得越来越厉害,吃多少药也没用,到死亡,究竟有多久?这里面的叙述就紊乱了。所以在第一回到第十六、十七回的时间上,尤其是第一回到第十二回,在叙述的时间上，有大致的线索轨迹，但是又比较模糊，而且有前后矛盾之处。这是可以理解和谅解的，为什么呢？因为毕竟《红楼梦》是一部没有最后定稿的书，它大体完成了，又很悲惨地丢掉了八十回以后的那些篇章；这八十回书，又遭到了别人的改动！那么最后这八十回书，有的地方也不很完整，有些毛刺没有把它剔尽，有些该调适的地方没有调整好。

　　但是不管怎么说，就是这样一部残缺的著作，已经让我迷醉得不行了，阅读它，分析它，是极大的快乐。那么在这一讲最后，我要跟大家讨论什么问题呢？就是说，如果像我前面所讲的，在小说里面秦可卿之死，是由于贾元春向皇帝告密，那么在真实的生活当中，有可能发生这样的事情吗？贾元春的生活原型，究竟是谁呢？咱们下一讲再见。

贾元春原型之谜

在上一讲，我把《红楼梦》从第一回到第八十回，它的时间背景跟大家一起捋了一遍，同时提出一个问题，想和大家共同研究一下，就是贾元春这个角色有没有生活原型？如果有的话，可能是谁？

大家注意到没有，《红楼梦》里贾元春这个形象，真正浮出水面应该是在第十六回，前面虽然提到这个人物，在"冷子兴演说荣国府"里提到过这个人，但是这个人出戏，是在秦可卿死了之后。第十六回值得细读，里面有一句话特别要紧，就是贾府家人向贾母她们报告，说，"如今老爷又往东宫去了"，所以探索贾元春究竟是怎么一回事，咱们得从东宫说起。东宫，早在《诗经》里面就有这个词，指的是太子的居所。在很古老的时候，中国就形成这么一个规矩，就是太子他的宫殿要盖在天子宫殿的东边。东宫是隐藏在《红楼梦》文本后面，一个很重要的因素。

在第四回讲到薛宝钗，薛家，他们要到京城来，来干嘛呢？当然他们有好几个目的，其中有一个目的，是从薛宝钗这个角度考虑的。书里面怎么说的呢？书里面说："因今上崇诗尚礼，征采才能，降不世出之隆恩，除聘选妃嫔外，凡仕宦名家之女，皆亲名达部，以备选为公主郡主入学陪侍，充为才人赞善之职。"在清朝，有一个选秀女的制度，这个薛宝钗作为金陵四大家族薛家的一个女孩，逐渐长大了，家里就要带她到京城来准备参加选秀女。这对薛家来说，是一件天大的事。薛宝钗她家里带她到京城来，就是因为小说里面的皇帝，当时有这样一些做法，就是要从仕宦名家里面，选这些够岁数的女子，让她们家先把她们的名字报到部里面去。过去清朝选秀女，是先报到户部。小说是虚写，就不写得那么坐实，但是大意是这样的。上了名单以后，在某一个时段，就会通知这些秀女进宫，由有关的人来挑选，选上的，就进行分配。

清朝选秀女范围很广泛，选出来的女性，用途也很广泛，分配到的处所也很多。最漂亮的或者是背景最好的，或者是有的给挑选的人员行了贿的，可能就能够分配到皇帝宫中，离皇帝比较近的地方；有的就可能只是留在宫里面，作为一个普通的宫女；还有的可能就并不留在皇帝身边，而是分配到皇帝的儿子那里，有太子的时候——比如康熙朝两立太子——就会分到太子身边，这都是可能的。有趣的是，曹雪芹行文的时候，有几处措辞特别扎眼，他说那些仕宦名家之女亲名达部后，备选什么呢？他没有完全按照清朝有关的选秀女的那些条文来写，这个地方他有他主观的意识渗入进去，他说，选为什么呢？选为公主、郡主入学陪侍。"郡主"什么意思？郡主就不是皇帝的女儿了，就矮一级，指皇帝的儿子封为王爷后生的女儿，那种女性不叫公主，叫郡主了。曹雪芹就特意这样来写，点明有的女孩子选进去，并不一定成为皇帝的妃嫔，可能最后就只是公主、郡主入学的陪读，有的可能只成为伺候郡主的高级丫头。更值得注意的是，曹雪芹在行文措辞里面，还特别说，"可以充为才人赞善之职"。才人是过去宫中女官的一种称谓。但是赞善这个词是很特殊的。你查查古书就知道，赞善在清朝，在古代，是专门指太子府里面的一种官职，就是说这种官职只在太子府，或者是皇帝的儿子，没封太子的皇子，在他们的府里面，有一种专门的角色叫赞善。我认为，曹雪芹在使用这些词语上，他不是随意的，他是有他的写作动机的，就是他在很小的地方点出来，小说里面这些人物，不仅将和皇帝，和皇帝居住的皇宫发生关系，而且还将和公主、郡主、太子、皇子，和这些人以及这些人所居住的空间，发生某种特有的关系。你看，曹雪芹他在很小的地方，都埋下了伏笔。

在清朝的时候，一个女子被选进皇宫里面去，得到封号的机遇还是很多的。最低档的，你可以被叫做"答应"——你不要觉得这个词很俗、很土，在当时这是一个正式的封号，说这个女子是一个"答应"，不得了！"答应"啊，说明她已经进了皇宫，而且有机会接近皇帝，可以随叫随到了。有的家族在那个时候，自己女儿在宫里边成了"答应"，全家会高兴得不得了。当然，"答应"是否会被皇帝叫过去，全凭运气，那几率确实也不高，可能一辈子也没被叫过去，想"答应"没人叫，是吧？但是如果一叫，你"答应"了，来了以后，觉得你不错，那就可能再升一级，叫做"常在"。这俩字你仔细想一想，更不错了，就是常在皇帝身边了，可能还不能完全得到皇帝的宠爱，但是距离就比较近了。"常在"之上，比较得宠的，封号叫做贵人，贵人之上就是嫔，嫔之上是妃，妃之上是贵妃，贵妃之上是皇贵妃，皇贵妃之上就是皇后了。所以皇帝他六宫粉黛，人数之多，等级之复杂，现在听起来，不少人会感到吃惊，觉得怎么会是这样？人们为什么这样生活？构建这么一种制度？那么曹雪芹写的时候，他就特别强调，薛宝钗有可能是充为赞善之职。他为什么要这样写？我们再往下一环一环去探讨。

现在需要讨论的首先是，现实生活当中，曹家的女儿有没有可能在选秀女的制度下去报部备选？这是完全有可能的。曹家虽然从血统上说是汉族，但是他们不是一般的汉人，早在满族还在关外和明朝军队进行战斗的时候，他们的祖先就被俘虏了，并被编入到满族的八旗里面作为奴仆，叫做包衣，跟着清军战斗，一直辅助满族打进山海关，入主中原，实现了在全中国的统治。曹家祖上被满族俘虏后，收编为正白旗的包衣。满族有八旗，后来这八旗又分为上三旗，下五旗。上三旗是哪三旗呢？就是正黄旗、镶黄旗和正白旗。这三旗归皇帝亲自统领，地位比另外五旗高，上三旗里的包衣，也就随主子神气了许多。曹家这个包衣虽然它是奴隶的身份，但是他们所属的旗是上三旗之一——正白旗。曹家的祖上和当时皇族的成员关系还比较好，因为那个时候是一个王朝的初创期，奴才的身份虽然低，但是如果在战斗当中冲在前面，主子还是很欣赏的，他们因此有同甘共苦的一面。到顺治一朝，满族彻底地掌握了中国政权，在北京定都，顺治就当了一个名副其实的统一的中国的皇帝。这个情况下，正白旗的包衣，就都得到了一定的好处，曹家就是一个例子。从曹家的祖上开始，皇帝就让他们出任一些比较重要的官职，后来曹寅的父亲就做了江宁织造，再后来曹寅自己也当江宁织造，曹寅的儿子曹颙也当江宁织造，曹颙死了以后，过继给曹寅做儿子的曹𬱟还当江宁织造。所以曹家虽然是汉族人，但是他们和满族的上层有过共同战斗的情谊，皇帝和皇族的一些成员，对他们都很善待，他们不属于后来的汉军系统，因此有人把曹家说成是汉军

227

旗里的人，是不对的。曹家既然属于正白旗系统，虽然他们是包衣身份，但是他们家的女儿，是有资格参加选秀女的。所以在《红楼梦》里面，曹雪芹把生活的真实写入小说中，根据他的设计，像贾家的元、迎、探、惜四姐妹，都是有可能选进宫的；而元春呢，故事一开始就告诉你，已经选进去了，"冷子兴演说荣国府"的时候，就告诉你她已经进宫了。那么薛家作为金陵四大家族之一，在现实生活当中，其生活原型，应该和曹家类似。到了小说里，像薛宝钗这样的女子，都是有可能通过参与选秀女而进宫的。显然，在真实的生活当中，曹家应该是有一个女子被选进宫了，这个女子的辈分，应该是曹雪芹的一个姐姐；她可能是曹寅亲儿子曹颙的一个女儿，也可能是曹寅的过继儿子曹頫的一个女儿，也可能是曹家跟曹頫一辈的兄弟当中，某人的一个女儿。总之，这个女子进宫以后成为整个曹氏家族的一个骄傲。从辈分上来说，她就是曹雪芹的一个姐姐。

这样的推测是不是缺乏证据支撑呢？不是的，因为在《红楼梦》的文本里面，对相关信息多次有所逗漏。注意我说的是"逗漏"而不是"透露"，逗就是一个"豌豆"的"豆"加一个走之，漏就是"漏出来"的"漏"，什么叫逗漏？它和透露还不太一样，透露是比较有意识地直接把一个信息传输给你；逗漏是什么意思呢？就是它在有的地方稍微点一下，刺激你一下，稍微漏出一点，然后让你去思索。"逗漏"两个字希望你注意，我下面还会使用这个词，告诉你根据我阅读《红楼梦》的体会，曹雪芹在文本里逗漏出来了一些什么信息。

比如说，《红楼梦》第六十三回，"寿怡红群芳开夜宴"，写贾宝玉过生日，众女儿在怡红院会聚，大家喝酒、唱曲，当中还做一种游戏，抽签，签上有花名，有一句诗，暗示每一个抽签者的命运。在这个游戏过程中，大家记得吧，探春就抽到了一根签，这个签上面有一句诗"日边红杏倚云栽",签词上就说,抽中这个签的人必得贵婿。这个时候众人就有一句议论,说:"我们家已有了王妃,难道你也是王妃不成?"咱们就小说论小说,有的读者会觉得,这点写错了呀! 根据书里描写,贾家有皇妃,没有王妃,是不是? 小说里面设定的贾元春的身份是什么呢? 在第十六回里面"才选凤藻宫"了,她是皇妃,对不对? 她不是王妃,王妃你就说低了呀,凡事应该都是从低往高说,哪有从高往低说的呀? 这是怎么写的呀? 是不是啊? 曹雪芹之所以写出这样一句话,而且在各种版本里面,这句话都一样,就是"我们家已有了王妃",这就逗漏出一个消息,就是贾元春这个角色,她的原型最初并不是皇妃,就是一个王妃。明白我的意思了吧。

当然,前面提到,曹雪芹一个姑妈,后来成为了平郡王妃,不过那不是通过选秀女攀附上的,那时候曹寅活着,康熙对曹寅好得不得了,曹寅的那个女儿嫁为平郡王正室,是康熙指婚,她的辈分,比元春原型高。"我们家已有了王妃",曹家人说这个话首先会是指这个平郡王妃,但把曹家的事情写成小说,生活中的平郡王妃并没有转化为一个里面的艺术形象。曹雪芹在书里写的诸多女性,生活原型都取自跟他自己一辈的,元春跟平郡王妃对不上号,其原型应该是另一个跟曹雪芹平辈,但年龄大许多的姐姐。"我们家已有了王妃",在生活里也会是说她,在小说里,就是指贾元春。

前面我特别跟你强调,第四回曹雪芹关于宫中选秀女的交代,他所说的选秀女的游戏规则,是这些女性都选到皇帝身边吗? 不是的,他说可能充为赞善之职。赞善这个职称,在皇帝的那个皇宫里边是不存在的,只在王府一级、太子府一级才存在,因此这个地方就逗漏出来,贾元春这个人物的原型,最早她并不是皇帝身边的一个皇妃,而只是一个王妃。

那么她最早可能是哪儿的王妃呢? 要回答这个问题,我们就要先说到清虚观打醮这件事情。这个事情我在前几回里面讲过，你还有印象吗？很重要的一个情节。那么清虚观打醮它的起因是什么？为什么要到清虚观打醮？有人说，你已经讲了呀，贾母她"享福人福深还祷福"嘛。贾母确实是这样一个目的，但是清虚观打醮的发起者是贾元春，关于这一点书里面是非常清楚地给我们写出来的。在第二十九回，袭人报告给宝玉说，昨儿贵妃打发夏太监出来——这个夏太监不得了，一会儿我们讲第十六回，要提到这个人，叫夏守忠——送了一百二十两银子，叫在清虚观初一到初三打三天平安醮。这才是清虚观打醮最早的起因，这才是贾母求福的由头。我认为，这一笔曹雪芹不会乱写，更不可能他就偏要写一句废话。曹雪芹的《红楼梦》每句话他都是认真下笔，都有用意的。清虚观打醮由头是贾元春，她要贾府去做这件事。在什么日子做呢？在五月的初一至初三，在端午节前。打什么醮呢？打平安醮，打醮就是祈福。她显然是要为某一个人祈求平安，如果是活着的人，她希望他活着平安，如果是死去的人，她希望他的灵魂能得到安息。那么贾元春为什么要在五月初一到初三安排去清虚观打醮？我下面说出的这个事情难道又是巧合吗？查阅所有康熙的儿子的生卒年，我就发现，只有一个人生在阴历五月，只有一个人生在阴历的五月初三，这个人不是别人，就是废太子，就是胤礽。胤礽一生很悲苦，两立两废，在废了以后又被囚禁了十多年，眼睁睁看着一个没被立过太子的四阿哥当了皇帝，才咽了气。而在书里面，贾元春就指定要在五月初一到初三给一个人安魂，打平安醮。我觉得，这个不是巧合，否则曹雪芹写这个都成废话了！因此这里又是我那个词，我不叫透露，我叫逗漏。他写的时候心里边有一种抑制不住的情愫，使他下笔的时候就要这样来写。因此，我的推测应该是有一定道理的，就是生活当中的贾元春，这个原型她最早不在皇帝身边。她在谁的身边？她在废太子身边。她在选秀女当中，首先充为赞善之职，也就是说在真实的生活里，曹家有一个女子，最早应该是送到胤礽身边，跟胤礽在一起生活过一段时间，起码和胤礽的儿子弘皙在一起生活过——如果你觉得胤礽年纪太大的话，当时弘皙却并不小了——她有可能是在太子府里面，作为太子府的一个女官，一个高级的女仆，在那儿待过。否则，曹雪芹写小说不会写到这个地方，非要说是贾元春，让在五月初一至初三到清虚观去打醮，而且打平安醮。这个推测，我自己觉得还是有道理的。

曹家的一个女儿，选秀女选上了，但开始分配得并不理想，这符合曹家在正白旗里面的地位。因为在正白旗里面，曹家毕竟是包衣，毕竟是奴仆，不管后来你怎么富贵，你天生就打上了被俘虏，然后当人家奴仆的出身印记，这是你以后如何荣华富贵也无法改变的，这个历史你是没有办法改写的。大家一定还记得，小说里面写贾家世仆的后代赖尚荣当了一个县官，赖妈妈到贾府里面说了一些话吧？赖家是贾府的老奴仆，这些奴仆仗着主子势力，自己也可以过一种社会上一般人很羡慕的豪华生活，并且为自己的后代谋取到一官半职。但是赖妈妈教训赖尚荣时，有句话很沉痛，就是，"你那里知道'奴才'两个字是怎么写的！"她还说："你一个奴才秧子，仔细折了福！"生活里的曹家，实际上也有这种隐痛。因此在选秀女的时候，他家女孩的竞争力，当然就不如真正的满族正白旗主子家庭的那些女儿们，对不对？你比得了人家吗？你能一下子就分配到皇帝身边吗？这种家庭送去的女儿，选来选去最后能送到皇子身边，送到太子的身边，就很不错了。"群芳开夜宴"时众人调侃探春的话，就反映出那样出身的家庭，一个女子有希望能成为王妃，就很不错了。所以贾元春的原型，应该是曹家的一个女性，最早应该是到了太子府里面，她究竟是伺候太子，还是伺候弘皙，还是伺候太子妃？这个就不清楚。但是从书中所逗漏出的信息分析，她很有可能一度得到胤礽的喜爱，否则，她怎么会非要让家人在五月初一至初三到清虚观打醮呢？虽然在书中她已化为一个艺术形象，化为贾元春了，但是从艺术形象回溯的话，原型显然会有这种心理动机，会做过类似这样的事。因此增添了这样的论据以后，我在上一回告诉你的，由贾元春来告发秦可卿真实出身的论断，就更符合逻辑了。因为在现实当中，如果是一个贾家的女子，她最早选秀女被选进太子宫里面，在那里边生活过一段的话，那么她对太子府的一些隐秘事情，就会有所耳闻，有所觉察；关于她自己家族藏匿了一个从太子府里面偷渡出去的女婴，她后来也是能够获得这个信息的，并且经过长期的观察、思考以后，她是可以得出两者必有关系的结论的。她揭发了那个被藏匿的女子的真实身份，造成了那个女子的死亡，尽管她觉得自己忠于皇家律法是正确的，也没导致自己家族受到处罚，甚至还相当"风光"地了结了那段"孽缘"，但她内心里毕竟不安，她就私下里派太监给家里送银子去，让家人给那女婴的父亲打平安醮，以免冤家来跟她纠缠。明白我这个逻辑了吧？所以从这样一些分析来看，现实生活当中，我们推测的曹家的一些情况，和小说里面所呈现的艺术文本是对榫的。因为我确定的大前提是《红楼梦》具有自叙性、自传性，那么我这样一些思路，都应该是成立的。否则，小说里面不会有这么多的"逗漏"之处。

细读小说，还要细读第十六回，第十六回非常重要。有人跟我讨论过，说第十六回有点说不通，就是贾政正在过生日，忽然宫里边就来了一个太监，一个夏太监，来下圣旨，贾氏就慌得不得了。你记得这个情节吧？书中说，"唬得贾赦、贾政等一干人不知是何消息"。后来宣贾政入朝，贾政就去了。贾赦等不知是何兆头，"贾母等合家人等心中皆惶惶不定"——书中多次写到，贾母心神不定什么的。有人跟我讨论，说这个写得很没有道理，秦可卿这个事不是已经划了句号，了结了吗？第十六回是在第十三回之后了，对不对啊？秦可卿的丧事都办完了，皇帝都派了大太监亲来上祭了，各路的公侯都在路边路祭了，北静王都亲切接见了路祭当中的贾宝玉了，你贾家心里还有什么鬼啊？你这是干嘛？怎么会皇帝一下旨让贾政入朝，就慌成这个样子？这写什么呢？也有人说，这是不是皇帝对第十三回到第十五回所写的那些，那样允许贾家大办丧事，后悔了，所以又来问罪啊？但是，接下去没有那么写呀，接下去的文字里根本没有关于秦可卿的字样，完全写另外的事，写贾家很快转恐为喜，赖大这些家人就回来报告，说老爷还请老太太带着太太等进朝谢恩，闹半天是好事，大喜事，贾元春"才选凤藻宫"了。接下去写到贾母她们方心神安定，不免又洋洋喜气盈腮，再往下就是那句很重要的话，又是我那个词，叫"逗漏"，写大管家赖大向贾母报告，说"如今老爷又往东宫去了"。为什么要往东宫去？这是怎么回事？

这些写法本身都说明，他是在写真实生活当中的一个重大事件，这个重大的事件就是雍正的突然死亡以及乾隆的匆忙继位。雍正是在雍正十三年的八月去世的，死得很突然，上午还好好的，忽然到傍晚就传出他驾崩的消息。到现在你都查不到详实的、准确的档案，说明他究竟是得什么病、因为什么死的。民间有传说，他是被仇家派刺客谋杀的，有的历史学家推测，他是服丹砂急性中毒身亡。那么《红楼梦》第十六回在写什么呢？这一回实际上写的就是雍正的暴亡，和乾隆将从东宫移到主宫去当皇帝的这样一段史实。明白我的这个意思了吗？第十六回反映的真实生活，就是雍正暴亡和乾隆的登基。贾政作为一个官员，他在家里面还在大摆宴席过生日，这意味着什么呢？意味着他不知道皇帝会出事。如果是皇帝病了，甚至是一个太妃、老太妃病了，按当时的规矩，这些贵族都不能够再进行娱乐活动，都不能够这样大摆宴席。这就说明，曹雪芹很真实地写出了雍正死亡的状态，是突然死亡，所有人都没有能够预感到，现实生活里面的曹家，转化到小说里就是贾家，也不例外。

233

小说里面的皇帝，是把康熙、雍正和乾隆综合起来的一个模糊的形象。所以在小说里面，皇帝上面还有太上皇呢，记得吧？他有这样的写法。其实，在曹雪芹在世的时候，从努尔哈赤算起，一直到雍正，没有任何一个皇帝自己当过太上皇，或者他当皇帝的时候上面有太上皇。乾隆当过太上皇，但是那个时候，曹雪芹已经去世起码有三十多年了，曹雪芹不可能去预测乾隆以后当太上皇的事，他也没有必要预测这个事。他之所以在小说里面，写皇帝上面有太上皇，就是因为他们家族对康熙，有一种亲切的感情，于是他就把康熙也写成好像还没有去世，把康熙、雍正、乾隆合并在一起来写。但是在第十六回的这一笔所写的，应该是雍正的突然死亡。这个消息传来以后，小说里面的贾家慌做一团，这样描写是正确的；并不是因为什么秦可卿的事，他们才那么慌张，实际上他是暗示政局突然发生了很大的变化，令贾家惊恐。

一朝天子一朝臣哪，生活当中的曹家是尝过这个滋味的。康熙一死，曹家就立刻失去了皇帝的宠爱，马上生活就发生了巨大的变化，甚至发生了惨痛的转折。所以当雍正突然死亡的消息传到曹家的时候，可想而知，现实当中的曹家肯定是乱做一团。虽然雍正对他们很不好，他们对雍正的感情，应该和对康熙的感情是不一样的，但是这样一来，命运的不可知的成分显然就又增加了。所以曹雪芹把这个情况移到书里面，就出现了贾家"不知是何兆头"，"贾母等合家人等心中皆惶惶不定"的慌乱场面，他这样写非常合理。在这种情况下，得到消息的这些王公大臣，首先当然要到正宫去，是不是啊？皇帝死了嘛，要履行某种仪式，也得有所表示。然后，凡是和即将继承王位的皇子有关系的，就应该到东宫去，到那个继承皇位的人居住的地方，去表示祝贺。所以"如今老爷又往东宫去了"，写得很准确。

当然，我刚才已经说了，现实当中雍正采取的是秘密建储的传位方式，不立太子，没有明确地告诉大家，也没有告诉弘历本人，说你就是我的接班人，今后皇帝让你当。雍正是秘密地内定了由弘历来继位，但是在雍正晚年的时候，大家都看出来了，他看重弘历，虽不明说，但很明显，继承他皇位的应该就是弘历。所以在小说里面，把弘历的居所称为"东宫"，也很自然，"东宫"就是皇储住的地方。反映到小说当中，就是第十六回写的这个情况，"老爷又往东宫去了"。

肯定下面有人要跟我讨论，说，刚才你推测贾元春的原型，最早不是送到胤礽那儿去了吗？怎么会现在小说里又写成"老爷又往东宫去了"，然后传来消息，小说里面的贾元春就得到晋升了，就"才选凤藻宫"了？就晋封为凤藻宫尚书，加封贤德妃了，这怎么回事呢？这一点都不奇怪，因为你查一查清朝的有关档案就可以发现，这些选秀女被选中的女性，当她们没有成为皇帝身边宠爱的女子的时候，她们的命运完全由有关的六宫主管太监，乃至于由内务府来安排，可以多次重新分配。懂我的意思吗？你不是什么很重要的人，你又没有真正成为皇帝身边宠爱的女子，就可以对你多次进行重新分配。那么在康熙的儿子、孙子当中，身边的女子被进行重新分配的，可能性最大的是谁呢？当然就是两立两废的太子，以及他的儿子弘皙。明白了吧？而且，我在前一讲已经讲过，老早在康熙的时候，康熙就觉得，太子我不能让他继承皇位了，但是我要善待他，包括弘皙是我的爱孙，也不能亏待。但这些人搁在宫里面又不安全，对他自己不安全，对政局也不安全，于是他就决心在现在叫郑各庄、过去叫郑家庄的地方，盖一大片房子，打算把这个废太子移到那儿去住。当然，太子被废后没活很久，康熙去世以后，他在雍正二年就死亡了。而且雍正那个时候面对的政敌太多，他觉得废太子，以及废太子的儿子弘皙都是死老虎，所以并没有对他们进行十分的迫害。当然他也对其进行严密监视，但是表面上还容纳他

235

们，就封弘晳为亲王，把他移到郑家庄去居住。在这样一个移宫过程中，需要配备上下各种各样的人员，男的派作管家、仆从，女的就派去侍候王府的女眷。可以推测，在这样的二次分配当中，曹家的这个女性，就没有跟弘晳他们到郑家庄去。这也很可以理解，因为对废太子也好，对弘晳也好，给他们配备人员时，一般来说只能是做"减法"，不能做"加法"，道理是不是这样的啊？因为他们是政治上的弱势族群了，弘晳后来虽然不是圈禁，但肯定是被监控，所以在二次分配当中，我们现在寻找到一个女性，这个人在现实生活中，可能就是曹家的一个女子，她在二次分配中，就被从弘晳那边，拨到了弘历的身边；她二次分配也没能够分配到雍正的身边，她不够格，于是她就从康熙的嫡长孙弘晳身边，被派往康熙另外一个孙子弘历的身边。这是当时这些女性共同的命运，她们像用品一样，不能自己选择去留所在，人家把你搁到哪儿就是哪儿，有的要经历多次的再分配，被挪来挪去的。但是她到了弘历身边以后，很可能在弘历还没有当皇帝的时候，就已经得到了宠幸，成为了一个王妃。小说里面把这些事写进来，她已经是王妃了，因此探春抽到"必得贵婿"的签，大家就跟她说，我们家已经有了一个王妃，难道你也要成为一个王妃吗？这个话，实际上是现实生活当中曹家人嘴边的话，曹雪芹就把它写进去了，明白吧？他写这个的时候因为全书还没有统稿，从第一回到最后一回他还没有来得及仔细地剔掉毛刺，他前面设计贾元春已经是做了皇妃了，不是王妃，但是现实生活当中，贾宝玉过生日的故事，可能还发生在这之前，他挪用了当时人们经常说的一句话。就是说，贾元春原型原来的身份就是一个王妃，但是她所伺候的这个王，一旦成为东宫的储君，一旦真正接替了王位，这个王妃和皇妃，可不可以就是一个人呢？就像太妃和老太妃可以是一个人一样，当然就是同一个人。我想，我已经把这个逻辑给你理顺了。所以，虽然寻找贾元春的这个原型不是很容易，可是我们也还是获得了这么多的线索。

那么贾元春跟着皇帝，就过了一段很美好的生活，但是好景不长，正像秦可卿可怕的预言一样，"三春去后诸芳尽，各自须寻各自门"。在乾隆元年、二年、三年，这三个美好的春天过去之后，在第四春的时候，就发生了重大的变化，现实中的曹家，这次是遭到了灭顶之灾，彻底毁灭。小说当中的贾家，最后也是彻底毁灭。因此我们就需要在下面继续探讨这样一个问题，就是如果贾元春的原型，果然是先在胤礽、弘皙身边，后到弘历身边，最后有幸成为弘历身边一个受宠的女子，那么小说为什么最后要写三个春天过去以后，在第四个春天她就悲惨地死去了呢？在生活当中发生了什么原型事件呢？现实当中这个女子，想必也是在乾隆四年的时候，悲惨地死去了。其实曹雪芹在《红楼梦》第五回中，关于贾元春的判词和《恨无常》曲里面，就对这个角色的命运有了一个非常完整的勾勒，有了非常明确的预言。但是红学界从来都对第五回里面，关于贾元春的判词和《恨无常》曲有争议。那么我在下一讲里面，就将向大家讲述我对贾元春这个艺术形象，对她在八十回以后的命运，所做出的我个人的一个探佚、推测。当然，同时也继续进行我们的贾元春原型探索之旅，请听我下一讲。

贾元春判词之谜

贾元春在前八十回里面正式出场很少，只有省亲的时候有她的一个重头戏，然后她就是一个背景人物了。八十回以后，贾元春肯定是有戏的。因为在第五回的判词里面，预示了贾元春后来的命运。

在红学发展过程中，有一个说法，认为《红楼梦》有四个不解之谜，这四个不解之谜是：贾元春判词之谜、贾元春《恨无常》曲之谜、《红楼梦》书名之谜和《红楼梦》二十首绝句之谜。前三个谜指的是什么，你一听就明白，都是《红楼梦》文本里出现过的，第四个谜则需要略微解释一下。这不是《红楼梦》文本里的，是《红楼梦》手抄本流传的过程里，在乾隆朝中期，有个叫富察明义的人，他读了以后，写了二十首绝句，诗句里透露出来，他所看到的手抄本似乎不止八十回，但八十回后也绝非高鹗所续，在诗中他道出了一些他所看到的八十回后的情节，但是他以诗的形式表达，又把自己的感慨糅合进去，意思就很朦胧，人们的理解就各不一样，因此也就成了不解之谜。由于红学界对这四个不解之谜争论不休，难有定论，因此有人干脆将它们称之为"红楼死结"。

四个不解之谜里，四个死结里，两个都与贾元春有关。可见《红楼梦》第五回里关于贾元春的判词和《恨无常》曲，是难啃的硬骨头。可是，这两个谜非破解不可，这不仅关系到我们对贾元春这个人物的理解，也关系到我们对整部书的理解。我自己在这方面也进行了很长时间的研究，也有所收获，现在我就把自己啃下这两块硬骨头以后，对这两个谜的破解，以及打开这两个死结的心得，竭诚地告诉大家，以供参考。

先来看关于贾元春的判词。贾元春在太虚幻境薄命司厨中的《金陵十二钗正册》里，处第二位，在她那一页上，画着一张弓，弓上挂着香橼，画弓当然是为了让我们联想到"宫"，香橼当然是为了让我们联想到"元"，弓又是凶器，被挂在上面不是什么吉兆；画旁边有一首歌词，那就是关于贾元春的判词，一共四句："二十年来辨是非，榴花开处照宫闱。三春争及初春景，虎兕相逢大梦归。"这短短的四句话，究竟在表达些什么？在每句判词的背后，究竟隐藏着什么秘密？

"二十年来辨是非"，这是贾元春判词的第一句。从字面看起来没有什么难解释的，一个是一个年代，一个是做一件事，年头就是二十年，做什么事呢？"辨是非"。但是红学界过去就觉得这句话很古怪，二十年是怎么算的？从什么时候算到什么时候？有人说了，大概是说贾元春进宫二十年了。你想选秀女，按清朝规定，三年进行一次，备选女子在十四岁至十六岁之间最合适，有时也会略微降低一点年龄，那么我们假设贾元春十三岁选上，她进宫二十年后，都三十三岁了，那就是一个中年妇女了。这个"二十年"意味着什么呢？是表示说她在宫里面待得久呢，还是想表示她在宫里面待得还不够长？说它干嘛啊？"二十年"不好解释。"辨是非"就更不好解释了。过去有人怎么解释啊？说她二十年在皇宫里面，不断地去辨别皇帝的是非。这可能吗？这有必要吗？一个妇女好容易得到皇帝的宠爱，她会用二十年时间去辨皇帝的是非？在那个社会里，皇帝只有是，没有非，他怎么着都是对的，除非他的权力被别人拿走了，他是个傀儡皇帝，否则，他掌大权的话，虽然有时候他也会听取一下别人的意见，对于所谓"诤臣"，有时候还会加以表扬，但是他拍了板，那就是定论了，就得照办，皇帝他本人，乃是非的终极标准。特别是当时宫廷里面的妃嫔，皇帝是严禁她们干预朝政的。在清朝的康、雍、乾三朝，这一点皇帝把持得很紧，也没有出现过后妃干预朝纲的事情。所以我认为，书里写贾元春用二十年的时间辨是非，不可能是去辨皇帝的是非。

当然，有人坚持认为，"二十年来辨是非"，就是二十年里不断地分辨皇帝的是非，贾元春就那么做，曹雪芹他就是那么个意思。我也很尊重他的看法。有不同的看法，大家讨论，才能够去愈来愈接近那个真实的存在。讨论是好事，大家记得《红楼梦》里写"秋爽斋偶结海棠社"，贾宝玉怎么说的呀？说"大家鼓舞起来，不要你谦我让的。各有主意管自说出来大家平章"，咱们应该按贾宝玉的倡议去做。皇帝有没有非？从今天的无产阶级革命立场来看的话，不消说，你实行的是封建专制统治，是个大大的非；从当时农民起义的角度来看的话，皇帝当然也绝对是大非，是个必须要推翻的坏东西。问题是我们现在讨论的是小说里面的贾元春这个角色，从贾元春这个角度来看的话，她不会去把自己的人生目的确定为去辨别皇帝的是非，小说里面也没有任何情节写到她去辨别皇帝的是非，连这样的暗示也没有。所以咱们讨论贾元春这个艺术形象，就很难解释她究竟在分辨谁的什么是非，而且用二十年时间去辨。

这句话现在我又把它分成两截，咱们先来讨论"二十年"。《红楼梦》里面"二十年"这个字样可是多次出现的哟，您回忆一下。《红楼梦》里面经常出现一些年代语言，比如说在第五回，警幻仙姑碰到宁荣二公，宁荣二公在嘱托她的话里，就有一个年代概念，他们说，"吾家自国朝定鼎以来，功名奕世，富贵流传，虽历百年，奈运终数尽不可挽回者。"在这里宁荣二公就提出了一个概念叫做"百年"，就是说他们这个家族的荣华富贵流传到故事发生的那一刻，也就是贾宝玉在宁国府、在秦可卿的卧室里面午睡的时候，已经是有一百年了。这个数字和清朝确立他们的政权，又经历了顺治、康熙、雍正这些朝代的那个年数大体相合，和生活当中的曹家，从他们当年在关外被八旗兵俘虏，沦为正白旗的包衣到当时的那个年数也是大体相合的。这也就再次说明，《红楼梦》是具有自叙性、自传性、家族史这种特点的小说。

大家印象更深刻的应该是第七回的焦大醉骂。咱们在前几讲里面，引用分析了焦大他所骂的一些话，下面咱们再引用一句。焦大醉骂当中有这样一句话，他说，"二十年头里的焦大太爷眼里有谁？""二十年头里"，这就又出现一个"二十年"。焦大所指的"二十年头里"应该是什么时候呢？小说它是一个虚拟的时间和空间，我们现在要讨论的是在真实的生活当中，如果是一个焦大的生活原型在那个时候骂，他所说的那二十年，"二十年头里"，大体是什么时候？在前几讲里，我已经分析了《红楼梦》文本的时代背景，虽然作者托言"无朝代年纪可考"，实际上脂砚斋就指出"大有考证"，

241

我就已经考证出来，第一回至第十六回，应该大体上是雍正时期，更具体地说，是在雍正朝晚期，也就差不多是雍正暴死之前。雍正，大家知道，他当皇帝当了十三年，是在雍正十三年八月份突然死亡的。在雍正朝最后，说"二十年头里"，那么减去雍正朝的年头，所指的就是康熙朝。"二十年头里的焦大太爷眼里有谁"，这句话就证明，小说里面的贾家在二十多年前，他们的状态比小说里面写到秦钟到他们那儿去做客，然后让焦大把他送回家的时候要强得多。那个时候，焦大作为一个老仆是非常风光的，非常神气的，谁也惹不起的。考虑到《红楼梦》它是一部带有自叙性、自传性、家族史特色的小说，我们就回过头来，到真实的生活当中去看一看，会发现确实是，前面我多次讲到，在康熙朝的时候，曹家是最风光的。

我上一讲已经跟大家说了，第十六回实际上讲的是雍正暴亡和乾隆登基的情况，整个故事发生在这样一个背景下，小说节奏加快，说"老爷又往东宫去了"，然后就写到贾元春不但"才选凤藻宫"，而且得到皇帝的特许，还可以回家省亲了，于是贾府开始为省亲做准备了，这对贾氏宗族是一件天大的事，大家都很喜悦。这个时候，家里面的老仆人赵嬷嬷，还有王熙凤，她们就开始议论省亲的事情。这个时候，王熙凤的话里面也有一些年代数字，比如王熙凤说了，"可恨我小几岁年纪，若早生二三十年，如今这些老人家也不薄我没见世面了。说起当年太祖皇帝访舜巡的故事，比一部书还热闹。"王熙凤在这儿用了一个很概括的时间概念，"二三十年"。从雍正朝晚期，往前推二三十年，就恰恰是康熙皇帝南巡的那个时间段。康熙他是在康熙二十三年首次南巡，最后一次南巡是在康熙四十六年，然后他是在康熙六十一年的时候去世的。雍正他只当了十三年皇帝，你从雍正十三年往前推二三十年，大体就是康熙后几次南巡的那个时间。所以曹雪芹写王熙凤这样讲，他也是有真实生活为依托的。曹雪芹写这些人物，说这些话，不是凭空的艺术创造、艺术想像，当然写小说可以完全脱离生活真实去凭空想像，世界上有那样的小说，但是《红楼梦》不属于那种类型。

我个人的研究证实，《红楼梦》里面所讲出来的这些年代数字，都是与康、雍、乾三朝里政局的情况、曹家的兴衰对榫的，都是能够落到实处的，能够找到生活的原型事件、原生状态的。书里有一个年代数字的表述，我特别重视，是在第四十七回，贾母有一个表述，她说："我进了这门子，做重孙子媳妇起，到如今我也有了重孙子媳妇了，连头带尾五十四年，凭什么大惊大险、千奇百怪的事，也经了些。"这个数字就忽然精确到个位，前面你看都是一些"百年""二十年""二三十年"那样的概括性数字，这次曹雪芹写贾母说话，她不说"五十"，也不说"五十五"，她说"五十四"，这个我想不是偶然的，不是曹雪芹写到这儿，兴之所至，随便写上去的。前面我讲到过，贾母这个人物是有生活原型的，这个生活原型是可以非常准确地加以确认的。贾母的原型就是李煦的一个妹妹，她嫁给了曹寅，李煦在给康熙的奏折里有"臣妹曹寅之妻李氏"这样非常清晰的表述。李氏在小说当中化为了贾母这个艺术形象。你查一查曹家的历史，贾母说这个话是在第四十七回，我在上几讲里已经给你论证了《红楼梦》里的背景时序是怎样的，这里不再重复，根据我的判断，这一回写的应该是乾隆元年的事情。从乾隆元年回溯五十四年，是哪一年呢？是康熙二十一年，那一年曹玺还活着，任江宁织造。曹玺是曹寅的父亲，曹寅当时在京城，他是治仪正或兼佐领职。当时曹寅是二十五岁的样子，贾母原型的年纪应该大体和曹寅相当。她就在那个时候过门了，嫁到曹家，嫁给曹寅，从那个时候算到乾隆元年，就正好是五十四年。她说"到如今我也有了重孙子媳妇了"，这一点有人可能会提出意见，说秦可卿已经死掉了呀。但细心的读者可能会注意到，秦可卿死掉以后，贾蓉续娶了，小说后面几次提到有一个贾蓉之妻，而且在第五十八回里面写到老太妃薨逝后，"贾母、邢、王、尤、许婆媳祖孙等皆每日入朝随祭"，这句话里排在最后的一位，应该就是贾蓉之妻。这里点出了她的姓氏，她姓许，只是这个人在前八十回里面没有任何故事而已，彻底成为一个背景上的影子了。后来高鹗续书，通行本上，又把贾蓉续娶的妻子说成姓胡。所以贾母说这个话的时候，她所说的"到如今我也有了重孙子媳妇了"，那个重孙子媳妇当然已经不是指曾让她认为是"第一个得意之人"的秦可卿，她指的应该是许氏。她说五十四年前自己的身份是重孙子媳妇，意味着当时她嫁过去的时候，上面可能还有一个太婆婆；从那一年，过了五十四年之后，她也有了重孙子媳妇。而且贾母说这五十四年是不平静的，她经历了很多大惊大险、千奇百怪的事，这也正符合历史上曹家的情况。曹寅娶了李氏以后，一直到最后去世，那真是大惊大险多极了。

我说这么多，什么目的呢？就是告诉你"二十年来辨是非"的这个"二十"，不会是一个随便写下的数字，而是和我刚才说的那些数字一样，也是可以相应地加以推算的一个数字。"二十年来"怎么个算法呢？我个人认为，不是说贾元春已经进宫了二十年，不是这个意思，而是说贾元春为了一件事情，她可以说是辛苦了二十年。为一件什么事情呢？现在我们所读到的判词，在多数的版本上都叫做"二十年来辨是非"，实际上在古本《红楼梦》里面，不完全是这样的写法，起码有两个古本里面，它写的是"二十年来辨是谁"，这很值得我们思考。很可能这样的古本里边的这个句子，更接近于曹雪芹的原笔原意。她二十年来，一直在判断有一个人究竟是谁，这个人绝不是皇帝，皇帝是谁还用她去判断吗？她所判断的，就是小说里面的秦可卿。因为，我们从这个小说所叙述的贾家的情况来看，贾元春不可能年龄非常大。如果贾元春年龄非常大，王夫人生不下她来，小说里的王夫人也无非是一个五十几岁或者接近六十岁的妇女。贾元春，她的生活原型我们在上一讲里面也说了，应该是曹家曹頫的一个女儿，或者是曹頫的一个女儿，总之，她应该是曹雪芹的一个亲姐姐或者堂姐姐。这个人应该是在选秀女的时候，有机会被选中了，又由于他们曹家的背景不是特别好，虽然属于上三旗里的正白旗，但属于正白旗里面的包衣世家的后代，皇帝宠信你家，可以让你家男人做官，但是论身份、血统，她不能和那些正宗的满族家庭的女子相比。所以她一开始，我在上一两讲里面已经分析了，可能并不能直接地进到皇帝的那个宫里面去，她可能会被分配到皇帝下面的太子或者是其他阿哥的那些居所去，供那些人使役，她是从下到上，从低到高，一步步地完成了她人生的旅程。

贾元春，大体而言，她应该比秦可卿稍微大一点，也无非是大个四五岁的样子。在她四五岁记事的时候，她就发现他们家族里出现了一个神秘的女性，比她略小。这个女孩子被说成是一个小官吏抱养的，然后就被送到宁国府里，开头可能是童养媳的身份，因为那个时候她年龄还很小，就在宁国府里面长大成人。秦可卿，从小说里的描写来看，气象万千，派头很大，我已经有很多分析，不再重复。在真实的生活当中，这个人作为废太子的一个女儿，她并不是真正地在一个破落的小官吏家庭里面长大。之所以要把她藏匿起来，就是为了避免让她跟父母一起被圈禁嘛。她被曹家收养以后，曹家当时境况并不怎么好，不像书里写的宁荣两府那么富贵繁荣，但是她可以不被圈禁，她就有了自由，不但可以跟自己的家族保持秘密联系，还可以和皇族里其他知道她的真实身份而不予揭示的同情者，以及真以为她是曹家媳妇的、又还接纳曹家的王公贵族，比如康熙的二十一阿哥允禧那样的家庭中的女眷公开来往，建立比较密切的关系。因此她的生活环境、成长环境，绝不是一个小官吏家庭的环境，也不仅是曹家的环境，她应该有更广阔深邃的成长环境。

前面我已经多次给大家指出，雍正登基以后，所要对付的政敌非常之多，他对废太子这一支不会放松警惕，但是没有把他们作为打击的首选。而且对于废太子的儿子弘皙，他还遵照康熙的遗嘱，封他为郡王，后来又升为亲王——当然他是把弘皙移到了郑家庄去居住，不让他住在皇城里面。这种安排，不是圈禁，雍正不能公开宣布把他圈禁起来，这和废太子的待遇应该在表面上是两样的。雍正当然会对弘皙有所监视，可是弘皙的自由度应该就比圈禁状态要大得多，后来弘皙他自己私立内务府七司了嘛，可见弘皙的活动空间还是比较大的。那么，弘皙不可能不关注他的这个藏匿在曹家的妹妹，这个妹妹在逐渐长大以后，也不可能不和弘皙、她家族的人发生关系；而且既然弘皙并不是一个被圈禁的人，她又有行动自由，她就可以短时间地或者是相当长一段时间地到郑家庄的亲王府里去住。因此，秦可卿之所以不但血统高贵，而且她也有一种高于贾家的见识和修养，从其原型的这种成长历程来看，是完全可以理解的。

为什么贾元春她要来琢磨自己家族里面的这样一个秦可卿究竟是谁，这个在上一两讲里面我已给大家分析过了。贾元春的原型很可能是曹雪芹的一个姐姐，先被送去参选秀女，又由于本身条件不是非常好，一开头可能并没有被选拔到皇帝的身边，而且很可能是先被派去伺候胤礽和弘皙他们。你想，如果在胤礽第二次被废前夕，胤礽的家族曾经做了这样一件事情，把即将临盆的一个妇女，把她生孩子的这个事情隐瞒起来，或者谎报生下的婴儿是个死婴，最后还把这个落生的婴儿偷渡出宫殿，寄养到跟自己关系密切的、一贯相好的官僚家族里面，这是完全可能的。而贾元春原型在小时候，她可能模模糊糊觉得这个比她小一点的女子有点奇怪，但是她不可能有深刻的意识，她也不一定有去仔细辨认她是谁的浓厚兴趣。但是她到了胤礽和弘皙的生活空间里面以后，她就会从那个空

薛宝钗

珍重芳姿昼掩门，
自携手瓮灌苔盆。
胭脂洗出秋阶影，
冰雪招来露砌魂。
淡极始知花更艳，
愁多焉得玉无痕。
欲偿白帝凭清洁，
不语婷婷日又昏。

间里面的一些妇人的喊喊喳喳的私语里面，隐约感觉到有些奇怪。府里面当年说是生育了，然后生出来又死掉的婴儿，很可能就是她小时候，忽然出现在她家族里的那个女孩，于是她就一直琢磨这个事情。那句判词之所以在有的古本上写作"二十年来辨是谁"，它的含义就是贾元春一直在琢磨，他们贾府里面的这个女人究竟是谁呢？她不是到了当今皇帝身边才开始"辨是谁"的，她从四五岁上就开始纳闷了，后来她选秀女选上了，她还在辨，再后来她的生活出现了一个大的转折，她辨到第二十年的时候，她的判断就成熟了，她就说出来了。

我在上一讲里分析出，贾元春的生活原型，后来又从胤礽和弘皙的身边，通过内务府的二次分配，移到了弘历的身边。她逐渐掌握了确凿的证据以后，就选择了一个最佳时机来揭露这件事情，告发了秦可卿被藏匿的事情。你想她如果是四五岁开始琢磨这个事情，到二十年以后，她应该是二十四五岁；而弘历在做皇帝的时候差不多也是二十四五岁，这两个人的年龄应该是比较相当的。弘历对来到他身边的这样一个曹家的女子肯定产生了好感，她得到了弘历的宠爱。这时正好雍正暴亡，弘历登基，而弘历登基以后的第一件事就是抚平政治伤口，上下做团结工作，该赦的赦，该免的免。贾元春原型，也就是现实生活当中的这个曹家女子，看到这个情况以后，就觉得这是一个最好的时机。无论是这个生活原型，还是小说里的贾元春，告发家族藏匿皇家女子，都得选择一个最佳时机。她要达到三个目的：第一个目的，她觉得自己要坚持原则，我是皇家的人，我要坚持一个至高无上的皇家原则，皇家里面有个别的人做了这种不对头的事情，我有揭发的义务。她第二个目的，是要保护自己的家族，她揭发自己的家藏匿了不该藏匿的人，不是为了让自己的家族遭连累，她是为了保护自己的父母，让自己的家族得到解脱。为什么在这个时候来告发，她的家族就能得到赦免解脱呢？

247

她看到了新皇帝在忙着干什么呢？就是正在给所有这些皇族遗留问题画句号呢。同时，第三个目的，她是为了达到隐藏心底的一个愿望。她不可能没有一个往上爬的愿望，因为做了这样的事，而且家里配合得也很好，皇帝会认为她忠孝贤德，所以小说里写皇帝最后就把贾元春提升了，她于是就"才选凤藻宫，加封贤德妃"了。小说里面写的，虽然把真实生活当中发生的事情在顺序上略有挪移，但大体上应该就是这样。经过我这样分析，你再读小说里面第十三回到第十六回，你会觉得它在叙述的时间排列上就基本合理了。因此我觉得"二十年来辨是非"这句判词的意思应该是很清楚的，并不难解释。

关于贾元春的判词，第二句是"榴花开处照宫闱"。对于这句判词，很多红学研究者认为它没有什么特别意义，只不过是一句景观描写而已。我不这样认为，这一句也需要破解出其中的深意。

"榴花开处照宫闱"。"榴"就是石榴，石榴有一个什么特点啊？石榴多籽。为什么在紫禁城里妃嫔住的那些院落里面都种石榴树啊？它有时候不直接栽在地下，而是栽在一个大盆里面，现在你去故宫参观，有时候还能发现，月台上一溜都是石榴树。封建社会，从皇族一直到普通老百姓，都希望多子多福。康熙皇帝本身就是一个榜样，你看他那么多子女，而且以子女众多为荣、为喜。"榴花开处"意味着什么？我个人以为，意味着小说里面的那个贾元春实际上她已经为皇帝怀孕了，所以她得到皇帝那么大的宠爱。一般来说，皇帝宠爱一个妇女，在多数情况下，还是因为她为自己有所生育，特别是能给自己生儿子。所以贾元春她后来命运为什么悲惨呢？因为从小说里面我们看不到一点痕迹，说她把怀的这个孩子生下来了。在真实的生活当中，情况可能也是很悲惨的，她的原型给乾隆怀了孩子，孩子却并没有能顺利地落生。所以"榴花开处照宫闱"，那个石榴树开着花，石榴树开花就意味着要结石榴果，但是结出来没有呢？它不是"石榴结处照宫闱"，它仅仅是"榴花"，并没有完全结成石榴。这一句就点出来，贾元春她是处于这么一种状态。

关于贾元春判词的第三句是"三春争及初春景"。对于这句判词，很多红学研究者认为，这是指贾府四位小姐——元春、迎春、探春和惜春之间的关系，"三春"指的是迎春、探春和惜春，因为她们三人都不如元春地位风光显赫，所以是"三春争及初春景"。

那这句话又为什么被人说是"红楼死结"，是不解之谜呢？大家知道，贾家有四个平辈的女性，元、迎、探、惜。这四个女性的名字本身的第一个字合起来又是一个谐音，就是"原应叹息"，"原来就应该为她们叹息啊"。这是曹雪芹为这些最后命运都不好的薄命女性进行的艺术概括。她们的名字又都带春字，因此可以说是四春——元春、迎春、探春、惜春。所以"三春争及初春景"，很多人就解释成，你看元春多风光啊，元春到皇帝身边，"才选凤藻宫，加封贤德妃"了，迎春、探春、惜春你们都不如她，所以叫做"三春争及初春景"。但是这个话是说不通的。为什么说不通呢？因为《红楼梦》第五回关于十二钗的判词和曲，都不是说她们一段时间里的状态，而是概括她们的整体命运，点明她们的结局。那么就结局而言，迎春确实命最苦，她嫁给"中山狼"孙绍祖以后，很快就被蹂躏死了；但是探春跟惜春都没有死，尽管一个远嫁，一个当了尼姑，总比死了好吧；而元春呢，我们读完这个判词再读有关她的那个曲《恨无常》，就知道她后来是很悲惨地死掉了。在第二十二回，元春的那首灯谜诗，也很清楚地预示着她的惨死："一声震得人方恐，回首相看已化灰。"她究竟怎么死的，那些情节，有关细节，因为曹雪芹的八十回后文字散佚了，所以探讨起来可能麻烦一点，但是她的结局是悲惨地死掉，这是无可争议的呀！如果非要以四位女性的结局作比的话，只能感叹"迎春怎及初春景"，怎么会

249

第十七讲 贾元春判词之谜

"三春争及初春景"呢？而且元春是元春，你说初春干什么呀？所以如果这么解释，会越解释越乱。

非把"三春"解释为元、迎、探、惜里面的三位，非把"春"理解成指人，那读《红楼梦》就会越读越糊涂。不光是这一句的问题，书里有"三春"字样的句子非常之多，比如说"勘破三春景不长""将那三春看破"，更何况还有我们反复引用过秦可卿临死前向凤姐托梦，最后所念的那个话，那个偈语，叫做"三春去后诸芳尽，各自须寻各自门"。所以如果你要是胶着在"春"是四个人，来回来去捯饬这"三春"的话，你怎么捯饬也捯饬不出一个道理来，越捯饬越乱乎，特别是"三春去后诸芳尽"，怎么算"去"？如果死了算"去"的话，那只有迎春、元春死了，应该说"二春去后诸芳尽"；如果远嫁、出家也算"去"，那就该说"四春去后诸芳尽"，怎么也算不出"三春"来。那么这些话里面的"三春"究竟都是指什么呢？其实很简单，不是指三个女子而是指三个春天，"三春去后"就是"三度春天过去"。那么"三春争及初春景"是什么意思呢？如果你把"三春"理解成三个春天，也就是说把"三春"理解为三个美好的年头的话，这个问题就迎刃而解。一年固然有四季，但如果我们觉得我们三年都过得不好，我们就可以说这三年是"三冬"，因为冬天一般就让人觉得比较寒冷。"三春"则应该是指美好的年头一共有三个。你把胶着在四个人身上的思路搁在一边，你把你的思路挪移到按年头来理解的话，所有的这些话全通了，一通百通。"三春争及初春景"，就是贾元春她最美好的日子就是封为贤德妃的第一年，就是乾隆元年，就是初春，首先她省亲了呀，那多美好，是不是？小说也写了二春、三春的故事，写了背景大约是乾隆二年和乾隆三年的故事，由于各种各样的原因，虽然那个时候元春的情况还是比较好，但是她又回家省亲了吗？没有了。所以对于贾元春来说，确实是"三春争及初春景"。她一共有三个都比较美好的春天，但是在这三个春天里面加以比较的话，哪一个春天最好呢？初春。这样就把贾元春她的命运发展的轨迹表述出来了。

关于贾元春判词的第四句是"虎兕相逢大梦归"。对于这句判词，红学界争议更大。那么红学界争论的焦点在哪里？这句判词究竟意味着什么？

"虎兕相逢大梦归"，我这么一念，下面我看有的红迷朋友就在那儿皱眉，可能要对我说：您念错了吧？不是"虎兔相逢大梦归"吗？你看的那个版本，很可能上面写的是"虎兔相逢大梦归"，后来的通行本写的都是"虎兔相逢大梦归"。但究竟是"虎兔相逢大梦归"还是"虎兕相逢大梦归"，这是《红楼梦》研究当中一个很热门的话题。

有的研究者认为，原来是"虎兔"，因为"兔"字跟"兕"很相似，当年的抄手抄错了；有的研究者也认为是抄错，但却是把"兕"字错抄成了"兔"字，因为"兕"字比"兔"字生僻，如果原来是"兔"，很难想象有人会把一个常见的字抄成一个许多人都不会写也不知道该怎么念的怪字；也有的研究者认为，是高鹗续书的时候选定了"兔"字，他那是别有用心，故意把曹雪芹原作里传递的权力斗争的信息，化解为一种宿命，一种迷信。

我个人的意见是这样的，我认为，曹雪芹的原笔原意，应该是"虎兕相逢大梦归"。

虎，不用解释了，一种猛兽。兕也是一种猛兽，犀牛一类的那种兽，独角兽，很凶猛，身体体积很大，力气很足，顶起人来很可怕。它跟虎之间可以说是有得一搏的，很难说一定是虎胜，也很难说一定是兕胜。在虎兕相逢，两兽的恶斗当中，贾元春如何了呢？"大梦归"。这个你应该能理解，就是意味着她死掉了，人生如梦，魂归离恨天，就是死掉了。

但是有一些人坚持认为是"虎兔相逢大梦归"。高鹗、程伟元他们续后四十回《红楼梦》，写了元妃之死。高鹗他的续书是有一些优点的，我不想全盘否定，但是高鹗写这个贾元春之死确实是太荒唐了，现在我们来看一看他怎么写的。

首先，高鹗说贾元春怎么死的呀？没有发生任何不测，她是"自选了凤藻宫后，圣眷隆重，身体发福"，用今天的话说就是肥胖症。说她"未免举动费力，每日起居劳乏，时发痰疾"，说她吃荤东西吃多了，喉咙这儿老堵着痰，"偶沾寒气"以后，就"勾起旧疾"，勾起她的旧病后，"竟至痰气壅塞，四肢厥冷"，因此就薨逝了。她是因为发福，因为多痰，因为受了风寒，可能得了点儿感冒，她就死了，很太平地死在凤藻宫里面了。那么，前面第五回的判词也好，关于她的《恨无常》曲也好，关于她那首灯谜诗也好，等于都白写了，一点没有暗示作用，成胡言乱语了。高鹗就这样告诉我们，贾元春这个人，她很太平、很正常地在宫中薨逝了。

那他怎么解释"虎兔相逢大梦归"呢？这不是我非要跟高鹗过不去。他实在没办法，他写的才确实是胡言乱语，他这么说，"是年甲寅年十二月十八日立春，元妃薨日是十二月十九日，已交卯年寅月，存年四十三岁。"他就说，因为那一年是卯年，那个月是寅月，卯就是兔，寅就是虎，所以这不就是"兔虎相逢"了吗，她就大梦归了。首先，这是兔虎相逢，不是虎兔相逢，应该先把年搁前头，把月搁后头，对不对？再加上中国人关于属相关于十二生肖的规定，都是冲着年说的，几乎没有人把一月到十二月，按十二生肖来划分的；你们家，你自己，你们家老人，老祖辈有这么分的吗？现在是阴历几月呀？属于哪个属相啊？有这么问吗？一般不这么做。更何况，他语无伦次在哪儿呢？他自己说"是年甲寅年十二月十八日立春"，他说那是一个甲寅年，甲寅年那是虎年啊——过去也确实有一种说法，就是立春以后，可以算是另外一年了，甲寅过后是乙卯，你就说元春是死在虎年和兔年相交接的日子不就行了吗？他又偏不按年与年说，非按年与月说，也许他的意思是到了卯年了，但月还属于寅年的月，所以卯中有寅，算是兔虎相逢。但这样营造逻辑，实在是说的人和听的人都脑仁儿疼。我认为，说来说去，他就是要回避"虎兕相逢"这个概念，他一定要写成"虎兔相逢"，这个起码可以说它是败笔吧。而且他说贾元春去世的时候四十三岁，在那个社会四十三岁是一个很大的年纪，就是说贾元春死的时候已是一个小老太太，这个也很古怪，不知道他怎么想的。"才选凤藻宫"没多久，贾元春就四十三岁了。高鹗他续《红楼梦》八十回以后，他也没有很大的时间跳跃，没有说现在过了三年、过了五年，他没这么说，他就那么煞有介事地，按前八十回的那个时间顺序往下写。他写到贾元春死的时候，离元妃省亲也不过是几年的事情，这样往回推算的话，一个三十七八岁的妇女，还能得到皇帝那么大的宠爱吗？也没有生下一个儿子来。当然，他有想像的自由，问题是我不跟着他想像，我觉得他这个读起来不舒服。按我的分析，贾元春在省亲的时候不过二十四五岁，我那样算，和书中对其他年代的交代是对榫的，和真实生活当中曹家的情况也是能够大体对榫的，所以我觉得我的这个思路应该还是成立的。何况古本上写的就是"虎兕相逢大梦归"，就是意味着两个猛兽进行恶斗，在这个过程当中，贾元春不幸地一命呜呼，最后只得到一个人生如梦的感叹。这样，我们现在就把贾元春的判词完全读通了，它不再是不解之谜，更不是什么死结，是个蝴蝶结，一抻就解开了。

当然了，第五回不仅是通过一个判词来暗示贾元春的最后结局，还通过了《红楼梦》十二支曲当中的一支曲《恨无常》，来概括贾元春的命运。因此对贾元春的死亡原因如果要做探究的话，就必须对《恨无常》曲以及书中其他的一些描写来做研究，来做分析。我的下一讲，就将专门跟大家一起来讨论贾元春之死，我们下一讲再见。

贾元春死亡之谜

我们现在要探讨的问题就是贾元春究竟是怎么死的，因为我们现在看不到八十回以后曹雪芹关于贾元春的描写了。因此，我们只能够从第五回里面，曹雪芹写下的对贾元春命运的暗示里去分析。上一讲里面，我已经分析了关于贾元春的判词，指出按曹雪芹的情节设计，她不是像高鹗续书里写的那样，很太平地薨逝在凤藻宫，她是因为虎兕相争，在一场权力争斗当中，悲惨地死去。第五回除了判词，还有曲，现在我就要把关于贾元春的那一首《恨无常》曲，探究一番。判词和曲，总的意思是相通的、相同的，但是在对一些具体事件、具体情况的交代上，又各有侧重。

《恨无常》曲是这样的："喜荣华正好，恨无常又到，眼睁睁，把万事全抛，荡悠悠，把芳魂消耗。望家乡，路远山高。故向爹娘梦里相寻告：儿命已入黄泉。天伦呵，须要退步抽身早！"

对于这支曲，我们应该如何解读？它究竟怎样预示了贾元春的死亡？

这首曲曲名叫做《恨无常》，大家再想一想关于秦可卿的那首，曲名是什么呢？是《好事终》。两首曲的曲名搁到一起，触目惊心。我认为，两个曲名体现出了我在前几讲里面所说的那个因果关系。秦可卿和贾元春是扯动贾家命运的两翼——秦可卿的好事终了，很快贾元春的好事就来临。但是贾元春的最终命运仍然不好，所以叫《恨无常》。什么叫无常啊？如果始终不好，就叫常不好，始终好就叫常好；情况总在变动中，没有什么是可以持久的，而且往往那变动也无法预测，因此也就无法控制，无法避免，这才叫无常。各种状态都不能持久，如果是不好的状态不能持久，当然挺不错的，但是贾元春命运的悲惨在于，她的好运不能持久，所以她所谓的"恨无常"，实际上也等同于"好事终"。曹雪芹在营造这些《红楼梦》曲的时候，真是呕心沥血。

这个曲我们要一句一句地去体味。"喜荣华正好，恨无常又到。"这两句我觉得跟秦可卿那个曲的曲名真是挺对榫的，你把秦可卿的《好事终》那个曲名挪到这两句前头，不也挺恰当吗？"荣华正好"，结果"无常又到"。"无常"既是一个意味着事情不稳定，经常变化的名词，同时在中国过去的社会里面，它又是一个特指。什么叫"无常"？催命鬼。一个人死了以后，牛头、马面就来了，无常就来了，牛头马面是指人身子上头长着牛和马的脑袋的一对鬼怪，是专门为阎王爷从阴间跑到阳间来勾人魂的，他们把锁链套在人脖子上，拉着那么一走，人就死了，就奔赴黄泉了；无常则是另外一种形象。鲁迅在他的著作《朝花夕拾》里，就有一篇《无常》，回忆他小时候在乡间看迎神赛会的民俗活动中，所看到的装扮出来的这种鬼，"浑身雪白"，"一顶白纸的高帽子"，手里捏一把"破芭蕉扇"，有时候还拿一个算盘，意思是来找人"算总账"。鲁迅在那本书里还亲自画了关于无常的插图，你可以找来看。总之，无常也是过去民间传说中的来自阴间的一个鬼，他让活人感到一切都不可能长久，一切都会变化，到头来要被他清算，被他带往阴间；而且他不讲情面，鲁迅先生就在他那篇文章里写到，过去的目莲戏里，无常给人印象最深的唱词就是，"那怕你，铜墙铁壁！那怕你，皇亲国戚！"因此关于贾元春的曲里说"恨无常又到"，既是表示说，没有想到的一种最坏的变化来到了，同时也意味着，去勾她赴黄泉的无常鬼跑来了。

底下一句就接着说，贾元春"眼睁睁，把万事全抛"，很悲惨的。她"二十年来辨是谁"，多费心思啊！向皇帝效忠，告发了宁国府的那个女子是谁，是不是？她苦心经营了一番啊，又让皇帝觉得她忠心耿耿，又为贾家求得了赦免，只是让秦可卿自尽了事，没把真相暴露于社会，皇家、贾家的面子全保住了。而且，秦可卿的长辈在当时那种情况下，也忍痛牺牲了秦可卿，以求暂时的政治平衡，而她就因此被皇帝褒奖，才选凤藻宫，加封贤德妃，而且回家省亲，大大地风光了一回。甚至于为了面面俱到，她还专门安排了清虚观打醮活动，在秦可卿的父亲生日那天，为其打平安醮，以表示她的告发是不得已，是坚持原则，当然也是希望事情了结后，他能理解她谅解她，她自己也求个心理平安。而且很可能她还怀上了孕，"榴花开处照宫闱"，石榴树都开花了，如果结出果子的话是什么样的情景啊？但是，没想到这些竟然都是过眼烟云，正如秦可卿在天香楼上吊前跟王熙凤预言的那样，"也不过是瞬息的繁华，一时的欢乐"，到头来，她还是"眼睁睁，把万事全抛"。

　　注意，曹雪芹在《恨无常》曲的第二句里，就已经非常明确地告诉我们，这个人的死亡，不是因为什么发福、痰壅、感冒，因病死亡，她是突然死亡。什么叫做"眼睁睁，把万事全抛"啊？一个人眼睁睁地不愿意死，生理上不到死的时候，结果"把万事全抛"，就说明是非正常死亡。

　　如果我这么解释你不服的话，请读或者叫做请听警幻仙姑让歌姬们所唱出的下一句，"荡悠悠，把芳魂消耗。"这句话很恐怖。有位红迷朋友跟我讨论，说闹半天，她也是上吊死的呀？她的死法和秦可卿闹半天是一样的呀？他很感叹。但是我现在要郑重告诉你，她的死法和秦可卿是有区别的。秦可卿是自己上吊而亡，是"画梁春尽落香尘"。她怎么死的呀？"荡悠悠，把芳魂消耗"，她很可能是被别人缢死的，被别人用绸巾、玉帛绞死的。而且这过程当中她非常痛苦，她的"芳魂"是"荡悠悠"地、一缕一缕地归于消失，非常悲惨，她的死相应该是比秦可卿还要可怖。

　　她死在什么地方呢？《恨无常》曲交代得非常清楚。是像高鹗写的那样，死在宫里面吗？在凤藻宫吗？不是，叫做"望家乡，路远山高"，你想这是在什么地方？也有人跟我辩论，说她不是金陵十二钗吗？她的"家乡"应该指的是金陵了。如果她是在皇帝身边，在北京的话，她望她的家乡不是"路远山高"吗？这个听起来似乎也还自成逻辑，但是我认为，这样解释很牵强。因为通过小说里面的描写可以知道，贾家很早就离开金陵了，小说里面写到贾宝玉神游太虚境，看到有金陵十二钗的册页，就向警幻仙姑提问："常听人说金陵极大，怎么只十二个女子？"小说里面的贾宝玉，他对金陵就完全没有记忆。当然，警幻仙姑就有一个解释，说不重要的就不录了，录进的都是重要的。这就说明小说里面的贾家已经离开金陵故乡很久了，金陵只是一个原籍。贾家里面每一个人的死亡，后来几乎都是在离金陵很远的地方，曹雪芹不可能把一句可以通用于贾家诸多人物的词句，特特地写在这里，所以我认为"路远山高"不会是指原籍。在《恨无常》曲里面这样来写元春之死，它指的应该是元春死于一处荒郊野外，也就是说元春死在不但离她的祖籍金陵很远，而且离她平时所居住的凤藻宫也很远，当然离她自己父母所住的荣国府也一样远，应该是比如说潢海铁网山那一类的地方。"路远山高"是那样的含义。

她和秦可卿又有类似的地方。秦可卿上吊以后，没死绝的时候，跑去给凤姐托梦，说我要走了，你们贾氏宗族应该怎么办。贾元春在"芳魂荡悠悠"的时候，她也向她的父母，估计也托了梦，或者起码是她的阴灵想托梦，想表达一个意思。一个什么意思呢？《恨无常》曲里面写得很清楚，就是"故向爹娘梦里相寻告"，这句话说明她也是托梦。小说的八十回以内没来得及写到她的死亡，八十回以后的文字，曹雪芹的原笔现在没有看到，估计她也是托梦。她在梦里跟她的父母说了什么话呢？表达了一个什么意思呢？她说"儿命已入黄泉"，这句话就更确定她是死亡了。如果说"荡悠悠，把芳魂消耗"你觉得还不一定是死，那么这句话就太清楚不过了，说明最后她是死掉了。她发出一个什么样的惨痛的警告呢？她说，"天伦呵，须要退步抽身早！""天伦"就是她向她父母的一声呼唤，当然也不仅是父母，一说天伦的话，所有的亲族它几乎都可以包括在内，就是说建议贾氏家族"须要退步抽身早"。什么叫"退步抽身"？大家记不记得《红楼梦》的第二回写到贾雨村这个人物？他赋闲的时候到了一个破庙，叫智通寺，这个庙有一副对联，怎么写的呀？"身后有余忘缩手，眼前无路想回头。"这些意蕴在《红楼梦》里面是贯通的。就是说，不要老觉得荣华富贵是可以持续绵延的，不要总是去想尽办法到争夺权力的战场上去抢一块肉、分一杯羹。人生在荣华富贵的诱惑面前，不要眼前无路才想回头，身后还有余的时候忘了缩手。你看，在第二回就出现了这样的句子。在《恨无常》曲里面，作者在贾元春向她父母，向她的家族提出的警告当中，又发出了这样的声音，就是要"退步抽身"。从哪儿退步？从哪儿抽身？就是从"双悬日月照乾坤"的这种皇权斗争的格局里面来退步，来抽身。当然这种劝告估计起不到作用，因为像小说里面所描写的四大家族，像贾家这样的贵族家庭，特别是这个家庭里面的那些主要成员，他们是不太可能真正从权力的角逐当中去退步抽身的，而整个《红楼梦》的悲剧根源也就在于此。

尽管由于稿子的散失，我们无法看到《红楼梦》八十回之后真正的原作，不过通过贾元春的《恨无常》曲，我们还是可以得出一个清晰的结论，就是贾元春最终将难逃悲惨死去的命运。那么，以"草蛇灰线，伏延千里"著称，擅长设置大伏笔的曹雪芹，在《红楼梦》前八十回里面，有没有这方面的设计呢？元春惟一的一次公开亮相也就是省亲的时候，会不会透露了这方面的蛛丝马迹呢？

关于贾元春的悲惨结局，其实不仅是在判词和《恨无常》曲里面有所揭示，前八十回虽然没有直接写到贾元春后来的遭遇，但是也多次暗示了她不幸的结局。比如说在贾元春省亲的时候，进行完其他活动以后就要演戏，当时就点了戏，点了什么戏呢？点了四出戏。这四出戏非常重要，因为脂砚斋提醒我们，说"所点之戏剧伏四事，乃通部书之大过节，大关键"。虽然我们现在读小说只能读到八十回，曹雪芹的原笔原意只到八十回，可是在第十八回里面元妃省亲的时候点的这四出戏中，实际上把八十回以后的一些情况早就已经暗示出来了。

哪四出戏呢？第一出叫做《家宴》，是一个折子戏，什么戏里面的一折呢？叫做《一捧雪》。这个戏名是什么意思呢？一捧雪是一个古玩，一个玉杯的名称，就是一个玉器，一个像白雪一样的玉器，拿到手里面像一捧雪一样，非常珍贵。这是清代一个叫李玉的人，他做的剧本《一捧雪传奇》。我就不细讲这个戏的剧情了。总而言之，一捧雪这个重要道具贯穿这出戏的始终，造成了很多人的不幸命运。脂砚斋的批语很细，在这第一出戏《家宴》，《一捧雪》当中的《家宴》的旁边，就批了，说"伏贾家之败"。在元妃省亲的时候这出戏的出现之所以是一个伏笔，说明在八十回以后，估计贾家的最后陨灭和一件重要的古玩有关。戏里面是一捧雪，小说里面不会这么笨地也去写一捧雪，所以估计是会写到另外的古玩。和元春有关系的应该是一件什么样的古玩呢？我觉得我的看法是应该可以引起你的兴趣的。

大家知道，在《红楼梦》第七十二回里面，忽然写到一件事情，就是鸳鸯因为一件什么事，跑到贾琏和王熙凤他们住的那个地方，他们两个住在贾府后面一个单独的小院子里面。贾琏突然就问鸳鸯，大意就是说有一件事我忘了，上年老太太生日，有一个外路来的和尚孝敬的一个腊油冻的佛手，因为老太太喜欢，就立刻拿去摆着了。他说因为前日老太太生日，我看古董账上还有这一笔，可是又不知道这件东西现在着落在何方。贾琏作为一个荣国府的管家，他亲自过问这件事情。每一件古玩在使用完了以后都要归档，贾府它有一个机构专门来管理府内事务，结果就发现古董账上记的一个腊油冻佛手，归档的实物里面没有这样东西，他就认为是一件天大的事，就要查问。鸳鸯就生气了，鸳鸯说，老太太摆了几天就厌烦了，早就给你们奶奶了。就是说给了王熙凤了。贾琏还要查问，后来平儿出来了，平儿就说是给了王熙凤了，然后就埋怨贾琏，说这么一个事你怎么记不清楚，来回来去地问。贾琏后来还感叹，说我现在也是记性越来越坏了。大意是这样。曹雪芹写文章，他是几乎没有任何废笔废墨的，他写腊油冻佛手用了好几百个字，他写它干嘛呀？难道又是废话连篇吗？又不值得细读吗？

什么叫腊油冻佛手？这个腊油冻，我请教过有关的古玩专家，还有特别是做玉器的玉工，他们说腊油冻其实指的是它的颜色和质感，就和南方的腊肉上面的肥肉部分一样滑润，明白这个意思吧？是那样的一种石料所雕刻成的佛手。我获得的这个信息，我认为非常重要。就事论事，贾琏为什么要追问这个东西呀？腊油冻石料是产量非常之少的，用这个东西雕刻的佛手是非常有特点的，也是非常名贵的，非常值钱的。这个东西在古董账上有，可是查摆古董的架子上却没有，当然构成一个事件，查问它的下落是有道理的。为什么在前八十回里面会有这样一段情节呢？用的字还挺多。我估计在八十回后，这件古玩将是贾家败落的一个导火线。因为在省亲时候点戏，第一出就是《一捧雪》嘛，一捧雪就是古玩嘛；脂砚斋也说了，这出戏"伏贾家之败"嘛。而且请你注意，什么叫佛手啊？佛手是一种芸香科植物，佛手是这种植物果实的变异，如果它不变异叫什么？叫香橼。香橼这个词在《红楼梦》里面你应该很熟悉呀，上一讲我讲了贾元春的判词,跟判词配套的那幅画是怎么画的呀？记得吗？画的是一个弓，弓箭的那个弓，它当然是谐音，让你联想到宫殿的意思，元春她入宫了嘛，对不对？弓上挂着一个什么呀？挂着一个香橼，香橼的"橼"当然是谐元春的"元"，有没有这么一幅画啊？腊油冻佛手,也可以说就是腊油冻石料雕刻出的一个变形香橼，也就是元春本人的一种象征。当然，现在因为看不到曹雪芹在八十回以后所写的关于贾元春的具体故事了，我只能做一些猜测。但是我这种猜测也不能说绝无道理吧？有人跟我说你看又是巧合，您这一讲一讲里面充满了巧合。我开头也是这么看，我说这是巧合，那是巧合，但是第一次是巧合，第二个例子又是巧合，第三个它还是巧合，到最后，我个人的看法是去掉这个"巧"字，不是"巧合"，就是"契合"，就是"合"，就是这些地方显然绝不是信笔乱写，毫无含义的。因此在省亲的时候所点的这出戏《一捧雪》，伏贾家之败，而且还伏在元春的身上，可能跟腊油冻佛手有关系，这应该是一个合理的猜测。

那么第二出戏是什么？第二出戏就是《长生殿》。这个《长生殿》，脂砚斋在这个戏的戏名后面的批语就更清楚了，脂砚斋就明写"伏元妃之死"。《长生殿》写的是唐玄宗和杨贵妃的故事，杨贵妃后来怎么了？三军哗变，杨贵妃就被赐死了，自己又不愿意上吊，是被人用绫子缢死的，就是"荡悠悠，把芳魂消耗"。对不对？所以贾元春后来显然是惨死，她不愿意死，可是又不得不死，她死得比秦可卿还要惨，秦可卿还可以选择自己上吊的地点，自己来结束自己的生命，贾元春最后是让别人慢慢地给缢死的，很惨。

第三出戏是折子戏《仙缘》，写的是什么呢？写的是黄粱一梦的故事。脂砚斋对此的批语特别惊动红学研究者，这个大家就都没法猜了。脂砚斋说，点这出戏埋伏的是什么呢？是什么伏笔呢？是"伏甄宝玉送玉"。就是在八十回以后会有一个重要情节，甄宝玉这个人物要正式出现，而且他有一个行为就是送玉，这个甄宝玉送的什么玉？为什么要送玉？送完玉以后又出现了什么情况？现在一概不得而知，我也不再去猜测，因为这个目前实在是没有线索。

第四出戏也是折子戏，是《离魂》，《牡丹亭》里面的。脂砚斋的批语说得很清楚，就是"伏黛玉之死"，因为我们现在主要是探究贾元春，黛玉的事情我们暂时按下不表。

除了元春省亲时的点戏对贾元春的结局有所暗示之外，《红楼梦》里还有相关的描写，也起了暗示的作用。在《红楼梦》第二十二回的下半回"制灯谜贾政悲谶语"中，就通过元宵节时贾府众人制谜猜谜的故事，暗示了这些人物各自的命运。其中，贾元春所制灯谜最能够引起人们的兴趣，上一讲里我提了一下，现在来详细地加以分析。

在省亲后的元宵节，元春带头写灯谜，引出了荣国府里的灯谜大会。她写了一个灯谜，这个灯谜的谜底是炮竹。这个灯谜是这么写的："能使妖魔胆尽摧，身如束帛气如雷。一声震得人方恐，回首相看已化灰。"这个谜语意思是很浅白的。她把自己比喻成一个炮竹，"能使妖魔胆尽摧"，为什么她自己有这样一种情怀呢？就是因为我上一讲所讲的，她自己"二十年来辨是谁"，她发现自己家族里面居然藏匿着一个义忠亲王老千岁的女儿，她认为这样做是不符合皇家的规定的，是违法的，是一种妖魔的做法，是不对的；特别是因为她本人，在小说里面也设定为荣国府的人，她对宁国府可能本来就没有什么好感，尤其对贾珍这样的人，她没有好感，所以她觉得她自己"能使妖魔胆尽摧"，很有勇气。她"身如束帛气如雷"，之所以能够去揭发秦可卿，她觉得是道理、正义在她这一边，在她手里面，她一身正气，所以气势如雷，义无反顾。她"一声震得人方恐"，最后出现了什么事态呢？秦可卿不得不死。而她自己又怎么样呢？"回首相看已化灰"。别人回过头一看，您很快化为灰了。就这么个谜语。脂砚斋在这个谜语旁边是有批语的，批语就把这个谜语的内涵解释得更清楚了。她这么说的，"此元春之谜，才得侥幸，奈寿不长，可悲哉！"什么叫侥幸？就是说她之所以获得皇帝的宠爱，不完全是因为她本身的素质，还因为她有某种贡献，一个贡献可能就是因为她揭发了家族的一个不应该做的事，还有就是"榴花开处照宫闱"，她可能怀孕了。所以她很侥幸，得到皇帝充分的信任。但是，"奈寿不长"，她的命太短。所以高鹗说她活到了四十三岁，不但和曹雪芹前面的描写不相合，和脂砚斋的批语也不合。你老说我现在的分析是巧合、巧合，那你那么喜欢高鹗的话，高鹗他怎么就那么不巧啊？怎么就那么拙啊？怎么就老不能合呢？你续书，你就得合啊！高鹗的写法不合，是不是？

贾元春悲惨地死去，那么她死在谁的手里呢？因为八十回后文字我们看不到了，不好做非常具体细致的猜测，但是大体而言我们也可以了解到，贾元春之死应该是在贾家彻底败落之前。那不应该是八十回以后最后几回的故事，应该是在写到整个贾家家族大败落之前发生的事，她作为一个前奏，她的死亡应该是在那样一个节点上。前几讲里我分析了，到第八十回，故事的真实的时代背景，已经写到乾隆三年了，写到那一年的深秋了，宝玉吟出了"池塘一夜秋风冷，吹散芰荷红玉影"的句子；八十回后，应该很快就写到乾隆四年的事情。乾隆四年春天，发生了所谓"弘皙逆案"，就是弘皙那一派趁乾隆离宫外出春狩，实行了对他的谋刺；但是没有成功，并且也不再是"大不幸之中又大幸"，弘皙那派这回是彻底地"大不幸"了，乾隆快刀斩乱麻，果断地处理了此案。对外他尽量不动声色，似乎朝政并没有出现什么大的问题，对弘皙一党则分化瓦解，有的参与者处理得相当轻，对弘皙本人也没有处死，而是把他拘禁到景山东果园里严密看管。后来乾隆又销毁了绝大部分有关档案，但这个逆案对乾隆本人的刺激，是很深重的。现实生活中的曹家，也正是因为被牵连进了弘皙逆案，而遭到毁灭性打击。曹家在雍正朝遭打击的情况，还可以查到一些档案，乾隆朝的这次彻底殒灭，却几乎找不到任何正式档案了。但是我们可以估计出来，贾元春原型的死亡，应该就是在乾隆四年的这个刺杀事件当中，乾隆皇帝没有被刺而死，并且最后平定了叛逆，但是贾元春的原型却没能幸免于难。

八十回后，作者应该很快会以这个真实的事件为素材，写到贾元春的非正常死亡，死亡的地点很可能就是潢海铁网山。小说里在写完贾元春死亡以后，估计就会写到皇帝对贾家不但再无任何好感，而且深恶痛绝，新账旧账一起算，本来秦可卿被藏匿一事已经了结，这时候却又重新追究，宁国府的罪就比荣国府更大；当然荣国府帮甄家转移藏匿财物也是罪该万死，皇帝不可能对他们"沐皇恩延世泽"，而宁国府的被连根拔掉就彻底应了前面写下的那些预言："造衅开端实在宁"，"家世消亡首罪宁"。

那么，具体而言，贾元春死于谁手呢？很显然，她的死和小说当中的"月"派分子有关。最恨她的，应该是小说当中的"月"派人物，尤其是义忠亲王老千岁这个家族的人。在真实的生活当中，最恨曹家的这个女子的，也应该是弘皙他们这些人。所以，贾元春最后应该是死在他们手里，情节应该是类似《长生殿》里面所写的，在逼宫的情况下，皇帝不得不以牺牲她来换取暂时的休战。她成为两派政治力量斗争当中的一个牺牲品，非常悲惨。

在前八十回，影影绰绰出现了很多"月"派人物，比如冯紫英就是其中的一个活鲜鲜的人物。这个人物，作者对他的刻画比较多，出场后给人印象深刻，性格活跳，暗场出现也有好几次。在脂砚斋的相关批语里面还有很有意思的话，有一条批语它是这么说的，它称倪二、紫英、湘莲、玉菡为"四侠"。它又说，"写倪二、紫英、湘莲、玉菡侠文，皆各得传真写照之笔。""传真写照"既是一个审美性的评价，也是一个透露各人生活原型的话语。它所点出的这"四侠"很有趣，身份、性格完全不同。倪二排第一，倪二是什么人呢？市井泼皮无赖，放高利贷的，记不记得啊？这个人在《红楼梦》的书里面是很跳色的，一大堆贵族家庭的人物当中，忽然出现这么个人物。这个人物显然不会只在小说里面出现那一次，不会只有一个借给贾芸银子的行为。而且在关于倪二的那段描写里面，醉金刚倪二他最后跟贾芸怎么说啊？把银子给了贾芸以后他说，今晚就不回家了，他的意思就是说，你给我家里带个信儿，如果家里有事要找他，到马贩子王短腿儿那儿去找，书中有没有这样的一个人物的称呼出现呢？你翻一翻书，是有的。我认为这都不是闲文废笔，王短腿作为这个政治派别最底层的一个角色，在八十回后也应该是有戏的。冯紫英排第二，这个角色就不消说了，他是一个贵族公子，神武将军冯唐的儿子，和贾珍是铁哥们儿，和贾宝玉、薛蟠也好得不得了。第三个侠是柳湘莲，此人却又是另一路人物。柳湘莲是破落世家的飘零子弟，这个人多才多艺，还会串戏，文武双全，是一种存在于民间的边缘人物；他既可以和贵族府邸发生关系，也可以和乡间野民混在一起，是一个身份很暧昧的人。比较令我意外的是脂砚斋把蒋玉菡也列为四侠之一。蒋玉菡说难听点是一个戏子，说好听点是一个优伶。这个蒋玉菡不是一个普通人物，他原来是在忠顺王府里面，为忠顺王唱戏的，可是后来他自己自觉地跑到北静王府，成为北静王所心爱的一个戏子，而且更后来为了不让忠顺王府找到他，他在京东二十里地的紫檀堡置了庄院隐居起来。前八十回里，他的形象显得柔媚有余，估计在八十回后，他一定会显露出其性格的另一面，会有比较惊人的侠义行为，否则，脂砚斋不会把他列在"红楼四侠"之中。

你想，脂砚斋她读了八十回以后的全部的已经写好的文字，她就告诉你，有"红楼四侠"，而且这四侠居然是四个身份如此不同、反差如此之大的人。这意味着什么？我认为这意味着在"月"派势力方面，通过小说你可以感觉到，它纠集了社会上不同阶层的不同人等，构成了一种不可忽视的，立体推进的力量。这四侠应该是杀死贾元春的那支力量里面最活跃的人物。

但是，在真实生活当中，"月"派最后没有成功。估计在真实的生活当中，冯紫英的原型这伙人，他们之所以在春天跑到潢海铁网山打围，就是为了勘探地形，进行演练，为他们在一旦皇帝出来打围的时候行刺做准备。第二十六回写冯紫英的那段戏，在八十回后，一定会有所呼应。

我这样推测并不离奇，因为据清史专家考证，后来乾隆之所以扑灭"弘皙逆案"，确实并不仅仅是因为弘皙私设什么内务府七司，或者仅仅从语言上表露出一点野心，而是他已经纠集了一批人，确实是在乾隆离京出行的时候，营造了一次谋刺事件。但是他们没有成功，乾隆在扑灭这个事情之后，销毁了有关档案，以维护自己的尊严。

因此小说里面这样一些影影绰绰的情节，实际上还原为真实生活的话，都是一些惊心动魄的事情。书里面的冯紫英始终感觉到有人盯梢，所以他说"大不幸之中又大幸"，就显然是指在那次预谋行动当中，几乎就要被皇帝查获，但是他们逃脱了。究竟是怎么回事，他没说，他的警惕性高是对的。因为你要知道，在他宴饮的时候旁边还有妓院的云儿，云儿是个妓女，妓女所交往的人非常杂，他不得不谨慎。

你如果读得细，你还会发现，在写到忠顺王府的长史官到荣国府里，问贾政、贾宝玉索要蒋玉菡的时候，贾宝玉起初要赖，说不知琪官二字为何物，那长史官就冷笑道："现有证据，何必还赖？……既云不知此人，那红汗巾子怎么到了公子腰里？"宝玉听了这话，不觉轰去魂魄，目瞪口呆，于是为了免得那长史官再说出别的事来，就只好交代出蒋玉菡的去向。初读这一段的时候，我朦胧觉得，是因为贾宝玉腰上系着那条血点似的大红汗巾，被那长史官看见了，所以长史官指着他的腰那么说。后来一细想，再重读，白天汗巾子是系在大衣服里面的，根本不可能被长史官看见；何况书里前面交代得很清楚，那天得到那条汗巾子以后，晚上睡觉的时候，贾宝玉就将它换到袭人腰上了，袭人醒来发现后，很不乐意，就把它扔到一个空箱子里去了。这就说明，长史官来之前就掌握了这个情报。那么，那天在冯紫英家饮酒唱曲，冯紫英说什么也不肯解释"大不幸之中又大幸"，他的谨慎是有道理的。但就是那么谨慎，贾宝玉跟蒋玉菡互换信物的事，还是被忠顺王府派的探子探到了。因此，在表面平静的吃喝玩乐的日常生活后面，"月"派和"日"派的权力较量，是多么紧张激烈啊！秦可卿之死，贾元春之死，都是这种权力斗争造成的，她们的命运一样悲惨，一样是政治角力的牺牲品，都值得我们叹息，而曹雪芹塑造她们的形象，也正有这样的目的。

我通过这么多讲，把《红楼梦》金陵十二钗正册里面的二钗讲了一下。一个讲的是秦可卿，我花了很大力气；最近几讲，我讲的是贾元春。请你注意，我所做的研究不是人物论。我是把秦可卿这个人物，当做一个朝里眺望的窗口，一道最重要的门槛，一把最灵便的钥匙，去探究《红楼梦》这座巍峨宫殿里面的奥秘。我要达到的目的，不是仅仅去给你分析秦可卿，或者仅仅分析一个跟她同属于扯动贾府命运两翼的贾元春，我的探索将涉及金陵十二钗当中的几乎所有人物，首先是金陵十二钗正册当中的人物。金陵十二钗正册里面都有谁呢？你是心中有数的。我会在下一讲里面，首先向你汇报我自己对哪一钗的研究成果呢？我将向你讲述我探究妙玉的命运的心得，愿我们在下一讲愉快地再见。

刘心武创作简历

1942年出生于四川省成都市，1950年后定居北京。

曾当过中学教师、出版社编辑、《人民文学》杂志主编。

1977年11月发表短篇小说《班主任》，被认为是"伤痕文学"发轫作，引起轰动，从而走上文坛。短篇小说代表作还有《我爱每一片绿叶》《黑墙》《白牙》等。

中篇小说代表作有《如意》《立体交叉桥》《小墩子》等。

长篇小说有《钟鼓楼》《四牌楼》《栖凤楼》《风过耳》等。

1985年发表纪实作品《5·19长镜头》《公共汽车咏叹调》，再次引起轰动。

1986－1987年在《收获》杂志开辟《私人照相簿》专栏，开创图文相融的新文本，1999年推出图文融合的长篇《树与林同在》。

1992年后发表大量随笔，结为多种集子。

1993年开始发表研究《红楼梦》的论文，并将研究成果以小说形式发表，十多年来坚持从秦可卿这一人物入手解读《红楼梦》，开创出"红学"的"秦学"分支。

1995年后开始尝试建筑评论，1998年由中国建筑工业出版社出版《我眼中的建筑与环境》，2004年由中国建材工业出版社出版《材质之美》。

作品多次获奖，如长篇小说《钟鼓楼》获第二届茅盾文学奖；短篇小说《班主任》获1978年全国首届优秀短篇小说奖第一名，此外短篇小说《我爱每一片绿叶》和儿童文学《看不见的朋友》《我可不怕十三岁》都曾获全国性奖项；长篇小说《四牌楼》还曾获得第二届上海优秀长篇小说大奖。

　　1993年出版《刘心武文集》8卷，至2005年年初在海内外出版的个人专著以不同版本计已逾130种。

　　若干作品在境外被译为法、日、英、德、俄、意、韩、瑞典、捷克、希伯来等文字发表、出版。